BOUDDHA

**

LE SOURIRE DU SAGE

BOUDDHA

* Le Rêve de lumière
** Le Sourire du sage

PATRICIA CHENDI

BOUDDHA

✳✳

LE SOURIRE DU SAGE

roman

traduit de l'italien par Julien Gayrard

ROBERT LAFFONT

Titre original : IL PRINCIPE SIDDHARTA : LE QUATTRO VERITÀ − IL SORRIZO DEL BUDDHA
© Arnoldo Mondadori Editore S.p.A., 2000
Traduction française : Éditions Robert Laffont, S.A., Paris, 2001

ISBN 2-221-09209-0
(édition originale : ISBN 88-04-47664-8 Arnoldo Mondadori Editore S.p.A., Milan)

PREMIER LIVRE

L'arbre des Quatre Vérités

J'ai pris ces ouvrages
très savants
et, avec eux, j'ai commencé
à bâtir un château.

Roberto RIDOLFI

Il était une fois un jeune prince et son père, le roi. Le prince croyait tout ce que lui enseignait son père.

— Père, existe-t-il une créature que je ne connais pas ? demanda un jour le prince.

— Non, mon fils, tu connais tout ce qui existe. Tout ce que tu peux désirer voir ou imaginer se trouve dans notre royaume, il te suffit de regarder autour de toi.

Le prince imagina, regarda et dut donner raison à son père.

Il ne sortait jamais du royaume et y vivait heureux. Mais un jour, une sombre pensée lui traversa l'esprit. Dès le lendemain, il se rendit chez le roi.

— Père, j'ai imaginé hier trois choses que je n'ai pas réussi à trouver.

— Quelles sont-elles, mon fils ?

— Les îles, les princesses et Dieu.

Le roi se mit à rire.

— C'est bien, mon fils, je m'attendais à ce que tu me poses cette question. Il est bien naturel que tu ne les aies pas trouvées, puisque ces trois choses que tu m'as énumérées, à la vérité, n'existent pas. Les îles, les princesses et Dieu sont les trois seules choses qui ne font pas partie des créations du monde. Et tu l'as enfin découvert. Je suis très fier de toi.

Le prince se sentit rassuré, cessa de penser aux îles, aux princesses et à Dieu, et vécut heureux dans le royaume durant quelques années.

Mais un jour, par un après-midi ensoleillé, tandis qu'il s'amusait à courir le plus longtemps possible, il se retrouva sans y prendre garde hors de l'enceinte du palais et franchit ainsi les frontières d'un nouveau royaume. Un incroyable spectacle s'offrit alors à ses yeux : il reconnut la claire silhouette des îles, sur l'horizon, et la mer en était constellée. Mais une chose le *troubla plus que tout : ces terres n'étaient pas désertiques. De belles et étranges créatures y vivaient. Le prince en fut tellement abasourdi qu'il ne parvint pas à leur donner un nom. Il se mit à marcher le long de la plage, à la recherche d'une barque, et une personne élégamment vêtue vint à sa rencontre.*

— *Ces îles sont-elles réelles ? demanda le jeune prince.*

— *Bien sûr qu'elles le sont ! répondit l'homme.*

— *Et ces belles et étranges créatures ?*

— *Ce sont de véritables princesses.*

— *Alors Dieu existe, lui aussi ! s'exclama le prince.*

— *Bien sûr, jeune homme. Tu l'as devant toi. Je suis Dieu.*

À ces mots, le jeune prince retourna ventre à terre jusqu'au palais de son père.

— *Te revoilà enfin ! lui dit le roi en le voyant.*

— *J'ai vu les îles, j'ai vu les princesses et j'ai vu Dieu, annonça le prince d'un ton plaintif.*

Le roi ne sourcilla pas.

— *Les îles réelles n'existent pas, pas plus que les princesses, et il n'y a pas de vrai Dieu.*

— *Mais je les ai vus de mes yeux !*

— *Alors tu sauras me dire comment Dieu était habillé.*

— *Il portait des habits de cérémonie, comme pour une grande occasion.*

— *N'avait-il pas, par hasard, jeté les bords de son manteau sur ses épaules ?*

Et le prince se souvint que le dieu portait son manteau de la sorte. Le roi sourit.

— *C'est la façon dont s'habillent les Magiciens. Tu as été trompé, mon fils.*

Le prince retourna alors dans le royaume voisin et, de retour sur la plage, rencontra de nouveau l'homme qui portait des habits de cérémonie.

— *Mon père, le roi, m'a révélé ta véritable identité, lui dit le prince. Si je me suis laissé duper la première fois, cela ne m'arrivera plus. Je sais maintenant, puisque tu es un Magicien, que ce ne sont pas de vraies îles et qu'elles ne sont pas peuplées de vraies princesses.*

L'homme sourit.

— *Tu te leurres toi-même, mon garçon. Dans le royaume de ton père aussi il y a de nombreuses îles et de nombreuses princesses. Mais tu ne les vois pas parce que ses pouvoirs magiques t'ont ensorcelé.*

Pensif, le prince s'en retourna chez lui. Il alla voir son père et le regarda droit dans les yeux.

— *Père, est-ce vrai que tu n'es pas un véritable roi, mais seulement un Magicien ?*

Le roi sourit et jeta le bord de son manteau sur son épaule.

— *Oui, mon fils, je ne suis rien d'autre qu'un Magicien.*

— *Alors, l'homme de la plage est vraiment Dieu.*

— *Cet homme est un autre magicien.*

— *Je dois absolument connaître la vérité, la vérité qui se cache derrière la magie.*

— *Il n'y a pas de vérité derrière la magie, dit le roi.*

Le prince se sentit infiniment triste.

— *Je vais me tuer, dit-il.*

Le roi usa alors de sa magie, il fit apparaître la Mort. Celle-ci se présenta devant les portes du palais et appela le prince. Le jeune homme trembla de peur. Puis il se souvint des îles merveilleuses et des princesses irréelles.

— *Bien, j'ai compris. Tout n'est que magie et rien n'existe sans elle. À présent, je veux vivre.*

— *Tu vois, mon fils, lui dit le roi, ta carrière de Magicien vient à peine de commencer.*

PREMIÈRE PARTIE

Devant les portes

Un vent glacial soufflait sur les pentes de l'Himalaya et faisait trembler les cimes des arbres enneigés. Personne à Nagadvipa, la cité des Serpents, ne se souvenait d'un hiver aussi rude. Même les chasseurs restaient dans leurs cabanes. Ils rationnaient le pain et le sang caillé, préférant souffrir la faim plutôt que de s'aventurer sur des sentiers battus par la tourmente.

Dans les villages et le long des routes principales, toutes les activités avaient été suspendues. Mais devant les portes de la plus haute tour du palais, le rituel se poursuivait. Imposé par la nouvelle reine, il se déroulait tous les jours et en toute saison.

C'était le matin. Le soleil commençait à poindre à l'horizon. La procession des jeunes mères, enveloppées dans leurs manteaux déchirés et serrant leurs nouveau-nés contre elles, avançait péniblement vers l'entrée de la tour. Des gémissements s'élevaient des petits ballots et s'unissaient aux hurlements du vent. Seule la tiédeur de la poitrine maternelle parvenait de temps en temps à les calmer.

« Laquelle d'entre nous devra laisser son enfant entre les bras de la folle Narayani ? » se demandaient les femmes en attendant que s'ouvrent les portes de fer.

— C'est une honte, cette femme nous offense et nous humilie ! Sa maladie est obscure, l'envie et le remords la dévorent ! protestaient-elles.

— Narayani est une sorcière, son lait est empoisonné ! cria une vieille femme venue accompagner sa fille.

On entendit alors un puissant grincement métallique et les portes s'ouvrirent.

— Toi! Narayani a pointé le doigt sur toi depuis sa fenêtre, du haut de sa tour! Entre seule avec ton nouveau-né, siffla une servante grasse et boiteuse, en indiquant une jeune mère dont la tête avait été rasée à cause des poux.

— Ne sois pas inquiète, chercha à la consoler une autre femme, heureuse que son petit et elle n'aient pas été choisis. Narayani n'est pas ce que tu crois. On dit qu'elle ne fait rien d'étrange à nos enfants, elle veut seulement les allaiter en s'imaginant qu'ils sont à elle. Tout le monde est au courant du malheur qui l'a frappée. Depuis, cette pauvre femme ne trouve de consolation que dans cette amère comédie.

La file des mères se dispersa. Les notes d'une chanson triste se dissipaient le long des virages qui les ramenaient chez elles.

La grosse servante tenait sa torche à bout de bras au-dessus de sa tête et montait l'escalier ténébreux de la tour en soufflant et en boitant. Elle parvint enfin dans la pièce située tout en haut suivie de la mère et de son nouveau-né.

— Attends ici.

La servante entra dans la chambre de Narayani.

— Elle est arrivée, elle est juste là, avec son petit.

L'irréparable

Narayani releva le bord de son déshabillé de soie et disparut dans un recoin de la chambre. La niche d'allaitement se trouvait à l'angle du mur, près de l'unique fenêtre. Un tapis de laine précieuse recouvrait le dallage de pierre. Narayani s'y agenouilla et remit en ordre des objets posés sur un grand plateau, des statuettes d'ivoire et des coffrets qui le recouvraient comme des présents sur un autel. Deux urnes de verre gris se trouvaient en son centre. Elles étaient identiques, et seul un œil attentif aurait pu remarquer que l'une d'entre elles portait une fêlure. Ce fut sur celle-ci que Narayani posa d'abord les yeux. Puis elle se mit à réciter une formule rituelle. Ces urnes contenaient quelque chose de précieux et de sacré qui ne pouvait en aucun cas être touché ni regardé. Personne ne devait tenter d'ouvrir ces récipients. Elle en avait décidé ainsi.

– Ils sont à moi, à moi seule. Mon enfant est là-dedans.

Les pensées s'entrechoquaient dans son esprit perturbé et venaient se briser comme des vagues contre l'écueil de sa maladie.

Et il valait mieux que les étrangers ne s'approchent pas d'elle non plus : qu'ils restent à l'écart et la laissent seule.

Narayani souleva la seconde urne. Les traits de son visage se reflétaient dans le verre opaque. Elle éloigna ce miroir loin de son regard et déposa l'urne dans l'alcôve. Elle contenait un mélange de beurre, de miel et d'eau avec lequel elle humecterait les lèvres du bébé avant de lui donner le sein.

Elle s'installa mollement dans les couvertures en peau de mouton, les jambes un peu écartées, découvrit ses mamelons et les lava avec une serviette imbibée d'eau de santal.

Lorsqu'on lui amena l'enfant, elle se tenait prête à prendre le petit être dans ses bras, le corps abandonné au milieu des coussins.

— Je ne me sens pas très bien, aujourd'hui. Je dois avoir de la fièvre.

— Préfères-tu t'abstenir? s'empressa de lui demander la servante en reprenant le petit ballot d'un geste maladroit.

Le mouvement brusque de la grosse femme troubla le sommeil du nouveau-né, qui poussa un faible gémissement et se mit à crier.

— Regarde ce que tu as fait. Le voilà qui pleure. Donne-le-moi, et sors d'ici !

Au contact du souple déshabillé de soie, le bébé cessa peu à peu de crier. Sa petite tête effleurait l'épaule de Narayani. Elle sentait sur sa poitrine nue les battements réguliers de son petit cœur et sa respiration chaude venait mouiller son cou.

C'était un bonheur immense, le seul pour lequel il valait encore de vivre. Narayani fredonna une chanson et berça l'enfant. Des larmes de joie coulaient sur son visage.

Tout en gardant le nouveau-né contre sa poitrine, Narayani lui retira ses langes humides afin de le sécher et attrapa adroitement une petite couverture. Alors qu'elle y enveloppait délicatement l'enfant elle s'aperçut que ses mains enlaçaient presque complètement le petit corps. Il était si léger qu'il semblait ne rien peser. Elle regarda le bas du ventre du nouveau-né.

— Tu es une petite fille ! Je te donnerai le nom de ma mère, dit-elle avec orgueil. Elle était courageuse, elle, et toi aussi tu le seras. Sama, chuchota-t-elle à l'oreille du bébé, selon les règles du baptême.

En gardant les yeux tournés vers l'enfant, qui, enroulée dans la couverture, regardait autour d'elle en esquissant de petits sourires, Narayani allongea le bras vers le couvercle de l'urne et le souleva. Sa main trembla légèrement en saisissant la cuillère d'or. Elle la plongea alors dans le récipient, selon le rituel, en souhaitant à l'enfant sagesse, intelligence et vigueur.

Mais une force obscure et terrible semblait avoir détourné la main de Narayani : la cuillère dorée, au lieu du miel que contenait l'urne placée dans la niche, avait récolté la poussière et les cendres de celle qui était restée sur le plateau. Et la princesse remplit la bouche du nouveau-né de ces poisons.

La petite Sama se mit à hurler. Son front déformé par les pleurs laissait apparaître de fines veines bleues et des rougeurs apparurent sur son visage. Les effets de l'empoisonnement furent foudroyants sur ce petit corps sans défense. Ses membres en sueur se mirent à trembler puis se relâchèrent et une toux violente étouffa ses pleurs.

Mais Narayani n'entendait rien, son esprit était ailleurs.

– Je ne me sens pas très bien. C'est pour ça que j'ai besoin de toi, disait-elle à l'enfant. Tu entends ce vent? Les flocons de neige tombent sur nous comme un manteau de silence. Et toutes les deux, une maman et son bébé, nous trouvons enfin la paix.

Soudain, le visage de Sama se contracta en un violent et dernier sanglot. Narayani l'entendit, et sombra plus profondément encore dans son délire. Elle continua à bercer l'enfant, en la tenant toujours plus serrée contre son sein, à présent inutile. Elle chanta une berceuse et se mit à divaguer, puis d'immenses plumes blanches passèrent devant ses yeux.

– Le goéland vient d'arriver des mers lointaines. Mais pour quoi faire? Il s'est perdu, il a du mal à garder ses ailes déployées et il se jette derrière les sombres douves.

La tête du bébé tomba en arrière, les yeux fermés. Narayani la regarda et poussa un cri d'horreur. Le petit corps qu'elle tenait entre ses mains était devenu pourpre. Désemparée, elle s'élança hors de l'alcôve, fit un faux pas et tomba. La petite Sama était étendue sur le tapis et un filet de bave coulait sur l'étoile sacrée qui y avait été brodée. Mon Dieu, sauve-moi! Que faire? Narayani était en proie à la panique. Elle jeta l'urne de verre sur le sol et une sorte de sable blanchâtre se répandit par terre. Elle se précipita pour le ramasser. Elle sentit la chaleur des grains qui se décomposaient entre ses doigts et la froideur de la pierre sur le sol. Ses mains s'agitaient frénétiquement et ses doigts se coupaient sur les morceaux de verre. La poussière se mêlait à son sang pour former une sordide mixture. Du corps de la petite fille s'échappa une petite lueur. C'était son âme qui se tenait là, dans l'attente de pouvoir monter au ciel.

Narayani vit ce scintillement lointain s'unir aux ailes blanches du goéland. L'oiseau des ténèbres se fâcha et se mit à tourbillonner en l'air en poussant des cris menaçants. Narayani se pelotonna, blottie contre les éclats de verre de l'urne, comme pour se protéger d'un vent violent. Le bruissement des ailes lui semblait assourdissant.

Elle fondit en larmes. Elle s'était soudainement rendu compte de la tragédie et des péchés qu'elle avait commis. La fièvre la brûlait. Ses lèvres pâles tremblaient.

— Les cendres de Svasti..., l'urne est en mille morceaux... C'est de ma faute, je l'ai tué, j'ai tué Svasti, j'ai tué mon fils...

Narayani cria sa faute au plus profond de son être, des cris désespérés que rien ni personne n'aurait su arrêter. Le corps de l'enfant se trouvait là, devant elle, sans vie. Mais son esprit obsédé, incapable de réagir, ne pouvait s'empêcher de penser à Svasti. Le délire et l'hallucination étaient les seuls refuges de cette tragédie.

Très haut dans les cieux, par-delà les nuages, mille yeux brillaient, braqués sur la tour maudite et sur cette femme coupable qui devait être punie.

« L'heure de Sana n'a pas encore sonné. Nous ne nous rendrons pas complices du crime », proclamèrent les divinités chargées de tenir la garde devant les Portes du Ciel. Les dieux compatissants rendirent leur verdict : l'âme innocente de ce nouveau-né devait demeurer dans le monde des vivants.

Un silence surnaturel descendit derrière les remparts de la cité des Serpents et le royaume mettrait des jours et des jours à sortir de ce rêve de pierre. Seuls les cris de Narayani s'en échappaient et résonnaient sur les mers et les terres. Les dieux répandirent la triste nouvelle sur tous les chemins du monde, ils l'annoncèrent dans chaque refuge, dans chaque antre où ils savaient pouvoir trouver de ces créatures enchantées qui veillent sur les hommes.

« Esprits bienveillants, le ciel vous appelle. Entendez la complainte de la morte et les cris de la reine coupable ! Narayani a commis un affreux délit. »

Un mantra vibra dans l'éther. C'était le signe qu'un esprit messager de la justice céleste s'était déjà mis en chemin pour se réconcilier avec le mal qui avait été fait.

Le prince et l'enfant

La forêt étendait les ombres vertes et grises de ses arbres entrecoupées de milliers de taches de lumière. Des bruits assourdissants résonnant de toute part se mêlaient entre eux pour former une respiration unique et caverneuse auxquels seuls les sifflements stridents des corbeaux et les cris des singes réussissaient à échapper. Un sentier conduisant jusqu'aux rapides s'ouvrait au milieu des arbres. Il longeait de si près les feuillages qu'on eût dit un souterrain. Il fallait au moins trente jours de marche à travers la jungle pour atteindre le fleuve.

Le sentier commença à s'élargir et la terre noire s'ouvrit sur un immense champ de fleurs rouges formant une géométrie complexe. Aucune main d'artiste n'aurait pu dessiner ces carrés et ces cercles avec autant de précision. Siddhārta posa alors la sacoche qu'il portait sur son épaule.

Svasti semblait avoir élu ce lieu pour passer la nuit. Il le lui avait montré en le tirant par sa longue tunique et en le fixant d'un regard péremptoire que le prince ne lui connaissait pas. Il n'avait pas prononcé un seul mot de toute la journée. Si bien que Siddhārta fut presque émerveillé d'entendre enfin la voix de l'enfant.

— Siddhārta, tu es méchant, n'est-ce pas ?

Le prince le regarda sans répondre. Il s'aperçut avec étonnement qu'il ne l'avait jamais observé aussi attentivement ; tous ses traits physiques semblaient lui être révélés d'un coup.

Svasti était maigre. Il devait avoir dix ans. Il avait les cheveux si frisés et si noirs qu'on aurait pu le prendre pour un indigène si sa peau n'avait pas été aussi claire. Son ossature légère promettait une stature imposante, son nez était droit et sa bouche à ravir. Il rappelait les visages sculpturaux et les yeux noirs fardés de khôl des jeunes gentilshommes des bas-reliefs représentés en train de danser et entourés de merveilleuses jeunes filles.

Svasti ne portait pas de chaussures, ses pieds semblaient ne pas en avoir besoin. Le prince remarqua néanmoins, à hauteur de son orteil droit, entre la phalange et le métatarse, une vilaine blessure. Qu'il puisse encore réussir à marcher était un mystère. Peut-être était-ce à cause de la douleur que provoquait cette blessure qu'il avait tant insisté pour faire une halte dans ce coin de la forêt.

— Ton pied te fait souffrir ?

Pas de réponse. Svasti ne l'écoutait pas, il paraissait ne même pas comprendre la question. Soudain il fit volte-face :

— Tu veux user de tes pouvoirs comme le fait l'araignée, je le sais bien. Mais j'ai appris à me protéger de l'araignée.

— Et quels seraient les pouvoirs de l'araignée ?

— L'araignée reste immobile et observe. Exactement comme tu le fais. Puis elle crache sa bave blanche et tisse sa toile que personne ne voit, pas même l'abeille. Enfin, elle attend que ses proies s'y empêtrent. Et les voilà capturées.

À ces mots, Siddhārta prit conscience d'un détail qui le laissa encore plus perplexe : depuis qu'ils s'étaient mis en chemin, aux premières lueurs du matin, Svasti n'avait rien avalé. Il avait refusé les graines et les racines que le prince transportait dans son sac. À la vue d'une source d'eau vive et profonde, il avait cependant manifesté un peu d'enjouement. Il s'y était précipité comme l'oiseau aquatique se jette sur le miroitement argenté du poisson, avait plongé dans l'eau et nagé jusqu'au fond pour y boire une grande quantité d'eau, le triple de ce qu'il avait fallu à Siddhārta pour étancher sa soif. En quittant la source, il avait repris sa marche d'un pas plus rapide et plus alerte. Et il ne s'était plus arrêté. Grimper aux branches, franchir d'un bond de petits ravins ou encore exécuter des acrobaties de contorsionniste pour éviter les épineux, ce n'était là que quelques-unes de ses prouesses.

Mais alors, ce regard sévère qui paraissait plein de haine... Bien sûr, pensa Siddhārta, Svasti avait faim.

– Nous avons fait bien du chemin, aujourd'hui, peut-être arriverons-nous aux rapides plus tôt que prévu. Mais il faut que nous nous restaurions à présent que le soir descend. Qu'en dis-tu, Svasti, si nous faisions un feu et nous mangions?

– Je ne sais pas.

– Qu'est-ce que tu ne sais pas?

– Le feu... je ne sais pas.

– Tu ne veux pas de feu?

– Seul l'Absolu sait faire le feu.

– L'Absolu?

– Oui. L'Absolu...

Siddhārta comprit que Svasti faisait référence à quelqu'un.

– Qui est l'Absolu?

– Il n'est pas ici, il est parti. Et les autres enfants eux aussi sont loin à présent.

– C'était ta famille? Tu t'es retrouvé tout seul, tu t'es perdu dans la forêt?

– Oui. Je suis monté dans la pirogue et j'ai abandonné mes frères.

Svasti s'approcha de Siddhārta, l'attrapa par sa tunique et le tira vers lui. Il mit autant de force dans ce geste que d'orgueil à lui indiquer ce qu'il avait à lui montrer.

– Regarde.

– Tu as des marques noires sur le bras, on dirait des brûlures. D'où te viennent-elles?

En les regardant de plus près, Siddhārta s'aperçut que ce qu'il avait pris pour des blessures n'en étaient pas. Il s'agissait de signes tracés à l'aide d'une lame très aiguisée et tenue par une main experte. Ils apparaissaient au niveau de l'omoplate et couraient le long de son épaule pour disparaître sur son bras. À l'endroit où l'on pouvait voir les incisions de la lame, la peau était devenue rugueuse et présentait un étrange renflement. Siddhārta en fut impressionné. Il regarda Svasti droit dans les yeux.

– Qui t'a fait cela?

– Le feu.

L'enfant avait été marqué au fer rouge! Un frisson d'horreur parcourut l'échine du prince. Qui s'était autorisé une telle barbarie?

Obéissant à un élan aveugle, Siddhārta demanda alors :

– Ta mère. Y était-elle aussi ?

– Je n'ai pas de mère.

– C'est toi-même qui m'en as parlé. Tu m'as également dit son nom, tu t'en souviens ?

– Non, répondit sèchement Svasti.

Puis il s'écarta d'un bond pour se retrouver à quelques pas de son compagnon et se planta devant un arbuste aux fleurs rouges. Il resta immobile, à regarder la plante.

Siddhārta était certain de ne pas s'être trompé. Svasti avait prononcé le nom de sa mère lors de leur rencontre. Elle s'appelait Narayani. En le voyant de dos, avec ce pantalon en lambeaux qui ne lui couvrait même plus les genoux, son torse nu et son air ensorcelé devant les fleurs rouges, le prince se souvint avec exactitude de ce qui s'était passé lorsque, après avoir quitté le palais et s'être enfoncé dans la forêt, il l'avait trouvé sur son chemin.

– Svasti, que fais-tu dans cette position ? Pourquoi regardes-tu cette plante ? lui cria-t-il pour se faire entendre.

Le garçon était déjà en train de revenir vers lui, il avait sorti de sa poche une poignée d'insectes morts. Il les posa sur le sol, les uns derrière les autres, comme pour figurer un petit cimetière. Mais Svasti voulait encore lui montrer autre chose. Il fouilla de nouveau dans sa poche et en sortit ce qui semblait être une très belle surprise.

– Regarde, l'araignée est encore vivante ! dit-il en serrant l'abdomen de la bête énorme et velue entre le pouce et l'index.

D'un geste rapide, il l'écrasa aussitôt dans la poussière. Mais l'opération n'était pas terminée : il lui arracha les pattes, puis la tête, en la faisant craquer, planta ses ongles dans son abdomen pour le faire éclater, l'ouvrit en deux comme un coquillage et aspira d'un coup sec l'intérieur de l'animal.

Alors qu'il s'apprêtait à avaler ses autres proies, il fut arrêté par quelque chose qui bougeait dans la végétation. Les craquements provenaient des cannes et des buissons.

Svasti leva les yeux, cherchant à voir à travers l'épaisse végétation. Son regard était empli de terreur. Siddhārta sentit lui aussi qu'ils étaient en danger : le mal était aux aguets, il s'approchait d'eux.

26

– Un tigre ! Vite, détalons ! hurla Svasti.

– Ne crie pas. Ne dis rien. Reste où tu es et ne bouge pas.

L'esprit vide et concentré, le corps immobile, Siddhārta attendit que les images apparaissent devant ses yeux, que l'ennemi se présente à lui.

L'embuscade

Tout alla très vite. Un chasseur vêtu d'une épaisse cuirasse surgit d'un buisson. Ses yeux, pareils à ceux des rapaces, croisèrent le regard de Siddhārta. « Qui est cet homme sans armes qui se tient à côté de l'enfant, étranger à la peur et plus immobile que la statue d'un dieu ? » se demanda-t-il. Peu importe. Il devait accomplir sa mission, coûte que coûte, et personne ne pourrait l'en empêcher. Sa flèche, dont la pointe avait été trempée dans de l'essence de pavot, était dirigée droit sur le bras de Svasti, prête à partir.

— Je l'ai trouvé, ce petit démon qui a osé se rebeller contre la volonté de Māra ! Je vais te montrer à présent comment on attrape ceux qui fuient leurs devoirs. Tu es à moi, Svasti !

Un filet à gibier pendait de sa ceinture. Nakula le Faucon, le tueur à gages de Devadatta, exultait à l'idée des avantages qu'il tirerait de son retour victorieux à la cour.

— Je le blesse, puis je me jette sur lui avec le filet. Ce morveux ne peut pas m'échapper et Devadatta sera fier de moi. Il me félicitera et me récompensera. Mais au fond tout le monde se moque de ce gosse. C'est de son père Dronodana, l'Absolu, le disciple du dieu Māra, que je veux obtenir les faveurs. Et le rajah a besoin de ce morveux...

Tandis qu'il observait Svasti, le chasseur de têtes ne s'était pas rendu compte que sa vie était aussi menacée que celle de l'enfant. Un tigre, une grosse femelle, se tenait prêt à bondir sur l'homme qui s'était avancé sur son territoire.

28

Le visage de Siddhārta se fit de marbre. Il ne se préparait pas à un combat, mais à quelque chose de fort différent, quelque chose que seul un esprit osât concevoir. Chaque partie de son corps, chacun de ses membres, chacun des os de son squelette était immobilisé dans l'équilibre parfait de l'art martial. Sa respiration, lente et régulière, accompagnait sa pensée. Siddhārta évaluait les distances, mesurant des trajectoires infinitésimales qu'il organisait comme la trame d'un filet. Il contrôlait entièrement ce qui allait arriver.

Svasti étouffa un cri. Le tigre découvrit ses dents pointues. Le soir était descendu sur la forêt et le crépuscule était son heure favorite. Lent et menaçant, il balançait sa tête de part et d'autre, flairait et appréciait le terrain sur lequel il allait accomplir son meurtre.

« Vingt-deux pas de la pierre noire; soixante-sept de la branche cassée; huit de la cannaie. Le tigre est posté entre le cinquième et le sixième arbuste. » Tout en suivant attentivement chaque mouvement de la bête, le prince continuait à prendre ses repères presque centimètre par centimètre. L'image du tigre qui visait l'archer prenait forme dans son esprit.

Siddhārta se mit alors à compter : un, deux, trois...

Les trois puissants rugissements qui sortirent de la gorge du tigre firent frémir la forêt tout entière. Les doigts du chasseur tremblèrent sur l'arc. La corde était tendue et la flèche partit. Mais la peur et la hâte du tireur le trahirent et la flèche déviée partit s'enfoncer dans la fissure d'un rocher où elle vibra un instant et se brisa.

Le tigre bondit. Nakula, paralysé d'effroi, écarquilla les yeux.

– Je suis un homme mort, cria-t-il enfin.

Siddhārta ne détournait pas son attention du sol humide; il notait chaque motte de terre, traçant des lignes imaginaires entre le chasseur et l'animal. C'est alors qu'un mur invisible arrêta la course du tigre. La bête retomba à terre en poussant un long gémissement, puis, la queue basse, s'enfuit à travers les arbres, comme pour se mettre à l'abri d'un danger imminent.

– Qu'est-ce que c'est? eut le temps de s'exclamer Nakula avant de sombrer dans l'obscurité la plus complète.

– Qu'est-ce que c'est? balbutia Svasti, stupéfait devant l'incroyable spectacle.

Un fossé immense déchira la forêt en deux et une langue de lave incandescente se déversa en lui. Les entrailles de la terre, appelées à la surface, se mirent à cracher des centaines d'immenses langues de feux.

Derrière le mur de flammes, le chasseur, gracié par la mort, avait définitivement perdu de vue sa cible. Sidéré par ce miracle, il se sentit défaillir et tomba en lâchant son arc. Sa tête frappa contre une pierre et un flot de sang vint inonder sa nuque. Mais la peur l'empêcha de perdre connaissance. L'odeur âcre des cheveux brûlés le faisait tousser, l'air, noir de fumée, se pressait dans ses yeux et le faisait pleurer. Il commençait à suffoquer.

— À l'aide, ne m'abandonnez pas ou je mourrai dévoré par les flammes !

Il se débattait en cherchant une prise, mais ses doigts s'enfonçaient et se tordaient en vain dans la boue, ses jambes cédaient sous le poids de son armure. Épuisé, il s'abandonna aux flammes. Tandis qu'il s'enfonçait dans l'obscurité de l'inconscience, des paroles délirantes continuaient à sortir de sa bouche :

— Je ne connais pas ton nom, je ne sais pas qui tu es, mais tu es à coup sûr un Magicien puissant ! Plus puissant même que Dronodana. Tu nous tueras tous, le feu de Shiva est en toi ! criait-il à Siddhārta.

Lorsqu'il rouvrit les yeux, l'incendie avait disparu, et il ne restait pas traces du tigre furieux. La végétation était intacte et luxuriante, l'endroit était tel qu'il l'avait trouvé avant de tomber, entouré par les flammes. Ahuri, il se releva, sans croire vraiment qu'il ait pu survivre à tout cela, qu'il soit encore vivant ! L'homme et l'enfant s'étaient volatilisés. Il n'avait devant lui que l'épais enchevêtrement de branches et les panaches des cannes qui ondulaient dans la fraîche brise du soir. Il était sauf, et c'était bien la seule chose qui importait. Alors Nakula prit ses jambes à son cou et s'enfonça sans demander son reste dans le cœur de la jungle. Dans la hâte de quitter ce lieu maudit, il ne manqua pourtant pas de ramasser son arc et la flèche qui s'était nichée dans la fissure d'un rocher. Il devait les avoir avec lui, comme preuve du miracle.

Lorsque les pas du chasseur devinrent imperceptibles, Siddhārta fit signe à Svasti que la voie était libre. Celui-ci sortit la tête du tronc de l'arbre dans lequel il s'était caché et réapparut au grand jour.

— C'est toi qui as usé de la magie et qui as éloigné le tigre. Je le sais.

— Il y avait un homme qui voulait te tuer, Svasti. Et il allait être dévoré par le tigre.

Mais Svasti ne l'écoutait pas, il ne parvenait pas à contenir son émotion.

— Siddhārta, toi aussi tu es un Magicien et tu as des pouvoirs ! Toi aussi, toi aussi !

Il courait et criait, sautant de part et d'autre du sentier, comme possédé par une force mystérieuse. Son visage prenait mille expressions différentes et à chacune correspondait un son inhumain. Sa voix imitait le cri des animaux, les accents aigus du singe, le mugissement caverneux du bœuf. Ses pupilles dilatées étaient pareilles à des tisons ardents et ses muscles se contractaient tout seuls.

Sa danse frénétique cessa soudain et Siddhārta vit l'enfant s'évanouir comme le font les voyants avant de prononcer leur oracle. Ses yeux grands ouverts regardaient dans le vide, son corps était inerte. Le prince se pencha sur lui : son cœur battait régulièrement.

Svasti était simplement épuisé. Le prince le souleva et le porta sur ses épaules. Sa petite tête se balançait au rythme de ses pas et lui effleurait le visage, un souffle brûlant sortait de sa bouche et ses tempes étaient en feu. Svasti avait de la fièvre, il fallait le soigner.

Siddhārta alla jusqu'à la roche tachée du sang de l'archer. Celui-ci ne devait pas s'être blessé gravement et recouvrerait bientôt la santé. Cette pensée le rassura. Puis il s'engagea sur le sentier, le petit Svasti sur son dos. Il aperçut au loin des palissades. Elles formaient un enclos tout autour d'une grotte, et celle-ci était sans doute la plus grande et la plus profonde qu'il ait jamais vue. Une énorme dalle de pierre la précédait sur laquelle on avait gravé une inscription que Siddhārta ne parvint pas à déchiffrer. À l'intérieur, des tables, des chaises, des lits et toutes sortes d'objets avaient été extraits de la roche. La caverne n'était pas occupée, mais ceux à qui elle avait appartenu devaient avoir durement travaillé pour la rendre aussi accueillante.

Siddhārta découvrit une niche qui semblait taillée sur mesure pour Svasti et y coucha l'enfant, qui ouvrit lentement les yeux. Il allait déjà beaucoup mieux, mais il restait chaud et transpirant.

– Où sommes-nous? demanda le petit garçon encore endormi.

– À l'abri, Svasti, nous sommes à l'abri.

– Dans la pirogue?

– Oui, la pirogue est un endroit protégé. Nous sommes sains et saufs.

– Il faut que nous nous y agrippions bien, il faut que nous nous plaquions au fond, sinon l'eau pourrait nous entraîner avec elle.

Lorsque Siddhārta se détacha de son étreinte, Svasti dormait déjà profondément. Le prince se choisit un lit au fond de la grotte et se coucha à son tour. Les jours prochains, il lui faudrait demander à cet enfant de lui raconter l'histoire de la pirogue.

Les ombres de la forêt et l'enfance de Svasti étaient liées. Elles faisaient partie d'un même mystère.

· *De tous les messagers du ciel, Radha était la plus mystérieuse. On ne savait rien d'elle, sauf qu'elle était née avant les origines de l'univers, du temps de Krishna, et qu'elle se vantait d'être la préférée de ses seize mille épouses. Radha avait demandé à son mari la permission d'abandonner la tendre étreinte des serpents célestes pour aller habiter au milieu des hommes et aider ceux qui étaient dans le besoin.*

— Soulager les souffrances humaines est une chose impossible, lui avait répondu Krishna, la douleur est dans leur nature. Mais mon amour pour toi est si grand que je ne puis t'empêcher d'agir selon ta vocation.

Ce fut ainsi que Radha obtint la permission de devenir un être enchanté et de vivre parmi les hommes en tant que créature semi-divine. Une seule condition lui fut imposée : personne n'aurait le droit de connaître son vrai visage ; et si par malheur cela devait arriver, elle retournerait au ciel et ne reverrait plus jamais le monde. Radha accepta et se fit appeler la Dame des métamorphoses.

Un miracle

Lorsqu'elle entendit les cris de Narayani et le dernier souffle du nouveau-né assassiné, la Dame des métamorphoses accourut aussitôt. En ces temps, Radha était un coquillage bercé par les fonds marins et elle n'avait pas eu l'occasion d'exercer ses pouvoirs dans la cité des Serpents, le royaume du dieu Māra, depuis bien longtemps. Mais les pleurs de la reine, si forts qu'ils ébranlaient les océans, étaient le signe que là-bas aussi, peut-être, dans ce royaume sombre et austère, quelque chose était en train de changer. Une telle requête de repentir et de rédemption était insolite de la part des habitants de ce lieu de mort. Narayani devait être une créature bien différente des autres.

Radha prononça la formule du vent, parcourut d'immenses distances en un seul battement d'ailes et se retrouva devant la porte de fer qui barrait l'entrée du royaume, envahi par les neiges hivernales.

Après avoir décelé une fissure dans laquelle elle pourrait s'introduire, la Dame des métamorphoses se transforma en un insecte aux ailes plus petites que la pointe d'un cheveu et vola sans que rien ne vienne la troubler jusqu'au sommet de la plus haute tour. La porte qu'elle cherchait était au bout d'un long couloir : c'est de là que provenaient les cris.

La reine gisait sur le sol. Ses bras et ses jambes portaient les marques des griffures qu'elle s'était infligées avec ces mêmes mains qui avaient commis le crime. Narayani les regardait, l'air hagard, les paumes ouvertes devant ses yeux, comme si elle

34

espérait que ces mains ne fussent pas les siennes. Mais elle ressentit aussitôt une présence étrangère.

— Qui es-tu ? Je ne te connais pas, c'est la première fois que tu viens me voir.

— C'est la première fois que tu m'appelles, répondit la voix qui s'était introduite dans la cité.

Radha usa de son pouvoir magique et prit l'apparence de la servante grasse et bancale qu'elle avait entraperçue juste avant de voler jusqu'au sommet de l'escalier de la tour. Mais elle conserva cette voix suave qui vibrait comme les notes d'une flûte.

— Voilà, si j'apparais dans un corps aussi robuste, il te sera certainement plus aisé de me voir ! ironisa-t-elle.

— Si tu n'es pas ma servante, alors qui es-tu ? insista Narayani, perplexe.

Mais Radha ignora la question et se concentra sur la mission qu'elle était venue accomplir.

— Le temps presse, nous devons nous dépêcher. Les femmes vont arriver d'un moment à l'autre et tout doit redevenir comme avant, comme si rien ne s'était passé. Lève-toi, Narayani. Prends le corps sans vie dans tes bras et berce-le en oubliant les cendres qui sont éparpillées sur le sol.

Narayani suivit les recommandations que prononçait cette douce voix.

— Maintenant, répète après moi : « Nous invoquons Ganga, la déesse du fleuve sacré dont les eaux régénèrent et rappellent à la vie les âmes innocentes. » Puis trace avec les doigts de ta main droite un cercle parfait sur le front de l'enfant.

Narayani s'exécuta. La tête sur laquelle passaient ses doigts tremblants retombait toujours en arrière. Il fallut à la jeune femme un effort inouï pour que ses lèvres, sans conviction, murmurent une berceuse. La liturgie solennelle se poursuivait cependant, sans interruption, et les suppliques montaient jusqu'aux Grilles du Ciel de plus en plus distinctement, pour finalement parvenir jusqu'aux oreilles de la déesse du fleuve. La compassion ouvrit alors une brèche dans ce cœur qui, un instant auparavant, semblait sévère et inaccessible.

La déesse du fleuve, au-dessus duquel était suspendue l'âme de l'enfant, prête à quitter le monde terrestre, libéra le tourbil-

lon qui l'avait enlevée et la rendit au royaume des vivants. La
vie se remit lentement à battre dans le petit corps glacial de la
morte.

Ce fut comme si la lune s'était soudainement mise à briller
dans une nuit noire et sans vent. Narayani ne savait pas comment retenir les battements fous de son propre cœur et la pulsa-
tion fébrile dans ses veines. Le miracle avait eu lieu, et elle en
était bouleversée.

— C'est la peur de connaître la vérité qui t'oppresse, lui suggéra le regard imperturbable et miséricordieux de la mystérieuse créature qui avait rendu le sourire à l'enfant que
retenaient ses bras coupables.

Narayani sentit de nouveau la tiédeur et la mollesse du petit
corps sur sa poitrine. L'enfant s'endormit sereinement, comme
si rien ne s'était passé. Elle ne cherchait que chaleur et tendresse : cela même que lui offrait la chaude poitrine de
Narayani.

Ce court moment de bonheur fit oublier à la jeune femme
toutes ses peines.

— Esprit bienveillant, qu'est-ce que je te dois en échange de
la vie que tu as rappelée dans cet être de tendresse ?

— Triste Narayani, durant tout ce temps tu n'as fait que te
terrer dans ta douleur. Tu t'es inventé un leurre pour ton esprit.
Tu t'es rendue folle et tu en étais presque fière. Tu as étalé tes
mensonges aux yeux de tous jusqu'à y croire à ton tour. La
vérité, voilà ce que je te demande en échange de l'aide qui t'a
été prodiguée.

— Quelle vérité ? Je ne comprends pas de quoi tu parles,
divine créature.

— Concentre-toi, Narayani. Tu peux bien serrer contre ton
sein cette belle enfant, elle n'est pas à toi et ne pourra jamais
l'être. Elle a une mère, qui souffre à présent de son absence, par
ta faute, et qui craint de ne jamais la revoir. Est-ce là la douleur
que tu cherches à provoquer dans le cœur des mères dont tu
envies la condition ?

— Les enfants absents et disparus manquent à leur mère. Et
mon petit me manque.

— Tu t'approches de cette vérité que tu juges encore trop
amère pour l'accepter.

— Oui. Mais je ne comprends pas. Je ne sais pas pourquoi je me trouve ici, entre ces murs que je déteste.

On ne pouvait demander plus à cet esprit troublé. Chaque maladie suit son cours et les guérisons les plus lentes doivent aussi être respectées. La Dame des métamorphoses décida que le moment de prendre une nouvelle apparence était venue, après quoi elle abandonnerait Narayani à ses responsabilités. De grasse servante qu'elle était, elle se transforma en une torche de feu d'un yaksha de la forêt, cet esprit qui, parmi bien d'autres prérogatives, possède celle de prononcer des oracles.

Les flammes tremblèrent un instant et une nouvelle voix s'adressa à Narayani.

— Triste reine, le chagrin dans lequel tu t'attardes ne conduit qu'à la maladie et à la mort. Tu as voulu accoucher encore et tu accoucheras. Dans ton ventre a pris forme quelque chose de monstrueux, qui te fera souffrir, et que tu expulseras avec une douleur que tu n'as encore jamais éprouvée. Tu es de nouveau enceinte, Narayani. Mais personne n'est à tes côtés à présent, toi seule peux te libérer du mensonge.

Ces phrases sibyllines n'eurent d'autre effet que d'augmenter sa confusion et sa peur. Narayani s'agitait et pleurait. Puis une brume vint éteindre la flamme et dispersa la voix de l'oracle. La Dame des métamorphoses s'en était allée, son temps auprès de Narayani était fini.

On frappa à la porte. La véritable servante et la jeune mère s'acharnaient sur la poignée sans réussir à entrer.

— Narayani, Narayani! Que s'est-il passé? Ouvre tout de suite ou nous faisons enfoncer la porte.

Les deux femmes furent tellement surprises qu'elles n'arrivaient même plus à ouvrir la bouche. Narayani s'était présentée sur le seuil en souriant, comme on ne l'avait pas vue sourire depuis longtemps, et la petite fille dormait sereinement entre ses bras.

— Eh bien, pourquoi tout ce vacarme? Voilà, la petite est prête pour retrouver sa maman.

La jeune mère, stupéfaite et effrayée, recueillit le ballot des bras de Narayani et bafouilla des excuses.

— À vrai dire, nous avions entendu des cris. Nous aurions juré qu'ils provenaient de cette pièce, nous avions imaginé le pire. Mais à présent...

— La petite est en pleine santé, belle comme un bouton de rose, exactement telle que vous me l'aviez amenée. Je l'ai appelée Sama, en souvenir de ma mère. À présent, je vous prierai de me laisser afin que je puisse retourner dans mes appartements, je me sens lasse.

Mais la servante arrêta Narayani avant qu'elle ne referme la porte.

— Reine, tu ne m'as pas dit à quelle heure tu veux qu'on t'apporte un autre enfant pour le rituel de demain.

— Il n'y aura pas de rituel, ni demain ni jamais. Je l'ai aboli. Je ne veux plus que les mèrcs se séparent de leur enfant pour me le donner.

Après avoir prononcé ces mots, Narayani disparut dans l'obscurité de la pièce. Sa lugubre solitude recommença à lui peser. Elle se pencha pour rassembler les cendres et ramasser les débris de l'urne éparpillés sur le sol. Mais sa main, avec des gestes inutiles, effleurait seulement le tas de poussière. Rien que de la poussière.

Un rayon de lumière se glissa à travers les murs massifs de la tour pour s'enfoncer dans ses plus sombres recoins. Enfin, il atteignit une porte et pénétra dans la pièce par un judas. Une forte odeur de pourriture se dégageait de l'intérieur. La Dame des métamorphoses éclaira cet espace empuanti et se prépara à affronter celui qu'elle savait être le véritable responsable du mal, le Magicien qui haïssait tous les dieux à l'exception du terrible Māra, dont il était le fidèle serviteur. Mais elle tressaillit à sa découverte : le trône de Dronodana était vide ! Tout était silencieux, on n'entendait plus les gémissements des esclaves ni les rires grossiers des preux serviteurs, armés de piques et de hallebardes. Voilà pourquoi elle avait pu s'introduire avec autant de facilité dans ce royaume infernal pour y faire le bien ! L'armée de damnés tout entière était partie, elle avait quitté les murs de la cité des Serpents. Et Dieu sait quel lieu du monde elle avait déjà élu pour en faire son nouveau théâtre du mal !

Le vaisseau du fou

Dronodana, le puissant et invincible rajah de la cité des Serpents, cet être fidèle au pouvoir du dieu Māra qui avait poursuivi la voie de l'immortalité avec autant de zèle qu'un architecte dresse les fortifications d'une ville inexpugnable, n'avait plus le temps d'espérer. Frappé d'une maladie inguérissable, le Magicien, comme le plus misérable des mortels, avait enfoncé ses ongles crochus dans les roches pour ne pas être emporté par la mort. Il touchait à la fin de sa vie. Il le savait. Le dieu Māra l'avait trahi! Mais avant que son heure ne vienne, Dronodana s'était juré de retourner sur le lieu où il avait conclu le pacte du sang.

— Je dois retrouver le sanctuaire de mes petits prêtres, je dois revoir la terre que j'ai inondée de sacrifices humains en échange de l'immortalité.

Ses yeux scrutaient l'horizon frénétiquement. Le rajah avait fait installer à l'avant de l'embarcation une sorte de lit gigantesque en forme de valve pour lui servir de poste de commande, et c'est de là que Dronodana, comme une horrible figure de proue se découpant sur les eaux troubles du fleuve, retenu contre un dossier par des lanières de cuir et isolé de l'équipage de criminels et de prostituées qu'il avait embarqué avec lui, guettait chaque méandre. Le cours d'eau s'enfonçait au milieu des roseaux. Le rajah voulait être le premier à apercevoir le ponton qu'il connaissait si bien.

— Ahhhhhhh!

Les élancements insoutenables qui montaient de son corps ravagé augmentaient de minute en minute et ses gémissements épouvantaient l'équipage.

— Les sangsues, vides-en un panier tout entier. Tu as entendu, Varudi ? Le rajah a dit qu'il en voulait encore ! criait le médecin sorcier.

Cet être fantomatique se disait expert dans les plus secrets remèdes contre les poisons les plus violents et Dronodana avait voulu que ce gigantesque fils des montagnes soit à ses côtés pour prendre soin de ses jambes gangrenées.

— Esclaves, dépêchez-vous ! D'autres paniers de sangsues !

L'homme répondant au nom de Varudi qui dirigeait l'équipage épouvanté hurlait à son tour en brandissant sa cravache. La terreur et la folie régnaient à bord. Les bras transpirant, les visages épuisés et couverts de boue, les hommes transportaient d'une extrémité à l'autre du pont des bassines remplies d'une matière répugnante sans jamais s'arrêter. On ne comptait plus les jours et les nuits qu'avait passés cette chaîne humaine acharnée à obéir aux ordres.

— Combien d'autres seaux de ce pus fétide me faudra-t-il porter avant que ne crève ce vieux tas de chair putride ? se lamentait l'une des esclaves indigènes soumise aux plus durs labeurs, en se penchant, nue, au-dessus du garde-corps pour jeter à l'eau un seau de matière jaunâtre.

D'autres esclaves à la peau claire, couvertes de plumes étranges et multicolores et destinées aux caprices sadiques du rajah, se tenaient à l'écart. Elles observaient avec dégoût les bancs de poissons monter à la surface pour se nourrir des sécrétions morbides. Ils semblaient poussés par une faim insatiable.

Le rire de Dronodana se perdit dans le rideau de roseaux et de ronces. C'était le premier depuis le début du voyage.

— Un cycle infini de charogne met mon sang pourri en circulation. Regardez : les oiseaux vont bientôt descendre vers le fleuve pour dévorer les poissons empoisonnés, puis ils se jetteront à leur tour sur la berge pour y mourir, et leur chair trompera les prédateurs. Et ainsi de suite, provoquant une mort après l'autre. Mais que crois-tu, Pamir ? que je suis prêt à me rendre, peut-être ?

Pamir tenait contre sa bouche un tampon de feuilles pour se protéger des odeurs émanant des membres putréfiés du vieux rajah. Il ne l'écoutait même plus. Il était fatigué de ses délires.

On pouvait lire, sur les visages défaits par la fatigue, l'épouvante de l'équipage devant la folie de l'entreprise. De quel sanctuaire parlait le rajah ? Existait-il vraiment ou n'était-ce que le fruit de l'imagination d'un homme malade ? Et pourquoi voulait-il y retourner, pour quoi faire ?

Trois jours s'étaient écoulés depuis qu'ils avaient dépassé le Chêne des vents dont les branches s'allongeaient jusqu'à toucher l'eau, mais, la panique de l'équipage aidant, ils se retrouvaient à présent au même endroit. Durant plus de quarante heures, ces corps, ces dos, ces bras avaient transpiré sans repos, martyrisés par les coups de fouet et épuisés de faire avancer l'embarcation à travers les eaux boueuses. Et ils avaient tourné en rond.

Un rugissement s'éleva du siège de la proue du navire et résonna dans la jungle. Le vieux rajah ne se rendait pas.

— Continuez à ramer, sales bêtes ! invectiva Dronodana. Et toi, Varudi, viens ici, prends une hache et coupe-moi cette jambe !

Varudi s'approcha, hésitant et déconcerté par la férocité de l'ordre.

— Une hache, sale bête, une hache ! Tu crois peut-être que Dronodana a peur de la douleur ? À chaque minute qui passe, cette jambe déverse son venin dans mon corps et me tue. Ces maudites sangsues ne m'apportent aucun soulagement. Une hache, j'ai dit ! Apportez-moi une hache !

Varudi donna l'ordre à deux esclaves de chauffer le fer à blanc sur le grand brasero où le feu n'avait cessé de brûler depuis le départ. Puis, dans un silence absolu, il prépara une grosse table de bois sur laquelle il opérerait.

La lame lançait des étincelles sur le pont trempé de l'embarcation immobilisée en plein milieu du fleuve. Varudi se plaça face à Dronodana et, sans le regarder, leva de ses deux mains la hache au-dessus de sa tête.

— Frappe, maudit serviteur ! Fais quelque chose ! cria Dronodana.

Le fer brûlant dessina un demi-cercle dans la faible lumière du soir. Dronodana hurla comme un fou touchant à sa dernière heure et son cri glaça le sang de toutes les créatures vivantes qui se trouvaient alentour, rameurs, esclaves, bêtes sauvages de la forêt. Ce n'était pas le cri d'un homme, mais d'un demi-dieu, d'un esprit damné qui s'était toujours caché aux autres et jamais à lui-même.

D'autres heures de délire s'écoulèrent. L'embarcation, laissée sans guide, poursuivit sa route à travers la nuit, vers un lieu que nul ne connaissait. Varudi, après avoir cautérisé l'horrible blessure, était resté auprès de son maître, dont il soutenait fébrilement la tête. À l'aube, un donjon en ruine apparut à travers le brouillard épais et humide, au beau milieu de la végétation. L'équipage resta sans voix. Était-ce le temple qui faisait divaguer Dronodana ?

— Rajah, réveille-toi, le secoua Varudi. Est-ce le temple dont tu nous parlais ?

Dronodana tourna péniblement son visage jaunâtre vers la rive du fleuve et regarda. Ses yeux se mirent à briller d'un plaisir obscène.

— Le temple des prêtres... Alors Māra est encore avec moi. Il me rendra ma jambe, il refera mon corps. Je retrouverai mes pouvoirs, murmura-t-il. Amenez-moi là-bas.

Quatre des esclaves les plus forts décrochèrent le siège attaché à la proue, le portèrent sur le pont et, tandis que le rajah cherchait à se soulever sur ses coudes pour ne pas perdre de vue le lieu d'accostage, le firent passer au-dessus du parapet de l'embarcation.

— Par là, vite, derrière ces lianes ! Portez-moi là-bas, répétait le vieux rajah.

Les hommes de Dronodana virent alors la montagne verte, recouverte par l'enchevêtrement des racines des banians entre lesquelles apparaissaient les puissants blocs de pierre du sanctuaire abandonné. Sombre vision. Soudain, la silhouette d'un enfant nu apparut entre deux colonnes surmontées d'une architrave. Il était tellement sale qu'on ne pouvait distinguer la couleur de sa peau.

Dronodana se mit à ricaner.

— Je le savais, je le savais... Viens, mon petit prêtre, approche-toi de ton père, viens ! cria-t-il avec force.

L'enfant, dont le corps gracieux et robuste était déjà presque celui d'un homme, arriva près de Dronodana les bras ballants et les yeux vides.

— Viens mon enfant et dis-moi : m'attendais-tu ? demanda le vieil homme d'une voix mielleuse.

— Nous attendons Svasti, répondit l'enfant sauvage. Svasti, notre frère. C'est lui qui nous emportera loin de cette maison du sang. C'est lui notre nouveau maître.

— Moi aussi, pauvre animal, j'attends Svasti. Je brûle d'envie de le voir, je suis là pour lui !

Puis Dronodana se tourna vers ses hommes d'armes.

— Tuez ce garçon tout de suite. J'ai besoin du sang d'un enfant pour mon bout de jambe. Les sangsues m'ont épuisé.

Dans les appartements

Le matin suivant, Narayani se leva de bonne heure, s'habilla puis sortit de sa chambre. L'escalier raide de la tour s'enfonçait devant elle. Elle commença à descendre une à une les marches en laissant glisser sa main contre le froid mur de pierre, comme si elle faisait ses premiers pas sur une surface inconnue. Ses pieds étaient nus, ses chevilles plus fines encore qu'autrefois, et tout son corps lui faisait mal en raison des années qu'elle avait passées alanguie sur les coussins à regarder le plafond.

Elle descendit plusieurs étages en comptant les marches. Au-dessus de l'escalier, les arcades de la voûte plongées dans l'obscurité l'oppressaient. Elle avait atteint la cent soixante-cinquième marche lorsqu'elle s'arrêta. De la lumière s'échappait d'une porte entrouverte, au fond de la galerie. Elle s'approcha et, attirée par un bruit qui ressemblait au grignotement d'une souris, elle lorgna l'intérieur et dirigea son regard vers le coin éclairé. Un homme assis sur un tabouret déroulait sur ses genoux des feuilles de palmier séchées. Il les lissait avec ses doigts et passait une éponge légèrement humide sur leur surface veinée. Il leva la tête.

– Bien le bonjour, ma reine !

C'était donc vrai, pensa le secrétaire, Narayani avait recouvré ses forces et son envie de vivre. On ne parlait que de ça au palais, l'amélioration de son état de santé était dans toutes les bouches ; et peut-être, qui sait, sa guérison porterait chance à tout le royaume.

– Que fais-tu, plié de la sorte ?

— Je suis en train de préparer les feuilles de palmier, ma reine.

— Les feuilles de palmier?

— Oui, ma reine. Les feuilles doivent être traitées avec des onguents spéciaux pour que les signes de l'écriture y pénètrent bien. Regarde, comme ça, comme je suis en train de faire.

Narayani souleva avec soin le délicat tissu végétal et se prit à en admirer les veinures transparentes.

— C'est très beau. Et tu passes tes journées à préparer ces feuilles?

— Vraiment, ce n'est qu'une partie de mon travail, dit le secrétaire en penchant légèrement la tête avec perplexité.

Le secrétaire étendit sur une plaque de bois la feuille prête à recevoir l'écriture et trempa la pointe d'un roseau dans une coupe.

— Mais dis-moi, secrétaire, qu'écris-tu?

— Des comptes, Narayani, seulement des comptes. Malheureusement, les finances du royaume ne laissent pas place à autre chose : des montagnes d'inventaires, des bilans, des listes de dépenses, dont le montant augmente de jour en jour. Ici se trouve la colonne des chiffres et là celle des innombrables biens pour l'achat desquels le rajah Devadatta et, avant lui, le rajah Dronodana se sont endettés. Quatre cents onces de vin, cent vingt-sept peaux d'ours, mille neuf cent vingt-six sacs d'avoine... et je pourrais continuer ainsi sans fin.

Le regard absent, Narayani observait les fissures et les ombres du mur de pierre qui lui apparaissaient comme autant de signes mystérieux, et elle entendait des mots jaillir en elle, telle l'eau d'une source.

— Dis-m'en plus, secrétaire.

— Je pourrais te parler pendant des heures, ma reine, du mystérieux pouvoir de l'écriture. Je n'écris sans doute que des nombres, mais que tu le croies ou pas, je construis des mondes avec ces nombres.

— De quels mondes parles-tu? demanda Narayani, soudain anxieuse.

— Des mondes que je détruis : des contentieux en affaires, des tragédies que vivent certains débiteurs, des vols ou même des meurtres se cachent derrière les chiffres... Je suis le comptable de cette activité incessante et forcenée des hommes que je traduis en chiffres et inscris sur ces feuilles. Et ces chiffres portent pour moi seul le souvenir des actions passées. Puis, les confiant à mes pages, je les oublie. Je ne peux d'ailleurs les oublier que de cette façon.

— Ah, oublier..., dit Narayani, troublée. Oublier ou se souvenir? Mais toi, secrétaire, réussirais-tu à écrire les pensées qui m'envahissent en cet instant? Réussirais-tu à mettre dans tes phrases mystérieuses le visage, le corps et le charme d'un homme qui est loin?

— Je suis prêt, ma reine.

Le chant d'amour de Narayani

Maudit délire qui m'a envahie, torturée,
Et, dans cette tour de sang, emprisonnée.
Ennemi qui tant de fois m'a assaillie
Pour me faire haïr mon fils, et la vie.
Aujourd'hui, je vois mes tortionnaires qui se sont endormis,
Et dans la fraîcheur du matin, voilà! un visage s'approche.

Parce que j'aime et que je ne t'ai pas attendu en vain.
Viens, prince solennel, avec tes bras qui pendent le long du corps,
Viens et apporte tes monts lointains à l'abri de ma tour,
Rassemble en une unique plaine tous les champs que je vois.
Dame des choses impossibles, permets-lui d'entrer.

Viens et berce-moi, viens et console-moi.
Embrasse-moi sur la bouche en silence,
Et ne te fais pas remarquer,
Libère mes larmes retenues.
Viens et défais-moi de cette inutilité dans laquelle je végète.
Sereinement, comme une brise, dans le soir léger.
Tranquillement, d'une étreinte qui me rassure.
Donne-moi de l'amour, avec les étoiles qui brillent dans tes mains.

Tous les bruits me sont une promesse merveilleuse,
Mais tu n'es pas là.
Ah! Immense distance, océan désert entre nous.

Le Sourire du sage

Siddhārta, prince lointain,
Si fort qu'il m'attire et m'entraîne.

Pure distance,
Viens de ton dehors, de tes nuits mystérieuses
Ou fais-moi mourir.

L'enfance de Svasti

— Mes frères, où sont mes frères ? murmurait Svasti en s'agitant dans son sommeil.

L'aube ne s'était pas encore levée. La vie des oiseaux nocturnes battait son plein entre les branches. Siddhārta, du fond de sa grotte, en distinguait les appels lointains.

— Que de paroles à voix haute dans ton rêve, jeune Svasti !

Svasti se réveilla brutalement. Il avait dormi d'un sommeil lourd, empli de rêves, et jetait à présent des regards autour de lui, l'air hagard. Il ne se rappelait pas pourquoi il se trouvait ici, dans cette caverne. Puis il entendit la voix de Siddhārta.

— Bien dormi, Svasti ? C'est une bonne journée qui s'annonce pour nous.

Le garçon sourit et reconnut aussitôt l'homme qui l'avait sauvé.

— Qui sont tes frères, ceux que tu appelais en dormant ?

— Je n'ai plus de frères. Je n'ai fait que monter sur la gongue.

— Ta pirogue, est-ce de cela que tu veux me parler ? Tu veux me raconter l'histoire de ta pirogue ?

— On appelle ça une gongue, précisa Svasti d'un ton méprisant.

Puis, encore endormi, il répéta ce nom à plusieurs reprises : « Gongue, gongue, gongue... » Il le chargeait d'un sens presque sacré et le mot résonnait comme une formule dans sa bouche, comme un code d'appartenance à une caste. Mais il y avait bien autre chose, dans cette étrange litanie. Svasti voyait en lui-même les instruments d'un orchestre, et il les accorda un à un jusqu'à ce qu'il se rappelle toutes les images de son passé. Il abandonna alors le chuchotement monotone et répétitif de ces syllabes pour commencer à raconter son histoire. Son visage renfrogné se relâcha et son regard sauvage se fit plus doux. Svasti montra une autre nature qui logeait en lui, il devint le prêtre qui accueille dans le temple. Et c'est Siddhārta qu'il accueillait en cet instant.

– La gongue était attachée à une corde. L'homme aux bras d'acier et à la longue natte noire l'a dénouée, puis il m'a dit : « Attends-moi ici, ne bouge pas ! » La gongue ne pouvait pas attendre, le courant de la rivière l'a entraînée et elle est partie loin. Je m'étais recroquevillé à l'intérieur, comme un petit animal dans sa coquille. Je suis resté sans bouger et elle a continué sa course folle ; plus tard, je me suis penché au-dessus de l'eau et je me suis baigné. J'ai même réussi à aller plus vite que le fleuve, je voyais les cannaies défiler à toute allure.

« Quand le soir est venu, je suis descendu de la gongue. J'ai suivi des sentiers. J'avais faim. Très faim. Les insectes étaient faciles à attraper et bons à manger. Je m'en suis rempli deux grandes poches. Sauf les moucherons : je ne les ai pas attrapés parce qu'ils étaient trop nombreux et qu'ils piquaient. Lorsqu'ils se sont posés sur l'écureuil, il ne s'est plus redressé. Même quand je l'ai pris dans mes mains, même quand je l'ai caressé. Je l'ai caressé, caressé. Puis son cou a fait crac ! Quand le tigre est arrivé, tous les écureuils ont filé dans leur trou, j'étais le seul à ne pas pouvoir y entrer. Alors j'ai dû courir le plus possible pour atteindre la gongue, et j'étais sauvé. »

Les premières lucurs du matin venaient éclairer l'entrée de la grotte. Mais les rayons n'atteindraient pas la paroi la plus profonde, contre laquelle était assis Siddhārta. Celui-ci se tenait sans rien dire dans ce coin obscur et caché. Il écoutait. Il regardait les petits bras tatoués dessiner des cercles dans l'air et, de leurs gestes rapides, découper la lumière qui éclairait une partie de la caverne. Svasti était excité par la quantité de souvenirs qui lui revenaient à l'esprit. Entraîné par l'élan que toutes ces images faisaient naître en lui, il se mit à raconter un nombre infini d'événements. Il n'associait pas la moindre heure ni la moindre date à tout ce qu'il racontait, chaque péripétie restait détachée des autres, suspendue dans les limbes, hors du temps.

– Un jour, les dieux du ciel se sont mis en colère contre les esprits de la forêt. Ils ont envoyé une tempête qui a couché les cannes et qui a fait éclater les arbres. J'avais du mal à rester dans la gongue. Je mordais le bois, j'y plantais mes dents pour que le déluge ne m'emporte pas.

« Le fleuve soulevait la gongue jusqu'à la cime des arbres. Le sol avait disparu, des milliers de branches et de feuilles recouvraient la surface de l'eau. Les courants emportaient avec eux les nids et les œufs arrachés aux branches. J'ai serré mes genoux contre ma tête parce que des oiseaux fous se dirigeaient vers moi et me donnaient des coups de bec. Puis ils se sont éloignés et la gongue s'est mise à filer aussi vite que le vent vers la cascade. "Non, gongue ! Non, ne va pas jusqu'à la cascade !" »

Svasti écarquilla les yeux, terrorisé comme si les terribles rapides étaient encore là, à quelques pas de lui. Ce trouble passa et une nouvelle image l'interpella.

– Au matin, je me suis retrouvé étendu sur l'herbe. Mon pied baignait dans une flaque de sang. Il me faisait mal. La gongue était cassée. Mais en regardant entre les planches qui flottaient, j'ai vu quelque chose remuer au fond de l'eau. C'était un gros poisson prisonnier des algues. Une carpe. J'avais faim, mais pour la manger, il fallait que je commence par la tuer. Elle était laide et grosse. Des poils sortaient de sa bouche et des piquants se dressaient sur sa tête. « Tes yeux sont trop gonflés, carpe. Tu as l'air triste. » Alors je suis allé jusqu'au fleuve et je l'ai rejetée à l'eau. Les jours suivants, il s'est remis à couler paisiblement et j'ai pu reconstruire la gongue.

« Pour la diriger, il me fallait une nouvelle perche, celle que j'avais était trop longue. J'en ai coupé un morceau. J'aimais m'en servir. Je naviguais le long du fleuve et je ne m'arrêtais jamais. Le jour, la chaleur séchait l'eau qui entrait dans la barque et la nuit, le vent se levait.

« Lorsque ça s'est passé, c'était la plus noire de toutes les nuits.

– Lorsque quoi s'est passé ? intervint Siddhārta.

– Le fleuve m'a avalé et je suis mort. Mon cadavre gisait au fond de l'eau près des restes de la gongue. Ensuite les années ont passé.

– Et puis ?

– Et puis un jour j'ai entendu la voix d'un yaksha qui m'appelait. Il a volé jusqu'à moi de son long corps sinueux comme la queue d'un cerf-volant. Il m'a inondé de sa lumière magique et m'a ressuscité.

« "Ne me remercie pas, m'a-t-il dit, tu t'es toi-même sauvé de la mort. Te souviens-tu de ce jour de tempête où, bien qu'affamé, tu as rejeté la carpe à l'eau ? Eh bien, ce poisson c'était moi, et je me suis souvenu de ton geste de pitié. Je suis le yaksha seigneur du fleuve et je voudrais que tu connaisses mon royaume et que tu acceptes de vivre à mes côtés aussi longtemps que tu le désires."

« J'ai nagé durant des années avec le yaksha et d'autres amis poissons. Ils m'ont accueilli avec tous les honneurs et se sont occupés de moi comme d'un fils.

« La grotte des anguilles était mon gîte. Elles étaient paresseuses et ne sortaient presque jamais. Moi, en revanche, je me levais tôt et le yaksha m'emmenait visiter ses terres sous-marines. Au début, je n'arrivais pas à le suivre dans ces endroits perdus derrière mille chicanes. Puis j'ai appris à retenir mon souffle et à devenir plus mince qu'un brin d'herbe, et j'ai pu me glisser partout.

« J'ai visité des jardins de coraux. Des vallées immenses qui conduisaient à un château de perles tapissé de mousse rose. Le trésor était enfermé dans une pièce : des millions et des millions d'œufs de toute taille que le Seigneur du fleuve gardait et protégeait jusqu'à ce que les petits soient assez robustes pour briser leur coquille. Après avoir visité l'ensemble du royaume dans ses plus petites anfractuosités, après avoir nagé des sources du fleuve jusqu'à la mer, j'ai voulu retourner à la surface et revoir la terre ferme. Lorsque je lui ai annoncé ma volonté de quitter le fleuve, le yaksha n'a pas essayé de me retenir.

« "Ce que tu as vécu en ma compagnie ferait envie à un prince, Svasti. Aucun palais terrestre ne semble pouvoir rivaliser avec les trésors contenus dans ce fleuve. Néanmoins, je comprends ta nostalgie et ton désir de revoir tes frères", m'a-t-il dit.

Siddhārta regarda Svasti, plein d'admiration. Il était impressionné.

– Tu avais donc trouvé de nouveaux frères dans le fleuve. Mais pourquoi as-tu été éloigné de tes vrais frères ?

– Je te l'ai dit, le courant m'a emporté.

– Tu as dit qu'un homme t'a mis dans la gongue. Sais-tu qui il était et pourquoi il t'a choisi ?

– J'étais celui qu'on célébrait. Nous criions : « La cérémonie du sang est pour Svasti ! »

– Quelle cérémonie ?

– La cérémonie du sacrifice.

Siddhārta resta pensif et silencieux.

– J'ai déçu le Père absolu, continua Svasti, j'ai été méchant.

– Je ne comprends pas, Svasti. Tu peux m'expliquer mieux ?

– C'est la vérité, je ne dis pas de mensonges.

Siddhārta le croyait, mais il voulait lui poser une dernière question.

– Voyons si c'est vrai que tu ne dis pas de mensonges. Svasti, montre-moi les paumes de tes mains.

Svasti ouvrit les poings avec nonchalance, il n'avait plus d'insectes à exhiber comme trophée.

– Il n'y a pas trace de mensonges, mais je crois voir quelque chose de bien plus intéressant.

Siddhārta examina les mains blanches et fortes de l'enfant.

– C'est bien ce que je pensais : demain, c'est ton anniversaire. J'ai un cadeau pour toi.

L'enseignement

— Ça aussi ? demanda Svasti, en soulevant du bout des doigts le bord du morceau d'étoffe qui lui entourait la taille.

— Tout, tout ! Tu dois te mettre entièrement nu.

À l'aide d'un bâton fuselé, Siddhārta mélangea tour à tour le contenu de quatre petits vases de terre en y versant de temps à autre un mélange d'eau et de résine. Il obtint ainsi quatre teintes différentes, prêtes à être employées : jaune, rouge, blanc et noir.

— Ton cadeau est presque prêt.

Siddhārta s'agenouilla devant le jeune garçon. Svasti se tenait face à lui, immobile et droit comme un soldat qui attend les ordres. Cela ne l'empêcha cependant pas d'observer du coin de l'œil les quatre petits vases que Siddhārta manipulait. Lorsque ce dernier eut terminé sa préparation, il fit signe à Svasti de se retourner.

— C'est le long de ta colonne vertébrale, à l'intérieur de ton corps, que coule le canal d'énergie principal. Cette ligne que je trace unit les six centres à partir desquels le pouvoir du corps et de l'esprit se développe. Ils sont comme des fleurs de lotus et on les appelle des chakras.

Dès que l'extrémité du bâtonnet effleura sa peau et commença à tracer des lignes autour du point que Siddhārta appela le premier chakra, Svasti se sentit plus fort et plus joyeux.

La main de Siddhārta partit de la dernière vertèbre, à la base de l'anus, et dessina habilement une fleur de lotus à quatre pétales dans laquelle il inscrivit les signes jaunes du premier chakra. Puis il récita la formule.

— Béni soit l'éléphant aux sept trompes qui effacera tes fautes. Quand le serpent sortira de sa léthargie, tu connaîtras passé, présent et futur.

À la base des parties génitales de Svasti, Siddhārta traça une fleur à six pétales de couleur blanche et prononça une autre formule.

— Béni soit le crocodile de Vishnu qui n'a pas peur de l'eau. Quand le serpent sortira de sa léthargie, la convoitise, la colère, l'avarice, l'illusion, l'orgueil et toutes les impuretés seront effacés, et tu seras vainqueur de la mort.

Ces paroles plurent énormément à Svasti. Siddhārta dessina alors autour de son nombril douze pétales et prononça la formule.

— Béni soit le bélier qui ne connaît pas la peur du feu et ressort vainqueur de toutes les maladies.

Arrivé au sixième chakra, Siddhārta dessina entre les sourcils de l'enfant le troisième œil, la fleur aux deux pétales. Elle était d'un blanc laiteux. La formule de cette dernière fleur était le silence.

Siddhārta observa Svasti un instant, puis il dit :

— Celui qui se concentre sur ce chakra détruit toutes les actions des vies précédentes et obtient la libération. Son esprit devient plus léger que l'air et s'envole où sa volonté le lui commande. Bon anniversaire, Svasti !

Le jeune garçon contempla de nouveau les signes sur son corps. Il en fut si heureux qu'il ne put prononcer un mot.

— Maintenant tu peux te rhabiller. Ces pouvoirs seront à jamais avec toi, mon jeune ami de la forêt.

— Et ça, qu'est-ce que c'est ? demanda Svasti après un long silence. Il y avait comme un soleil sur la tête rasée de Siddhārta, une lumière inconnue dans la forêt s'en échappait.

Siddhārta le rassura.

— Ne t'en soucie pas, cela n'arrive que tous les cent ans, men-tit-il.

Il savait que la fleur de lotus aux mille pétales avait surgi au sommet de sa tête. C'était le septième chakra. Il était apparu pour lui rappeler la direction de son chemin d'ascète.

— Quand le serpent sortira de sa léthargie, de cette fleur jaillira une lumière qui sera semblable non pas à un, mais à dix millions de soleils.

Triste mémoire

Les rayons du soleil filtraient à l'intérieur de la grotte. Cette lumière ne plaisait pas à Svasti.

– Viens à côté de moi. Ici, dans le fond, il fait encore sombre, lui proposa Siddhārta.

– Tu as raison, c'est mieux ici, personne ne nous voit, convint Svasti en glissant avec autant d'adresse qu'un singe le long des parois rocheuses.

Seul le son étouffé de leurs voix se faisait entendre. La grotte semblait inoccupée depuis des siècles et la peur qu'avait Svasti d'être vu était absolument infondée. Mais le prince ne s'en soucia pas. L'enfant paraissait se sentir à son aise auprès de lui, et il avait repris son récit.

– Une montagne recouverte d'or au cœur de la jungle, tu dis, et tu y habitais avec tes frères... Vous étiez si nombreux ?

– Nous étions tous des enfants, répondit Svasti.

– Ce sont vos parents qui vous ont conduits là-bas ?

– Les petits prêtres n'ont pas de parents. Ils vivent dans les paniers accrochés aux banians, ils dorment suspendus aux racines, comme des vers à soie. Lorsqu'ils se réveillent, ils purifient leur tunique blanche dans l'eau sacrée. Au son du gong, ils récitent les prières puis se rendent devant le temple de la montagne d'or. Là, ils préparent le sang pour la venue du Père absolu.

– Le sang de qui ?

– Celui de leurs bras et de leurs jambes.

Siddhārta regarda avec horreur les cicatrices que Svasti portait sur les bras. Ses jambes, en revanche, étaient intactes.

– Tu le faisais aussi ? Tu te faisais des entailles sur les bras ?

– Chaque jour, avec le poignard du serment. Nous nous le passions de main en main. J'étais le plus petit de tous les frères et mon tour venait en dernier. Le Père absolu était content de nous : chaque fois qu'il arrivait, il trouvait le vase rempli de sang frais.

« "J'aime à constater que vous avez compris quelle était votre tâche, disait-il. Vous êtes plus disciplinés qu'une armée de soldats !"

« "Longue vie au Père absolu !" criions-nous tous ensemble. Nous savions qu'il suffisait d'une petite quantité de sang de chacun de nous pour remplir le vase. Nous avancions les uns derrière les autres, sur la pointe des pieds, dans le plus parfait silence.

– Et ce vase rempli de sang, où se trouvait-il ?

– Il était posé sur l'autel du dieu.

– Du dieu que vénérait le Père absolu qui buvait votre sang ? Réponds-moi, Svasti. Était-ce ainsi ?

– J'ai tout vu. C'est la vérité.

– Très bien, si tu préfères, nous n'en parlerons plus. Tu n'es pas obligé de me raconter tout ça, si tu n'y parviens pas...

Svasti fouilla l'obscurité de ses yeux. Siddhārta croisa son regard effrayé. Le jeune garçon ne put se retenir. Il fondit en larmes.

– Ce n'est pas vrai, ce que je t'ai dit n'était pas vrai. Nous ne voulions pas vivre dans l'obéissance. Nous haïssions le Père absolu parce qu'il était méchant et qu'il voulait nous tuer tous ! Nous avions peur du poignard, des blessures et de tout ce sang qui ne lui suffisait jamais. Le bruit sourd de ses pas qui approchaient nous faisait trembler de peur. Et les claquements de son sabre au loin, qui annonçaient sa venue. On croyait déjà entendre son rire. Et le voir aussi, avec son cou de bison et sa langue de dragon. Lorsqu'il approchait, nous nous mettions tous à courir pour nous mettre en rang. Certains d'entre nous se pissaient dessus de peur. Fuir de la cage des banians était une folie. Et nous ne devions pas pleurer, c'était la règle. Mais un de mes frères n'a pas réussi à retenir ses larmes, il avait trop peur.

« "Seuls les veaux pleurent lorsqu'on les égorge", a hurlé notre père, puis il a brandi son poignard. Sans bouger d'un pas, comme poussé par le vent, il s'est retrouvé en un instant face au frère qui s'était mis à pleurer. La lame a brillé sur sa tunique et a frappé à hauteur du cœur. Lorsque le Père absolu la lui a retirée de la poitrine, c'était un poing de chair vive. Nous avons porté notre frère sur nos épaules et nous avons jeté son corps dans la clairière, pour qu'il serve de pitance aux vautours. Notre frère n'avait pas été à la hauteur de son projet, il avait montré de la peur. La peur est une forme de rébellion et elle doit être punie !

La voix de Svasti résonna dans la grotte et sa petite main vint tordre le pouce de Siddhārta.

— Toi aussi tu as peur, Svasti. Et moi avec toi. Il est juste d'avoir peur du mal.

Ces paroles n'apportèrent aucun réconfort au jeune garçon, il les avait à peine entendues.

— J'ai été mauvais, confessa-t-il. Mais je ne voulais pas finir dans la clairière dévoré par les vautours. Le dieu m'avait pardonné et m'avait choisi pour la cérémonie suivante. Sur la montagne sacrée, la place qu'occuperait ma momie de bronze avait déjà été attribuée.

— De quoi as-tu été pardonné ? Quelle était ta faute, Svasti ?

— « Svasti n'est pas comme vous. Son sang vaut bien plus que le vôtre parce qu'il a été conçu sur la volonté de votre dieu. »

Replongé dans le vif de la scène, l'enfant rapportait mot pour mot l'accusation qui lui avait été portée devant les autres.

« "Mais regardez-le, vous voyez votre frère ? Il me déteste. N'est-ce pas que tu me détestes, Svasti ? Bien sûr, et c'est parce que je suis ton vrai père. Et la putain le sait bien. Tes yeux portent encore sa haine."

« "Je t'appartiens, à toi et non à la putain. Pour toi je suis prêt à mourir."

« "Répète, répète !"

« "Je suis prêt à mourir, je suis prêt pour le sacrifice."

« Je dois mourir, dit Svasti à Siddhārta.

— Pourquoi devrais-tu mourir, Svasti ?

— C'est l'ordre du dieu.

— Quel dieu ? put de nouveau demander Siddhārta.

— Le dieu Māra.

Siddhārta aida Svasti à essuyer ses larmes. Puis ils sortirent de la caverne comme on sort d'un mauvais rêve.

– J'ai été mauvais? murmura confusément le jeune garçon au milieu du bourdonnement incessant de la forêt.

Siddhārta ne répondit pas.

C'était une journée ensoleillée. Le vent chaud séchait les gorges et assoiffait les corps. Il fallait courir jusqu'au ruisseau. Svasti indiqua avec assurance d'où venait le bruit de l'eau.

– C'est par là, derrière la grotte...

Mais Svasti s'affola soudain : Siddhārta n'était plus à ses côtés, il avait disparu.

– Siddhārta, *bhikkhu* [1], où es-tu? Où es-tu parti?

---

1. Le terme *bhikkhu* (« renonçant », « celui qui mendie sa nourriture ») est appliqué en Inde, avant le bouddhisme, à tous les religieux qui ont fait vœu de vivre d'aumônes. Il désignera ensuite le « moine » bouddhiste. *(N.d.T.)*

L'abattoir

Varudi, le médecin sorcier, cherchait à se défendre à coups de pied et de poing de l'une des monstrueuses créatures que Dronodana avait appelées ses fils.

Le meurtre impitoyable de l'un d'entre eux avait provoqué un assaut hystérique et féroce. En entendant le hurlement du frère agressé dont le sang coulait encore des lèvres du Père asbolu, ces enfants sans âge ni nom, les yeux vides, avaient surgi des anfractuosités de la montagne poussés par une même volonté : anéantir les hôtes indésirables avec la même cruauté que celle dont ceux-ci avaient fait preuve en envahissant leur terre.

Faisant tournoyer les épées et les cimeterres, donnant des coups de poignard et de couteau, et frappant de leurs haches, les hommes d'armes et les esclaves de Dronodana se battaient désespérément avec un courage et une force inattendus. Mais rien ne réussissait à tenir à distance ces petits êtres qui, tels des vampires assoiffés de mort, s'agrippaient à eux et les mordaient. Ils étaient si nombreux qu'on ne pouvait pas les distinguer les uns des autres, et leur nudité les rendait aussi semblables que les animaux d'un troupeau.

Varudi parvint à esquiver une attaque en se défendant à l'aide d'un pal pointu : le petit vampire tomba à terre, sa fragile poitrine transpercée. Le sorcier regarda autour de lui, l'air satisfait et furieux. Il s'apprêtait à venir en aide à l'un de ses compagnons qui avait lâché son épée et était sur le point de succomber lorsque Dronodana l'arrêta :

— Mon brave ! Reste ici, à côté de moi, jouis du massacre. Ces affreuses créatures vont être entièrement exterminées maintenant qu'elles ne répondent plus à mes ordres.

La bataille faisait rage : des corps tranchés, harponnés, écartelés tombaient à terre dans une confusion infernale. Les hurlements étaient assourdissants, les animaux fuyaient vers la forêt et les oiseaux abandonnaient la cime des arbres. Même les bêtes sauvages, qui flairaient l'odeur âcre du sang, se tenaient à l'écart. Seul Dronodana n'avait pas encore été attaqué, mais il savait que ce n'était qu'une question de temps et que ces enfants lui réservaient le pire des sorts. Il serait leur dernière proie.

— Mes enfants ne me pardonnent pas de les avoir abandonnés, Varudi. Sans moi, ils ne savent ni qui ils sont ni ce qu'ils veulent. Nous devons les exterminer tous !

Mais personne n'écoutait les paroles délirantes et incompréhensibles de Dronodana qui croyait réconforter et encourager ceux qui ne se battaient plus que pour sauver leur peau. Varudi regarda le souverain droit dans les yeux.

— Alors, si tu es leur père, tu peux au moins leur faire comprendre que tu es de retour. Dorénavant ils ne devront plus avoir peur de te perdre, puisque tu viens leur demander pardon. Fais cesser ce carnage, toi seul en as le pouvoir.

— Oui, c'est exactement comme tu le dis. Il suffirait que je fasse un signe pour qu'ils soient de nouveau ensorcelés.

— Fais-le, Dronodana ! hurla Varudi, avant que ces maudites créatures ne lancent un nouvel assaut !

Tout à coup, les enfants cessèrent leur combat, tous en même temps, comme s'ils avaient reçu un ordre qu'eux seuls avaient entendu. Ils battirent en retraite en baissant les yeux puis, pris de panique, se mirent à se chercher les uns les autres. Les hommes d'armes de Dronodana, reprenant haleine et souffrant de leurs blessures, regardaient autour d'eux, stupéfaits. Les petits prêtres s'étaient regroupés pour former un enchevêtrement informe de membres nus. Ils gémissaient doucement, se léchaient, ronronnaient comme de petits chats effarouchés et se frottaient contre le rideau de banians.

Les yeux de Varudi se tournèrent vers Dronodana : il n'avait pas bougé, il n'avait pas fait le moindre geste en direction des enfants. Comment avait-il pu leur donner un ordre et les faire obéir si vite ?

Dronodana se mit à rire. Tout le monde le regardait avec terreur.

— Ma petite blague vous a plu ? Me voilà de retour dans mon Temple chéri de l'immortalité, me voilà à nouveau tout-puissant ! Ces enfants, bien trop faibles et sauvages à présent, ne me servent plus à rien. Le secret de ma longévité ne court pas dans leurs veines, ni dans celles de mon fils Svasti. Māra est revenu me parler, il m'a libéré de l'esclavage.

La vie de Dronodana ne dépendait plus de celle de ces petits êtres, pourtant purs et dévoués. Le suc qui donne vie, le secret de la puissance, gisait enfoui dans les entrailles de cette terre, chargée de pouvoirs surnaturels et protégée par la barrière de racines sacrées des banians. La montagne recouverte de pépites d'or, que le dieu Māra avait fait pleuvoir aux temps lointains de l'origine du monde, resplendissait plus que jamais. C'est elle qu'il fallait vénérer, et non ces misérables mortels !

En s'appuyant sur un bâton glissé sous son aisselle, Dronodana avança lentement sur son unique jambe jusqu'à l'entrée du sanctuaire. C'est en ce lieu qu'il cria son commandement.

— Que la colère que j'ai suscitée en vous, en vous jouant cette farce, vous serve de leçon ! Personne ne peut m'échapper, ni à moi ni à mon pouvoir. Préparez-vous, esclaves, à un dur labeur. Dronodana vient de renaître et le Temple devra renaître ! En avant. Vous commencerez par déboiser le terrain. Fabriquez les outils nécessaires et faites ce que je vous ordonne !

Perdus, les hommes se regardèrent. Puis, vaincus par la peur, ils se préparèrent à satisfaire la volonté du souverain. Personne n'adressait la parole à quiconque, occupés qu'ils étaient, dans un silence crépusculaire, à fabriquer une pioche ou une pelle, n'importe quel outil de bois ou de fer pour abattre les arbres, les ronciers ou toute autre plante qui obscurcissait le ciel. Seuls les banians devaient être épargnés.

Les enfants ensorcelés n'étaient pas encore partis. Ils restaient groupés sous les branches, en miaulant.

— Rajah Dronodana, osa demander une femme qui arrachait des racines de ses mains nues, que devons-nous faire d'eux ?

— Tuez-les tous. Leur fosse a déjà été creusée. Vous ! Venez avec moi.

Dronodana rassembla une dizaine d'esclaves armés de haches et leur ordonna de mutiler les corps de ses enfants rebelles et de les jeter dans une cuvette du terrain.

– Leur sang ne me sert plus à rien, il fera un limon fertile pour cette terre. Irriguez-la !

Le voyage mental

Siddhārta l'avait entendu, enfin. Il avait entendu prononcer le nom du dieu Māra. Le seul trône resté vide au jour de sa naissance, lorsque les cortèges célestes et tous les dieux s'étaient réunis dans le bois des Sākya pour bénir le berceau du réincarné, avait été le sien. Mais Siddhārta n'était pas rancunier : à quoi aurait pu servir l'annonce de la visite de celui qui viendrait tôt ou tard le chercher? Māra lui avait envoyé Svasti, son ennemi le plus dangereux, dans ce but. Le dieu du désir était maître dans l'art de manipuler les êtres. Il savait attirer par le mal celui qui avait soif de mal, et par le bien celui qui avait soif de bien. C'était un Grand Magicien, il faisait sortir de ses manches des quantités d'illusions et de tentations auxquelles les hommes ne pouvaient pas renoncer. Dronodana et Svasti lui-même étaient sous ses charmes.

— Les îles et les princesses sont-ils réels? avait demandé un prince.

— La mort est-elle réelle? se demandaient-ils tous.

— Oui, répondait Māra.

— Le mal existe, prince Siddhārta, et moi, enfant orphelin, j'en suis la conséquence. J'en porte encore les cicatrices. Toi qui t'alarmais devant la découverte de la douleur de la maladie, de la vieillesse et de la mort, que me dis-tu après avoir vu mes bras blessés?

Grâce à Svasti, Siddhārta avait compris. Il fallait taper aux portes de ce royaume du mal et démasquer la magie du dieu Māra.

C'était une nuit d'hiver. Siddhārta regarda le ciel planer au-dessus de sa tête. On eût dit qu'il venait effleurer les hautes cimes enneigées. Le prince n'avait jamais mis les pieds ici.

Le drapeau du palais flottait à l'horizon, au sommet d'un pic solitaire sillonné par des routes raides et sinueuses. Des symboles sacrés désignaient ce lieu comme la cité des Serpents. Mais Siddhārta ne trouva derrière les murs de cette ville qu'un silence austère, des balcons sans fenêtre, des portes condamnées et des ruelles qui semblaient ne jamais avoir été traversées.

Siddhārta allongea le bras pour sentir le vent, enfonça ses pieds nus dans le sol couvert de neige et regarda avec stupeur la quantité de glaciers qui semblaient se jeter du haut des précipices : dans ce paysage de glaces et d'ombres, il ne faisait pas froid ! Cette découverte lui donna le vertige. Mais Siddhārta n'eut pas le temps de se demander quelles magies et combien logeaient entre ces murs qu'il se retrouva tout à coup face à son hôte.

Il était arrivé au pied de la tour, devant le grand cobra aux écailles luisantes de Māra, et lui parla.

— Voilà donc cette immense muraille, amie et ennemie du ciel, que les hommes appellent l'Himalaya, en se transmettant de génération en génération le nom qui avait résonné dans l'esprit du dieu Shiva lorsqu'il se retira pour des millions et des millions d'années. Māra, toi aussi, comme le divin ascète, tu as choisi de méditer entre ces pics solitaires ?

Le silence et les flammes furent sa réponse. Le dieu n'avait pas apprécié cette noble comparaison. Alors Siddhārta s'agenouilla devant la tour éclairée par la lune. La révérence était la forme de salut imposée au fidèle qui voulait être accueilli au sein du royaume. Les rochers de l'édifice ne prirent vie que lorsque la tête rasée du prince toucha la neige et que ses mains se posèrent sur le sol trempé. Le corps immense du cobra se mit à trembler de la queue à la tête en accueillant l'esprit divin du dieu Māra, qui se mit alors à parler.

— Bienvenu, Siddhārta, le sauveur de mon fils Svasti.

— Svasti n'est pas sauvé, il souffre encore.

— Oui, mais je voudrais à présent qu'il soit ton disciple. Tu lui feras dépasser la souffrance.

— Pourquoi m'offres-tu ton fils aussi facilement ?

– Le mal se plie devant le bien. Tu m'as convaincu, Siddhārta.

– Tu crois en moi, tu es prêt à me bénir en me remettant ton fils. Tu fais aujourd'hui ce que tu n'as pas fait le jour de ma naissance, Māra.

– Regarde-toi, tu as une si piètre allure que personne ne pourrait croire que tu es un prince. Tes cheveux ne sont pas couverts de joyaux et pourtant les gens se prosternent à tes pieds, toutes les femmes sont amoureuses de toi et les dieux invoquent ton nom. Moi aussi je t'ai tenu compagnie durant tout ce temps. Je connais bien ta tunique en loques, tes mains pleines de cals et d'ampoules, alors que tu portais des bagues, et tes pieds couverts de boue. Siddhārta, je te remercie de m'avoir fait comprendre. Je ne cherche plus à t'éviter.

– Je ne peux pas te croire, tout ce que tu me montres n'est qu'illusion.

– Regarde au sommet de la tour. Tu crois qu'elle aussi est une illusion ?

– Elle, la reine... enfermée dans une pièce, qui ramasse des morceaux de verre. Ce n'est pas la première fois que je vois cette femme tourmentée. Elle a souvent été mienne, au cours de mes vies antérieures.

– Exactement. Mais personne n'est plus réel et vrai que Narayani. Elle a donné une grande preuve de courage.

– Laquelle ? demanda Siddhārta, ravi par la vision de cette femme.

– Entends, Siddhārta, le chant que la reine a écrit pour toi. Une voix aussi sincère que la sienne ne peut être une illusion.

Siddhārta écouta.

– Je te crois à présent, dieu Māra. Le visage de cette femme n'est pas le fruit d'un enchantement. Je ne me serais jamais attendu à ce que ta rencontre me soit si profitable. Je chercherai encore à te rencontrer.

Mais avant même que Siddhārta n'ait eu le temps de lui tourner le dos, un éclair vint illuminer le ciel chargé de nuages, en signe de bonne chance. Une pluie abondante se mit aussitôt à tomber, comme pour annoncer la fin de l'hiver.

– Si tu as encore quelques doutes, regarde autour de toi, Siddhārta. C'est toi qui as apporté le printemps là où il n'y avait qu'un interminable hiver. N'est-ce pas une preuve supplémentaire de l'existence du bien que tu portes en toi?

Siddhārta resta abasourdi. Il vit sa propre lumière entourer les montagnes et délier les glaciers. La terre germait sous ses pas. Un vol de cygnes blancs passait dans l'aube naissante et ce spectacle sublime emplit son cœur de joie.

L'un des cygnes se détacha de la nuée et descendit jusqu'à lui. Il transportait des présents sur ses ailes.

— Ils sont pour toi, dit Māra, avant de prendre congé. Tu les as demandés et tu les as mérités.

Le prince reçut comme la plus chère et la plus précieuse des bénédictions les pauvres objets qui, de leur simplicité, accompagnaient l'ascète dans ses peines comme dans ses joies, en lui rappelant de ne rien chercher d'autre que l'essence des choses. Siddhārta les avait si longtemps désirés qu'il lui suffit de les toucher pour se sentir en paix avec lui-même.

Il suspendit à son cou l'écuelle du renonçant, endossa sa nouvelle tunique et empoigna le bâton.

Avant de quitter le royaume, Siddhārta se retourna. Il avait l'affreux pressentiment de n'avoir accompli que des gestes illusoires. Non, sa crédulité n'avait pu le conduire aussi loin... Mais lorsqu'il regarda à l'endroit précis où il avait ramassé les présents de Māra, il s'aperçut qu'ils étaient pourris.

L'écuelle rouillée

Siddhārta avait cédé à sa grande farce, aux illusions de Māra. Assis au bord du pré, devant la grotte, il écoutait le bruit d'un ruisseau qui coulait tout près. Il ressentait à présent le poids de son échec. Les bords de son écuelle, rongés par la rouille, lui semblaient autant d'entailles dans sa peau. Māra l'avait pris à son piège, il s'était tout simplement moqué de lui en lui faisant accepter ces vains et terribles présents. Le dieu tentateur avait dû vouloir se distraire. Il s'était ensuite aperçu que le bâton était moisi et mangé par les vers, et que la tunique tombait en poussière. C'était au tour de l'écuelle, à présent, en révélant sa nature maligne, de se moquer de lui.

« Quel bel ascète tu voulais devenir, prince Siddhārta ! Rappeler en toi l'image de cette femme n'a pas été l'œuvre de la magie... mais ta propre œuvre ! Pourquoi ne la laisses-tu pas en paix, pourquoi continues-tu à la tourmenter en lui rendant visite dans tes rêves ? Des rêves qui ne sont que rouille ! » Siddhārta s'avouait ses erreurs. « Tu sais que Narayani est le fruit de ton aveuglement, de ton avidité de vivre, c'est toi qui l'as créée, comme un Magicien. Tu as permis à Māra de se servir d'elle et il en a profité en lui donnant un fils, de façon à rendre cette véritable et obscure tentation qui entrave ton chemin encore plus insidieuse. Si tu ne te libères pas toi-même de la souffrance, comment peux-tu devenir le Bouddha ? »

Ces considérations lui tombaient dessus comme des pierres et il se laissait ensevelir sous le poids de toutes ces vies qu'il avait traversées avant de se réincarner en celui qui était prédestiné à devenir le Bouddha. Il se rappelait combien les yeux noirs et brillants, et les mains fines et voluptueuses de cette femme avaient pu le poursuivre. Elle était un songe, mais elle était en même temps réelle. Que faire pour rompre le charme qui les emprisonnait tous deux dans cette recherche perpétuelle de l'autre ? Comment débarrasser leurs destins de cette corrosion ?

Du haut des cieux, Brahmā, le dieu créateur de l'univers, observa la scène puis, tandis que Siddhārta se croyait perdu entre la réalité et les illusions de ses rêves, il s'adressa aux cortèges des Bienheureux : « Voyez, lorsque le prince ferme les yeux et qu'un tremblement ne quitte pas ses paupières, cela signifie qu'il est sur la bonne voie. Sa respiration qui se calme peu à peu s'efforce de connaître le souffle de l'univers et des mondes, chaque cellule de son corps se prépare et se dispose selon l'ordre des éléments de la nature. Il ne voit que désordre, mais, en réalité, Siddhārta a compris bien des choses de lui-même aujourd'hui, et c'est ce grand courage qui le pousse à devenir le Bouddha. Siddhārta devient cette pensée qui se pense elle-même et élague ses propres mensonges. »

Le prince était tellement absorbé qu'il ne se rendit pas compte qu'il était revenu à l'état de veille. Il était revenu dans le présent, dans l'ici et maintenant.

Il se tenait près du ruisseau et voyait une grotte où lui et l'enfant s'étaient raconté leurs expériences. Mais à propos, qui sait si Svasti...

— Tu me cherchais, Siddhārta ?

Svasti, le fils de Narayani, venait d'arriver. Quatre individus souriants l'accompagnaient. Leurs corps étaient recouverts d'étranges signes blancs qui rendaient leur peau plus sombre encore. Ils semblaient sortir tout droit de leur tombeau de terre.

— Ces hommes sont mes amis les fakirs. Lorsque je les ai rencontrés, je les ai pris pour des dalles de pierre posées sur le sol. C'est juste là, devant la grotte, que j'ai trébuché sur leurs corps et que je les ai réveillés. Ils avaient la tête enfoncée dans un trou couvert de terre. Ils m'ont appris l'exercice de la méditation.

— Comment êtes-vous arrivés ici ?

— Ils m'ont dit que tu étais au ruisseau. Je t'avais indiqué où se trouvait l'eau, tu t'en souviens ? J'avais soif, mais tu m'as précédé

— Je n'ai pas bougé d'ici, Svasti, je t'ai attendu.

— Je sais. Les fakirs m'ont dit que tu étais un ascète.

Siddhārta se leva pour les saluer.

— Svasti, je ne suis pas un Magicien. Et je ne suis pas non plus un véritable ascète. Les marques de rouille sur l'écuelle indiquent que j'ai rendu visite aux esprits malins et que je n'ai pas su les anéantir. Je me suis laissé tenter par de fausses ambitions : la rouille ne ment pas.

Svasti n'aimait pas que Siddhārta s'exprime de façon courbe pour qu'il ne comprenne pas.

— C'est ainsi, poursuivit le prince. J'ai voulu être une branche de bois mort pour traverser le feu, mais j'ai pris goût aux flammes.

L'un des fakirs acquiesça d'un signe de tête, convaincu d'avoir compris où Siddhārta voulait en venir.

— La mort, nous la regardons en face chaque jour et nous la dépassons.

Svasti n'écoutait pas. Il regardait avec admiration l'anneau de fer qui traversait l'extrémité du menton de celui qui venait de parler.

— Ils en ont beaucoup, et même de plus pointus. Tous les fakirs utilisent ces anneaux pour balafrer leur corps. Mais le sang ne coule pas de leurs blessures. Ils sont invincibles. Tu sais faire comme eux, Siddhārta ? Toi aussi tu es invincible, pourquoi ne leur montres-tu pas ?

Les paroles de Svasti furent accueillies par un concert d'acclamations provenant de l'entrée de la grotte. D'autres hommes nus en sortirent. Ils étaient si nombreux qu'on ne pouvait les compter. Chacun d'entre eux s'enorgueillissait de porter une mutilation complexe, réalisée avec des aiguilles de toutes sortes et de toutes tailles. Leur apparence était monstrueuse. Ils avaient des visages boursouflés et ridés, mais leurs yeux brillants manifestaient une froide et profonde satisfaction. Siddhārta n'appréciait guère ces individus qui feignaient de porter en eux la vérité mais n'avaient d'autre but que d'impressionner le jeune garçon et de chercher des occasions de rivaliser entre eux.

— Montre ta doctrine au disciple. Montre-la-nous, montre-nous ce que tu sais faire ! insista Svasti.

Le groupe de fakirs forma un cercle autour de Siddhārta. Svasti le regardait avec des yeux implorants.

– Je n'ai pas l'intention de m'arrêter ici. L'enfant et moi devons avoir rejoint le Gange d'ici deux jours.

– Je ne viens pas avec toi si tu n'essaies pas de t'exercer comme ils le font, Siddhārta, le pressa Svasti.

– Tu as raison, mes bras ne portent pas de cicatrices comme les tiens et les leurs. Mais cela ne signifie pas que je n'éprouve pas la même douleur que la vôtre. Et si tu soutiens, Svasti, que c'est la douleur qui rend l'homme fort, je puis alors t'assurer que je suis aussi fort que vous.

– Si tu es fort, tu dois nous le prouver, tu dois te battre !

Il était inutile d'insister. Svasti avait besoin de preuves tangibles. Il ne comprenait pas encore que le corps et l'âme étaient une même réalité et que celui qui porte des cicatrices sur l'un en porte également sur l'autre, bien qu'elles ne soient pas visibles.

– Très bien, j'accepte. Dites-moi ce que je dois faire, consentit le prince.

Les fakirs

Siddhārta se mit en marche derrière le groupe de fakirs qui le conduisirent jusqu'à leur chef. Ce dernier portait une barbe blanche et un collier de plumes d'oiseaux autour de son cou, tel un trophée. Son ventre proéminent l'obligeait à se pencher légèrement en arrière pour garder l'équilibre. Il se tenait le dos avec les mains, les coudes relevés. On eût dit un gros oiseau à qui on aurait coupé les ailes.

— Notre gourou !

Les uns après les autres les fakirs tombèrent à genoux, comme une avalanche de fruits tombe de l'arbre que l'on secoue.

Le chef, dans un râle, leur ordonna de se relever. Il ne communiquait que par gestes et ne parlait aucune langue. Siddhārta ne comprit qu'après coup que le gourou n'articulait pas de sons parce qu'il ne le pouvait pas. Sa langue avait été liée et elle pendait, inerte, de son palais. Il fallait faire bien des efforts pour ne pas rire à la vue de ses grimaces.

Le gourou gesticula de nouveau. Un adepte lui répondit en glapissant de façon étrange et lui apporta un poignard. Un autre fut remis à Svasti qui, à son tour, le donna à Siddhārta. Le jeune garçon avait compris ce qui allait se passer et traduisit les propos du chef.

— Il a dit que tu devais te couper la langue avec ce poignard. Comme il va le faire. On verra lequel de vous deux ne saigne pas, lequel est prêt pour l'épreuve définitive du dépassement du corps et de la douleur.

72

La langue du gourou, qui avait été liée depuis dieu sait combien de jours, n'était déjà plus qu'un morceau de chair gangrené qui, si on ne l'avait coupé, serait tombé tout seul. Siddhārta ne s'était pas soumis à cette longue préparation et une mutilation aurait fait jaillir des flots de sang.

Un beuglement du chef fit intervenir l'adepte qui avait fourni les lames.

— Notre gourou est prêt à te céder sa doctrine et son autorité de guide si tu traverses cette épreuve avec succès. Mais si tu refuses, tu seras alors jugé perdant et tu seras radié de la communauté.

— La doctrine de votre gourou est grande. J'ai appris bien des choses de lui, répliqua Siddhārta devant les regards interdits des fakirs.

Que signifiait cette provocation? Comment osait-il prétendre connaître une doctrine à laquelle même les adeptes n'avaient pas encore été initiés?

— Je n'ai pas besoin de cette épreuve pour mettre en pratique l'enseignement du gourou, poursuivit le prince. Merci, Svasti, tu peux leur rendre le poignard.

— Plutôt me clouer les mains!

Déçu et blessé, Svasti lui tourna le dos en signe de vengeance. Le poignard glissa de la main du prince et tomba à terre. Siddhārta ne prit pas garde à l'irritation du jeune garçon.

— Je suis prêt à partir maintenant. Nous aurons l'occasion d'approfondir ce que nous avons appris de ces hommes en chemin, Svasti, et nous le mettrons en pratique.

— Je n'irai nulle part avec toi. Je reste ici, avec les fakirs.

— Fort bien. Adieu, fakirs, dit Siddhārta, et il prit congé de la communauté qui l'avait accueilli.

Il restait quelques provisions dans son sac, mais une halte serait nécessaire, le lendemain au plus tard, pour se constituer un nouveau stock de racines. À cette altitude, on pouvait encore trouver de gros tubercules de ginseng. Mais le terrain allait s'aplanissant et bientôt les collines viendraient remplacer les talus rocailleux. Siddhārta ne connaissait pas la flore de ces régions et il lui faudrait chercher d'autres plantes pour remplacer le ginseng qu'il appréciait tant.

Le bruit des battements de pieds d'une danse rythmée par les tambours descendait de la grotte. Peut-être célébrait-on la langue coupée. Svasti était resté parmi ces gens pour apprendre les pratiques et les usages de la forêt, dans laquelle il se trouvait si bien. Il ne s'était pas senti prêt à abandonner la jungle.

Leurs routes se séparaient. Un croisement les avait fait se rencontrer, un autre les séparait : l'esprit du prince fut soudain saisi par cette pensée qui l'occupa durant la partie suivante de son voyage. Une tunique, une écuelle et un bâton d'ascète, tous véritables, attendaient Siddhārta.

Le maître et le fleuve

Siddhārta allait à la rencontre d'Arada, l'ascète de la prophétie, le sage à la peau couleur d'ortie. Il franchit un dernier ravin et aperçut une clairière qui s'étendait au pied des collines ; il était presque arrivé. Et là-bas, à quelques heures de marche, un spectacle qui le troublerait plus qu'aucun autre se déploierait sous ses yeux : la première cascade du Gange, le fleuve sacré.

Au bord du fleuve, se souvenait Siddhārta, se dressait l'ashram où le maître Arada, le jour de leur rencontre à Kapilavastu, avait dit qu'il l'attendrait patiemment.

— Ces remparts, que tu ne sais pas encore traverser et derrière lesquels la vie des hommes fourmille, t'empêchent de voir l'horizon. Mais de l'autre côté, d'autres personnes, comme moi, attendent l'avènement du Bouddha. Nous, pèlerins en quête de la vérité, et donc de nous-même, avons choisi ta vie, Siddhārta, comme exemple à suivre.

Ainsi avait parlé le vieil Arada, puis ils s'étaient échangé la promesse solennelle. La rencontre allait avoir lieu et Siddhārta craignait de ne pas avoir la force de contenir son émotion.

Mais combien durerait encore l'attente ? Les derniers instants qui précèdent une rencontre sont toujours les plus longs. Le désir et la hâte ne convenaient cependant pas à l'événement. Un courant n'en dépasse pas un autre pour pouvoir se jeter le premier dans l'océan, la direction du fleuve est une et le tour de chaque courant ne peut qu'arriver.

« Fleuve. Fleuve sacré ! Combien on peut se sentir petit ! » soupirait Siddhārta en son for intérieur. La majestueuse masse d'eau de la cascade était éblouissante sous les rayons du soleil. Toute l'énergie de l'univers semblait concentrée dans ses remous sans fin. Le merveilleux élément se retournait dans la gorge en grondant comme un dieu en colère et ses scintillements enflammaient l'air.

Arada avait eu raison de ne pas vouloir le lui décrire. Le Gange constituait une surprise bien trop immense. Siddhārta resta immobile à admirer la puissance surnaturelle du fleuve. Il respira profondément durant de longs instants pour se remplir les poumons de cet air piquant qui le rendait joyeux.

C'est alors qu'il vit prendre corps, dans le scintillement de la cascade, une image si pure et si violente qu'elle lui parut réelle. C'était la silhouette gracieuse d'une femme à la longue chevelure bleue. Les lobes de ses oreilles portaient deux croissants de lune. Il comprit qu'il se trouvait en présence d'une divinité : la rivière avait entendu ses pas.

– Je suis Ganga, la fille impétueuse de l'Himalaya. C'est Arada qui m'a informée de ta venue. Son esprit, qui s'est recueilli pendant des années dans de longues méditations, m'a demandé de t'accueillir et de te raconter mon histoire. Écoute donc, Siddhārta, comment le maître te parle par ma voix.

Se souvenant de l'histoire de la tour parfaite et des nombreux autres enseignements qu'Arada lui avait transmis grâce au langage de la divination, Siddhārta prêta une oreille attentive à la déesse Ganga.

Dans l'ashram, tous les moines s'étaient pressés autour d'Arada, couché sur son grabat d'aiguilles de pins et de feuilles. « Voilà, Siddhārta est arrivé, exactement comme je vous l'avais appris », dit le voyant à ses disciples, et il mourut.

– Un jour, commença à raconter la déesse à Siddhārta, je descendis du ciel pour satisfaire les prières des hommes. En ce temps, la terre était aride. Aucune plante ne poussait entre les fissures et les crevasses des roches. Les hommes prièrent le ciel en le conjurant de ne pas les laisser mourir de soif. Leur voix s'éleva jusqu'au royaume des êtres célestes, sur les très hautes cimes de l'Himalaya, et je l'entendis. J'abandonnai le paradis et me précipitai sur terre pour l'inonder de mon corps. Mais je fus trop impulsive. Ma chute fut si violente que je faillis bien la détruire, en l'engloutissant à jamais sous un océan d'une eau sombre et glaciale. Alors, un autre dieu descendit du ciel, Shiva, au corps de feu. Il déroula aussitôt ses tresses noires comme du jais et les éparpilla sur la terre afin de retenir ma chute. À compter de cet instant, nous fûmes de parfaits amants, et les innombrables cours d'eau et bras de rivières de ce fleuve qui porte mon nom ont jailli de notre amour. Du nord au sud, de l'est à l'ouest, ils baignent et nourrissent la terre.

Lorsqu'elle eut fini, la déesse disparut et Siddhārta se retrouva devant celui qui, une fois de plus, était parvenu à l'étonner par les prodiges de son esprit.

— Maître Arada, me voilà, je suis arrivé.

Nul n'osait parler, nul ne savait comment faire pour ne pas attrister le cœur de Siddhārta. Les moines, avec leur crâne rasé et leur tunique rouge, se tenaient assis en cercle, les jambes croisées, autour du corps d'Arada qui était encore plus squelettique que dans le souvenir du prince. Les encensoirs qui brûlaient aux quatre coins de l'ashram dégageaient un arôme intense d'herbes brûlées qui envahissait les narines de Siddhārta et lui brouillait la vue.

— Est-ce que ce que je vois est vrai?

— Oui, répondirent les moines. Ton maître est mort, il nous a quittés juste avant ton arrivée. Il l'a voulu ainsi, c'est lui qui a appelé la mort.

— Je ne comprends pas, Arada a attendu toute sa vie de me voir, et à présent...

L'un des moines, qui avait cessé de soutenir le cou décharné du maître pour laisser reposer sa tête sur la terre nue, prit alors la parole.

— Ses yeux se sont fermés et il ne peut plus parler. Mais Arada te voit et t'écoute, même maintenant qu'il t'a quitté. Nous qui sommes ses disciples, nous savions depuis longtemps que le jour de ta venue serait différent des autres. Tu es notre frère, Siddhārta.

La mort d'Arada avait été une mort sobre et pure. Il s'était éteint dans une grande lumière, tel celui qui a accompli le cycle complet des renaissances et qui est accueilli parmi les Bienheureux. C'est ce qui fut raconté à Siddhārta, qui était arrivé trop tard pour voir Arada et assister à ce moment.

Les moines soulevèrent la dépouille et la portèrent au-dessus de leurs têtes, sur le bûcher ardent de leurs tuniques rouges. Siddhārta suivit le lent cortège qui se dirigea vers les rives du fleuve. Puis le corps d'Arada fut livré au Gange, qui semblait lui aussi vouloir contribuer à rendre cet adieu sacré. De longs instants s'écoulèrent avant que les remous ne cessent. La frêle silhouette de l'ascète disparut alors dans le fleuve.

Le cœur de Siddhārta était plein de douleur, mais il découvrit cependant un sens profond à tout cela : durant toute sa vie, plus de quatre-vingt-dix longues années, Arada avait désiré voir Siddhārta entrer dans son ashram, et il avait choisi de mourir juste avant de voir son rêve se réaliser. Quel plus grand enseignement de renoncement aurait pu recevoir le prince ? Il comprit la grandeur de ce geste et il en fut troublé.

Lorsque le rituel fut achevé, Siddhārta s'adressa aux moines.

– À présent que votre maître a cessé de contempler le fleuve, puisqu'il est devenu lui-même fleuve, je n'ai plus de raison de cacher mon intention. C'est avant tout en nous qu'a lieu la lutte entre le bien et le mal. Son tumulte dérange la conscience et cette âpre lutte provoque d'incessantes souffrances. Avant de vénérer un dieu, pour autant qu'il existe, et avant de pouvoir aimer avec son cœur et son esprit, la quiétude doit pénétrer dans le cœur et l'esprit de chacun. En ce jour, Arada a voulu m'offrir une paix extrême, une paix que je porterai à jamais en moi. Regardez et dites-moi si les choses ne sont pas telles que je vous le dis !

Le vêtement que tous les moines avaient vu disparaître dans les eaux du fleuve était réapparu sur le lit d'aiguilles et de feuilles où le corps de l'ascète avait reposé la veille.

– Ce n'est pas possible ! Comment est-il revenu ici ? s'exclama un disciple.

La stupeur fut immense, un fil invisible et mystérieux liait l'âme du maître à celle du disciple élu : Siddhārta. Celui-ci endossa la tunique de l'ascète et ramassa, à côté d'elle, une écuelle de bois parfaitement sculptée ainsi qu'un bâton qui venait se loger dans la paume de sa main comme s'il y avait été taillé.

Les disciples retournèrent à leurs besognes quotidiennes et aux pratiques enseignées par leur maître défunt. Un nouveau guide fut élu. Il poursuivrait le chemin qu'avait suivi Arada en transmettant l'enseignement du maître et en y ajoutant sa propre expérience. C'est ainsi que se succédaient, depuis des centaines d'années, les générations de renonçants, dans les petites communautés où la vie consistait en cette recherche perpétuelle de quiétude dont avait parlé Siddhārta. Mais avant que ce dernier ne reprenne sa route, le plus âgé des moines s'adressa à lui :

— Siddhārta, je vois la dépouille d'Arada, je la vois emportée le long des rives du fleuve, puis bercée dans ses tourbillons. Je vois des collines fleuries et un ascète qui y habite. Il s'appelle Ālāra Kālāma, il a une doctrine à enseigner. Son savoir t'emprisonnera, et ainsi tu seras libre.

Maudits chiens!

– Ces êtres mutilés et horribles seraient donc ses enfants ? Ce temple abandonné sa maison ? Eh bien, tu veux que je te dise ? Dronodana me dégoûte, son âme est tout aussi pourrie que le sang qui coule dans ses veines. Si nous ne prenons pas immédiatement une décision, nous finirons avec lui dans les flammes de l'enfer. Il faut que nous partions, nous devons fuir au plus vite cet endroit maudit.

– Je suis d'accord avec toi, Kaïli. Dronodana a dépassé les bornes, nous l'avons toujours servi fidèlement mais nous ne pouvons plus tolérer ces horreurs à présent.

La nuit était noire. Au lieu de profiter des quelques heures de repos qui leur étaient autorisées, les esclaves et les putains, les rameurs et les hommes d'armes n'avaient pas fermé l'œil. Ils se murmuraient leurs dégoûts et leurs craintes devant l'entreprise à laquelle ils avaient eu le malheur de participer.

En l'espace de quelques heures, le temple des petits prêtres, qui surgissait, pareil à une montagne, au beau milieu de la jungle, était devenu un chantier du mal.

Les esclaves s'avouaient leur peur. Ils attendaient avec anxiété le jour qui allait se lever et qui leur apporterait les nouveaux ordres du souverain. La triste lueur de l'aube viendrait éclairer les troncs déracinés et abattus, les sillons nus dans la terre et la désolation de cette partie défigurée de la jungle.

Les petits prêtres, les enfants de Dronodana, gisaient, éparpillés sur le sol, comme pour lui servir d'engrais. Certains n'avaient plus de mains, d'autres plus d'oreilles... La vue de l'un d'entre eux, réduit à un maigre tronc sans bras ni jambes, était des plus obscènes.

L'indignation se propagea parmi eux comme une déferlante. Vers la fin de la nuit, le mot désertion était dans toutes les bouches. La mutinerie était imminente.

Pourtant, aux premières lueurs de l'aube, dans le campement que Dronodana avait fait dresser en attendant que la reconstruction de l'immense monument dédié au dieu Māra s'achève, il sembla que les esprits des révoltés s'étaient apaisés et que les propositions de la nuit avaient déjà été oubliées.

Sous les coups de fouet de l'un des fidèles hommes d'armes du vieux rajah, déterminé à se faire respecter, Kaïli paraissait avoir perdu tout espoir. Sans dire un mot, courbée dans une fosse proche du fleuve, elle exécutait son harassante tâche et soulevait des pelletées d'une terre boueuse et grouillante de vers. À côté d'elle, d'autres bras, gonflés par l'effort, se tendaient et se pliaient : il leur faudrait répéter ce mouvement monotone et exténuant toute la journée et Dieu sait combien d'autres jours encore.

Personne ne savait quelles dimensions devait atteindre les tranchées. Mais à en juger par les cris de forcené de Dronodana et le rythme imposé, on pouvait imaginer qu'il s'agissait du plus grand et du plus important ouvrage que le souverain ait jamais décidé d'ériger.

Le déboisement, les plans de la citadelle, le site de l'autel, le pavillon des cages pour les bêtes fauves et bien des choses encore, tout indiquait clairement qu'on fondait là la capitale d'un nouveau royaume. Voilà qui était bien incroyable : Dronodana projetait de mettre fin au royaume des Serpents!

– Creusez, sales bêtes! Gagnez votre place dans le royaume du plus puissant des dieux! ne cessait-il de beugler dans son euphorie.

Le rajah était assis sur les épaules de l'un de ses esclaves les plus robustes, et celui-ci s'efforçait d'éloigner sa tête du moignon qui pendait à moins de deux doigts de son visage.

Dronodana n'avait jamais été aussi sûr de lui : la victoire lui semblait certaine et accessible comme le lait que le nouveau-né se prépare à téter au sein de sa mère. Cette comparaison improbable le fit ricaner, il en savait fort bien l'origine. Il trouva très excitant qu'en un moment aussi solennel la pensée de Narayani lui traversât l'esprit, elle qui était devenue le symbole par excellence de la farce du sein maternel. « La putain est encore dans la tour des Naga à feindre d'allaiter. À l'heure qu'il est, elle a encore dû faire de nouvelles victimes ! »

Alors qu'il s'abandonnait aux souvenirs du passé et poussait l'énergumène qui lui servait de véhicule d'un coin à l'autre du chantier, une nouvelle idée se mit à trotter dans son esprit. Et il lui fallait tout de suite en faire part à ses adeptes. Il ordonna à l'esclave de le conduire jusqu'au tas de corps des petits prêtres mutilés et fit résonner sa puissante voix jusqu'aux oreilles de sa malheureuse compagnie.

– Hommes ! Esclaves ! Retenez vos pioches et vos pelles, et écoutez-moi ! J'ai décidé que vous goûteriez vous aussi la saveur exquise du sang des enfants sauvages. Mettez-vous en file les uns derrière les autres, devant moi, et tendez-moi la main dans laquelle je verserai le sérum de l'immortalité. Regardez déjà comme ce sang, en coulant dans la terre, est venu nourrir les racines et les larves qui y grouillent. La terre qui absorbe la vie de mes prodigieux enfants a déjà changé de couleur !

Dronodana ne pouvait imaginer que cette énième folie dictée par ses ambitions tyranniques et malintentionnées déclencherait l'émeute.

Kaïli qui, depuis les premières heures du matin, étudiait la situation en donnant des coups d'œil furtifs en direction de la berge où était amarrée la gigantesque embarcation, jeta sa pelle et lança son cri.

– En avant, tous ensemble ! Abandonnons les tranchées ! Allons jusqu'au rempart ! Suivez-moi !

Pareils à un troupeau d'éléphants furieux, ils se ruèrent tous en hurlant vers le fleuve. Ils envahirent le bateau, larguèrent les amarres et tournèrent définitivement le dos à Dronodana et à son royaume maudit. Le succès de leur fuite leur rendit leur bonne humeur et leur allégresse, qu'ils semblaient avoir perdues à jamais. Et la horde d'hommes d'armes, d'esclaves et de prostituées se remit à faire la fête en poussant avec vigueur le navire en mauvais état à travers les eaux boueuses du fleuve, qui ne pouvait plus faire obstacle à leur liberté.

Dronodana, les yeux emplis de haine, suivit le navire du regard jusqu'à ce qu'il disparaisse. Varudi, le commandant sorcier, était parti lui aussi. Ils avaient tous fui, même les serviteurs les plus dévoués, et même l'esclave robuste qui lui avait servi de véhicule. Maudits chiens !

Il se retrouva seul, gisant sur le sol. Il ne pouvait même pas se tenir sur ses jambes. Devant lui s'étendait le fossé empli des membres des enfants mutilés. Tous étaient morts, engloutis par cette terre devenue d'un seul coup un champ insensé de détritus que personne ne daignerait plus regarder.

Dronodana leva les yeux vers la montagne du temple qui se découpait en plein cœur de la jungle : il avait perdu toute sa sacralité et sa puissance, le serment fait à Māra de refonder son royaume paraissait à présent impossible à tenir. L'était-il vraiment ?

— Non ! Non ! hurla le vieux rajah.

Ses hurlements déchirèrent le ciel, si blanc qu'il en était aveuglant. Cette immensité désolée, sans nuages, planait au-dessus de lui, et il ne restait pas le moindre arbre pour faire de l'ombre sur le visage de Dronodana, l'homme qui haïssait la vue du soleil.

La sphère de plomb

— Qu'est-ce que ces cris affreux? Pourquoi Narayani hurle-t-elle ainsi? Que lui avez-vous fait? Qu'avez-vous fait à mon épouse?

Devadatta fit irruption dans la chambre obscure au sommet de la tour. Il n'y avait pas mis les pieds depuis des mois.

Alors il la vit. Après tant de temps, il avait enfin trouvé le courage de franchir le seuil de sa porte. Il venait lui demander d'accepter une trêve, d'oublier pour quelque temps la rancœur qui les séparait. Il voulait lui dire que la mauvaise humeur et la désolation qui avaient envahi le royaume dépendaient d'eux seuls et de personne d'autre. Mais peut-être pas. Peut-être était-il simplement venu lui demander de mettre fin à sa maladie, de ne plus croire à la mort de Svasti. Il lui avouerait qu'il avait envoyé un de ses hommes les plus fiables, le chasseur Nakula, sur les traces de l'enfant — ce dernier pouvait avoir survécu, après tout. Sans cependant reconnaître sa faute, celle d'avoir laissé échapper la pirogue. Non, Narayani ne lui aurait jamais pardonné.

Devadatta, après ses nombreux échecs et ses nombreuses fautes, s'était peu à peu forgé une armure. Il était devenu indifférent à ces périodes de souveraineté factice qu'il voyait s'écouler et qui lui semblaient ennuyeuses et insensées, mais il nourrissait encore le rêve absurde et irréalisable d'être aimé de Narayani et de redonner avec elle un avenir à Nagadvipa, en devenant un roi respecté et craint de ses sujets. Pourquoi continuait-il à la désirer? Pourquoi, pourquoi? se répétait-il dans ses cauchemars lorsque, se réveillant aux côtés d'autres femmes, des amantes et des esclaves qui cherchaient à le divertir au moyen de tous les plaisirs imaginables, il la cherchait et ne la trouvait pas.

Narayani se tenait là, étendue sur des coussins, entourée de ses servantes, des femmes disgracieuses et négligées que le destin n'avait pas épargnées. Il ne lui était pas difficile d'imaginer le plaisir pervers qu'elles devaient éprouver en passant leurs mains sur le corps de la reine, sur ces formes qu'elles ne pourraient qu'envier, éternellement. Les femmes ne prirent pas garde à l'irruption du rajah. Elles continuaient à s'affairer autour du lit de Narayani, cherchant à lui venir en aide et à la soulager tandis qu'elle se pliait de douleur.

— Laissez-la! J'ai dit, éloignez-vous de la reine! ordonna Devadatta d'une voix sèche.

Une naine, Hidi, se précipita pour l'accueillir.

— Devadatta, ton épouse a ses contractions. Elle dit qu'elle est sur le point d'accoucher d'un monstre, un enfant du diable. Un être difforme, sans membres.

— Qu'oses-tu insinuer, horrible naine?

— Viens, je vais te conduire jusqu'à elle. Tu pourras voir ce spectacle de tes propres yeux.

Devadatta se libéra violemment de la main de la naine. Les servantes s'écartèrent à son approche pour lui laisser regarder de près le maléfice dont était victime la reine. Une substance visqueuse et transparente trempait les draps. Les jambes de Narayani, ouvertes et tremblantes, étaient livides. Les spasmes d'une douleur lancinante avaient rendu son visage méconnaissable. Devadatta ne remarqua rien qui ressemblât à une blessure, pas de taches de sang, mais seulement ce liquide presque blanc qui sortait en grande quantité du ventre de son épouse et coulait le long de ses cuisses écartées.

La tête de Narayani tomba tout à coup en arrière, raide. Une secousse lui parcourut l'échine. Elle tendit le bassin en avant. Ses jambes s'écartèrent encore. L'accouchement paraissait des plus normaux et les servantes s'attendaient à voir apparaître la tête d'un bébé.

Mais Narayani poussa un dernier et terrifiant hurlement, et expulsa ce qui lui comprimait les entrailles. Les femmes frémirent d'horreur. Devadatta pâlit. Une grosse sphère roula sur le sol puis s'arrêta un peu plus loin. C'était un amas noir et répugnant, une sombre balle de plomb à la surface lisse et uniforme. Le moindre regard qu'on portait sur elle la faisait rouler de part et d'autre de la pièce, c'était incompréhensible. Le visage même de la mort.

Glacées et épouvantées devant l'horrible miracle, aucune des personnes présentes ne trouva de dieu à qui demander de l'aide.

Narayani souleva la tête, ouvrit les yeux qu'elle avait gardés fermés durant tout ce temps et parla.

— Devadatta, voilà ton fils! Voilà l'enfant né du mensonge.

— Narayani...

Mais les mots ne venaient pas, la force de Narayani l'anéantissait. Devadatta se prépara à quitter la chambre, l'air y était devenu irrespirable. Il ne voulait rien savoir de plus. Cette nouvelle défaite lui avait suffi. Cette fois-ci, la provocation de Narayani avait atteint le fond de la cruauté. Mais, à son habitude, il préférait ne rien ajouter et continuer à l'aimer comme une femme malade. Il lui tourna le dos pour la laisser seule, dans cette chambre où, au moins, il était certain de l'avoir toujours à lui.

— Je ne t'ai pas dit de t'en aller, l'arrêta Narayani.

Elle lui sourit et se tourna vers les servantes.

— Pourquoi me regardez-vous ainsi? Je me sens très bien, les douleurs ont complètement disparu. Hidi, ne trouves-tu pas que j'ai une mine excellente?

— Tout à fait, reine Narayani. Je ne t'ai jamais vue aussi belle.

— Bien. Comme vous pouvez le voir, je n'ai plus besoin des soins de quiconque. Vous pouvez partir. Laissez-moi seule avec mon époux.

Les servantes se retirèrent.

— Devadatta, regarde-moi. Regarde-moi, j'ai dit! Les rares fois où tu viens ici, tu lorgnes les moindres recoins de la pièce... Que crois-tu, que je n'ai pas vu la façon dont tu cherches, comme un chien famélique, les signes de ce que tu appelles ma folie? Mais si c'est la folie que tu cherches, pourquoi ne regardes-tu pas dans mes yeux? C'est là que tu devrais la trouver, n'est-ce pas? À moins que cela t'arrange de croire que je suis folle ? Alors je te le dis : regarde-moi dans les yeux et regarde cette boule monstrueuse. Es-tu capable, toi, mon mari, mon ami, mon ennemi, ou ce que tu veux être d'autre... es-tu capable de résoudre l'énigme à laquelle tu te trouves confronté ?

Devadatta ne l'avait jamais entendue parler ainsi. Ces mots, si précis, étaient autant de flèches lancées dans son cœur. Et la vérité se révéla soudain à lui : Narayani était très en avance sur lui, elle contrôlait, grâce à son pouvoir de séduction, un monde inconnu de lui et dans lequel elle seule pouvait le faire entrer.

— Dis-le moi, Narayani, balbutia Devadatta bouleversé.

— Voici le temps des certitudes, Devadatta ! C'est le moment d'en finir avec les mensonges. Tu ne vois qu'une boule visqueuse, un œil gigantesque et sans conscience, et tu crois impossible que j'aie pu me tenir en elle et grandir, grandir, grandir. Voilà ce que tu vois. Mais moi, je vois seulement quelque chose dont je me suis enfin libérée. J'ai expulsé de mon corps la douleur, la paresse, mon obsession. Un esprit miséricordieux me l'avait prédit. Je viens de renaître, tu comprends ? De renaître ! Et je sais que Svasti est vivant. Ne me mens pas, Devadatta, ne me mens jamais plus ! Parce que tu sais, toi aussi, que mon fils est vivant.

Un maléfice s'abat sur Svasti

La vie parmi les fakirs offrait à Svasti de nombreuses satisfactions. Il ne se passait pas un jour sans que ceux-ci célèbrent de périlleux et excitants défis où, à tour de rôle, chacun vantait un nouvel objectif dans la résistance à la douleur physique et dans le dépassement de la peur et de la mort. L'un de ces santons était resté couché toute la nuit sur un brasier ardent, et un autre avait tout bonnement avalé les braises!

Les fakirs avaient adopté Svasti comme un nouveau disciple. Il était le plus jeune d'entre eux et ne prenait pas encore part aux défis. Néanmoins, avec les cicatrices qu'il portait sur les bras, pensaient certains, il devait avoir déjà fait l'expérience de quelque chose de fort douloureux et de terrible.

Svasti était heureux d'avoir accepté l'accueil de ces maîtres. À ceux qui lui demandaient de leur parler de Siddhārta, il répondait : « C'est un faux maître, un mauvais. Il n'est même pas capable d'attraper un écureuil. Et il a peur des araignées. »

Svasti ramassa un caillou et le lança contre le tronc d'un arbre proche. Il était irrité.

— Et puis je t'ai dit de ne plus me parler de Siddhārta!

Il était en colère contre ce jeune zélateur qui avait achevé son initiation il y a peu de temps et qui ne perdait pas une occasion de montrer qu'il savait tout ce qui se passait au sein de la communauté.

— Tu veux à tout prix oublier cette rencontre. Mais tu ne pourras pas détruire l'image de Siddhārta que tu portes en toi, tant que tu ne l'auras pas tué pour de bon.

Svasti se jeta sur le jeune fakir et le mordit. Ils luttèrent au corps à corps, se faisant des marques et se couvrant de boue. Le jeune fakir prit le dessus et plaqua Svasti à terre.

Ce dernier ne bougea pas, raide comme du bois.

— Tu veux me tuer et me dévorer ? Fais-le !

— Je ne suis pas un sauvage comme toi. Je veux savoir pourquoi tu emportes toujours ces objets avec toi.

Le jeune homme relâcha sa prise, se releva et s'approcha de l'écuelle rouillée et du bâton de pèlerin que Siddhārta avait abandonnés en partant.

— Parce qu'ils sont beaux ! répondit Svasti en allongeant le bras vers l'écuelle rouillée. Cette écuelle me rend aussi puissant qu'un dieu guerrier ! Et ce bâton, qui est mon préféré, se transformera un jour en un grand, très grand cobra. Ses anneaux s'enrouleront autour de moi et me protégeront des gens comme toi !

— Tu es un enfant fou, un jour tu mourras brûlé par le feu d'Agni, le dieu qui incendie les forêts.

— Non. Je suis un Magicien et je connais de puissants breuvages. Je suis le prince du fleuve, le yaksha m'a couronné devant l'assemblée des poissons. Je sais parler aux serpents et aux bêtes aquatiques.

La dispute tourna court. On aida Svasti à se relever et le jeune fakir s'en alla en pensant qu'il avait affaire à un enfant trop immature pour prendre part à une discussion sérieuse.

L'habitude qu'avait Svasti d'emporter partout son écuelle et son bâton ne manquait pas d'attirer l'attention des autres fakirs. Certains attribuaient cette affection particulière au respect naturel qu'il conservait pour son maître, même après que ce dernier l'eut déçu et qu'il l'eut abandonné.

Seule une minorité d'entre eux considérait qu'une force invisible rattachait le garçon à ces deux objets. Ils étaient tellement abîmés qu'ils pouvaient sembler insignifiants au premier coup d'œil. Mais le fakir Dent de Crocodile avait décidé d'interrompre l'exercice de méditation le jour où il avait vu de ses propres yeux l'écuelle devenir incandescente et prendre feu comme un tas de brindilles entre les mains de Svasti.

— Cela a duré quelques minutes. Quand le métal a cessé de brûler, la peau du garçon était intacte. Pas la moindre brûlure !

Dent de Crocodile cherchait à convaincre ses compagnons que les dons de Svasti sortaient des mains patientes et habiles du dieu Māra.

— Māra a volé des fils du voile de Māyā et a forgé ces dons avec sa semence, origine de tout mal. Et Svasti porte cette nature en lui.

Mais qui pouvait croire de telles idioties?

Un beau jour, Svasti se sentit prêt à réaliser un projet qu'il avait en tête depuis longtemps. C'est ainsi qu'il décida d'inviter les fakirs à un banquet singulier : le moment était venu de les remercier pour leur hospitalité. Il demanda alors à ce que l'on réunisse tous ceux qui se trouvaient sur les rives du fleuve et s'en retourna les attendre dans sa grotte. Dent de Crocodile fut le premier à arriver. Il avait accepté aussitôt son invitation et ce n'était pas un hasard.

— Bonjour, Svasti. Quel air joyeux! Mais il me semble qu'il n'y a pas grand-chose à manger à ton banquet.

— Aujourd'hui, je vous invite à manger dans mon écuelle.

— Qu'est-ce que ça veut dire?

— Ce que j'ai dit. Au lieu d'utiliser vos écuelles de bois pour manger le riz, je vous prêterai la mienne, qui est de cuivre. Ce sera un repas spécial, vous remarquerez la grande variété de saveur que prend la nourriture servie dans mon écuelle! Je veux vous la faire essayer. Voilà ma surprise.

— Quelle différence de goût veux-tu qu'il y ait entre le riz dans une écuelle ou dans une autre? C'est le riz que nous mangeons, pas le récipient, dit le fakir en feignant le désintérêt. Mais si cela peut te faire plaisir, nous allons essayer.

— Oui. Voilà les autres qui arrivent. Même le chef gourou est là! s'enthousiasma Svasti.

Une casserole de riz bouillait devant la grotte, et les fakirs s'étaient disposés en cercle autour du feu, comme ils le faisaient toujours lors des repas. Le gourou, qui avait renoncé à l'usage de la parole en se coupant la langue, était assis en tailleur à côté de Svasti. Aux regards complaisants qu'il jetait à chacun de ses adeptes, on pouvait comprendre que la proposition du jeune garçon n'avait rien pour lui déplaire et qu'il exhortait les autres à l'imiter en accueillant cette invitation l'esprit serein. Tous les fakirs étaient silencieux. Svasti salua le cercle de ses amis d'un signe de la tête, prit l'écuelle entre ses mains et la souleva à hauteur d'épaule.

– Qui commence ?

La règle prévoyait de donner la priorité au plus âgé d'entre eux, donc au gourou. Svasti était impatient de partager cet étrange rituel avec celui qui lui semblait le mieux disposé et le plus enthousiaste. Car son instinct ne le trompait pas : l'écuelle provoquait bien de la méfiance. Le fakir ritualiste échangea un bref regard avec le gourou au collier de plumes et fut heureux de proposer une solution.

– Nous voudrions tous être les premiers. Pour ne pas nous mécontenter tous, tu es contraint de n'en contenter aucun. Tu nous ferais un grand honneur si tu étais toi-même le premier à goûter le riz dans ton écuelle.

– Très juste ! s'exclama Svasti, qui avait déjà rempli l'écuelle.

Il se mit alors à manger. Son expression fut celle, heureuse, de celui qui savoure avec une grande satisfaction le fruit d'un dur labeur. La concentration durant le repas était l'une des pratiques fondamentales de la communauté. L'air songeur du jeune garçon tranquillisa les fakirs qui acceptèrent les uns après les autres l'écuelle comme un simple geste d'amitié et de fraternité.

– Excellent, vraiment !

– Merci, Svasti, c'est un repas dont nous garderons un très bon souvenir.

Certains fakirs se félicitèrent de ce repas, l'un d'entre eux eut l'air déçu et d'autres s'apprêtaient déjà à retourner à leurs exercices lorsque la voix du jeune homme se fit soudain entendre.

– Eh ! Tu n'as pas terminé ton riz, remarqua-t-il en reprenant l'écuelle des mains d'un fakir dont le visage se tordait en une étrange grimace.

– Je ne peux plus manger, je ne me sens pas bien...

L'homme ne put achever sa phrase. Il s'accroupit, sous le coup d'élancements et de convulsions terribles, en hurlant comme s'il avait avalé des clous qui lui déchiraient les viscères. Il se força en vain à vomir ; les pointes rouillées avaient envahi ses intestins et il ne s'en libérerait plus.

Svasti recula de quelques pas.

– Le cobra t'a puni parce que tu n'as pas cru en lui, s'exclama Svasti en agitant son bâton.

– Tu nous as empoisonnés, maudit Svasti! Sois damné en enfer!

Le fakir agonisant n'était pas la seule victime. Tous montraient à présent les mêmes symptômes. Les crises de convulsions se propagèrent comme une contagion.

– À l'aide! Aidez-moi, je meurs! hurlaient les fakirs désespérés, en proie à une panique soudaine et irrépressible.

Ils s'abattaient les uns sur les autres et, au milieu des gémissements suffoqués, s'abandonnaient à une mort qui venait les cueillir par surprise en prenant possession de leurs entrailles. Malgré les hallucinations et les spasmes, certains trouvèrent assez de force pour prendre la fuite.

– Vite, partons! Abandonnons tout ça! Quittons cette grotte maudite et cet enfant venu droit de l'enfer!

Tous les survivants furent bientôt partis, et Svasti se retrouva seul, l'air hagard, à regarder son écuelle. Il ne comprenait pas pourquoi son objet préféré s'était comporté de façon si inconvenante avec ses nouveaux amis.

– Cette fois-ci, tu m'as joué un mauvais tour, écuelle.

Il descendit jusqu'au ruisseau pour la rincer. L'eau recouvrit la surface de métal et la fit scintiller. Ces reflets étaient étranges... Un rayon de soleil filtrait à travers les roseaux. Svasti plaça alors l'écuelle dans la lumière et vit apparaître peu à peu, dans les gouttelettes qui coulaient sur le fond du récipient, l'image du Temple des petits prêtres. La montagne d'or se dressait au milieu d'un désert aveuglant aux couleurs du sang.

– Mes frères! Père absolu, tu es méchant avec mes frères!

L'eau sur l'écuelle continuait de briller, et Svasti vit distinctement la fosse à ciel ouvert dans laquelle s'entassaient les membres de ses frères.

– Je dois retourner là-bas, je dois retourner chez vous!

À la recherche d'Ālāra Kālāma

Une écuelle, un bâton et une tunique d'ascète : tels étaient les seuls compagnons de Siddhārta. C'était l'héritage du moine Arada et de la génération de sages qui l'avaient précédé. Dans les nœuds de bois du bâton et dans la trame de cette simple tunique qui protégeait son corps et retombait avec légèreté sur ses épaules, était retenue la sagesse d'une longue descendance de moines voyants. Siddhārta avait obtenu la plus digne investiture qu'il aurait pu désirer.

Dans la région immense qu'il traversait, il lui arrivait de temps en temps de croiser d'autres voyageurs, le plus souvent des aventuriers ou de simples bûcherons chargés de fagots de bois qui rentraient au village. Et il demandait à chacun d'eux des informations concernant Ālāra Kālāma ou toute personne susceptible de lui apprendre où il pourrait le rencontrer.

Bien des jours s'étaient écoulés depuis que le plus âgé des disciples d'Arada avait prononcé le nom de ce nouveau maître, et Siddhārta était de plus en plus curieux de le rencontrer et de connaître sa doctrine.

Mais depuis qu'il avait quitté la jungle et pris la direction de l'ouest, personne n'avait entendu parler d'Ālāra Kālāma et n'avait donc pu lui indiquer une quelconque communauté d'ascètes dans les environs.

Siddhārta entendit alors une voix qui l'appelait.

— Eh toi ! mendiant !

C'était la première fois qu'on s'adressait à lui ainsi. Il en fut fier, quoiqu'incertain de la façon dont il devait réagir. Il savait que pour demander l'aumône il fallait réciter une série de formules et exécuter des gestes rituels qu'il ne connaissait pas. Personne ne les lui avait encore appris. Il ne pouvait qu'en avoir honte. Alors, sans doute plus par instinct que par crainte, il poursuivit sa route.

— Eh! C'est à toi que je parle, avec l'écuelle et le bâton.

L'homme qui l'interpellait était un jeune paysan. Il donnait l'impression de connaître chacune des pierres sur lesquelles il posait le pied. Il ne portait ni sacoche ni sandales, mais il n'avait pas l'air démuni. Peut-être Siddhārta avait-il enfin trouvé la bonne personne pour s'enquérir de ce qu'il cherchait.

— Allons, tends-moi ton écuelle. Par mon aspect, je peux te paraître pauvre, pourtant j'ai à coup sûr quelque chose pour toi.

Il sortit de ses poches une poignée de riz enveloppée dans une feuille.

— Cela ne te semblera pas peu de chose, j'espère.

— Non, au contraire. Je t'avoue que c'est la première fois que je reçois un présent, et je ne suis pas certain de te remercier comme il faut.

— Je déteste les formules pompeuses de tous ces renonçants qui meurent d'impatience à l'idée de t'assener un enseignement ou de te réciter un mantra. Tu m'as tout de suite semblé être quelqu'un qui n'accorde pas d'importance à ces choses-là. Tu es très certainement une personne qui parle lorsqu'il doit parler et qui écoute lorsqu'il doit écouter. C'est pour ça que je veux t'aider.

— Puisqu'il en est ainsi, lui répondit Siddhārta en souriant, satisfait de la tournure que prenait la rencontre, je me permets de te demander une faveur.

— Je t'écoute.

— Je suis à la recherche d'un maître du nom d'Ālāra Kālāma. Il devrait habiter dans ces régions.

— Ce nom m'est inconnu. Mais il y a peut-être par ici quelqu'un qui peut t'intéresser. Tu vois cette colline, à l'ouest? Bien. Il y a un lac, là-bas. Ou plutôt un étang, pour parler plus précisément, depuis que la sécheresse a tari ses eaux. Sur la rive, tu trouveras une cabane de paille et de roseaux. Un vieil homme y habite. Certains l'appellent le sage parce qu'il vit seul, qu'il est capable de regarder le ciel sans bouger durant des jours entiers et qu'il connaît à la perfection tous les chants des oiseaux. Je ne pourrais rien t'apprendre de plus sur lui.

Pourtant, avant de partir, le paysan se souvint de quelque chose d'autre, qu'il devait dire à Siddhārta.

— Ce vieillard regarde le ciel durant des journées entières, comme je te l'ai expliqué. Mais ne sois pas étonné lorsque tu t'apercevras qu'en réalité il ne voit rien de ce qu'il a au-dessus de lui : il est complètement aveugle.

Siddhārta salua le paysan, certain de devoir se rendre là-bas, sur cette colline. Il se sentit le cœur si léger qu'il parcourut en très peu de temps une bonne partie du chemin sans ressentir de fatigue. Il se trouvait déjà au pied des collines lorsqu'un autre homme apparut devant lui. Il était à cheval et portait de beaux vêtements ainsi qu'un turban et une sacoche d'un cuir précieux. Il se tourna vers Siddhārta joyeusement et lui fit un signe de la tête.

— Voilà un renonçant sur mon sentier. Et moi, riche marchand, je veux m'arrêter pour le saluer.

— Salut à toi ! lui répondit Siddhārta.

— Il est fort dommage que je n'aie même pas la moindre poignée de riz à t'offrir. Qui sait quels enseignements tu pourrais me donner en échange ! J'ai vendu aujourd'hui même tous mes biens contre ce merveilleux cheval.

— Qu'importe, j'ai eu ce que je voulais.

— En instruisant quelqu'un de ton savoir ! De qui s'agit-il ?

— Personne. À dire la vérité, j'ai eu les informations d'un paysan qui m'a indiqué la route à prendre pour rejoindre Ālāra Kālāma. C'est lui le maître, pas moi.

— Ālāra Kālāma ! Un très grand sage, vraiment.

— Tu le connais ?

— Non, malheureusement. Je n'ai eu ni le temps ni l'occasion de me rendre chez lui, mes voyages m'ont tenu loin de cette région. Mais j'ai l'intention de m'arrêter au prochain village pour quelques jours et je songerai à lui rendre visite. Après tout, c'est tellement proche...

— Un paysan m'a indiqué ces montagnes, là-bas. À vue d'œil, il y a deux jours de marche.

— Je suis désolé pour toi, mais cet homme t'a donné de mauvaises informations. Ālāra Kālāma habite au bord du lac, der-

rière la colline que tu as en face de toi. Tu peux y arriver à pied
dès ce soir. Et si tu prends le raccourci que je vais t'indiquer, tu
y seras avant.

— Es-tu vraiment sûr de ce que tu dis?

— Et comment! Je le connais bien, même si ce n'est que par
ouï-dire. C'est un sage très âgé. Il a perdu la vue et a appris la
langue des oiseaux, il lui suffit de lever ses yeux aveugles vers le
ciel pour reconnaître le chant de chacun d'entre eux.

— Tu disais qu'il n'y a pas plus d'une journée de marche?

— Tout à fait. Il te suffit de suivre le sentier qui part de
l'enclos. Il n'y a qu'une route, tu ne peux pas te tromper.

Siddhārta lui était extrêmement reconnaissant. Ālāra
Kālāma se trouvait donc plus près qu'il ne l'avait cru. Les deux
hommes se saluèrent et chacun reprit sa route : Siddhārta se
dirigea vers l'enclos et le marchand éperonna son cheval en
direction du village.

Avant d'arriver en vue des maisons, le cavalier se tourna
pour voir le chemin que le jeune ascète avait déjà parcouru.
Siddhārta avait presque atteint le talus qu'il lui avait indiqué et,
à cette allure, il arriverait à destination bien avant la tombée de
la nuit. Le riche marchand l'observa jusqu'à ce que sa silhouette
lui semble aussi petite que les ailes des oiseaux qui volaient
autour de lui. Il se remit alors en route, mais ne prit pas la
direction du village.

Un vent violent souffla tout à coup et souleva un tas de
feuilles éparpillées au sol, les faisant tournoyer vers le ciel
comme une guirlande. La trombe d'air emporta avec elle le
marchand et son cheval, et un hurlement se perdit dans la
plaine.

Adieu, mes amies

La jeune femme prit un peigne d'ivoire dans son coffret à bijoux et fit un nouvel essai. Elle ne trouvait décidément rien qui lui convienne. Clair de Lune ne supportait pas les matinées comme celles-ci, où il lui semblait que rien ne pouvait accroître son charme. Les autres jeunes femmes étaient déjà couvertes de bijoux, prêtes à recevoir leur invité de marque, le rajah Devadatta. Le fils de l'impitoyable Dronodana se révélait un souverain incertain et faible, mais ce n'était pas un mauvais esprit, et nombreuses étaient les concubines qui le trouvaient plaisant, malgré son air triste et abattu... Clair de Lune pensa à lui avec tendresse, à sa vie malchanceuse et aux abandons auxquels il se laissait aller quotidiennement lorsqu'il venait les retrouver, elle et les autres favorites de la Maison du Plaisir. Elle éprouva alors l'envie de se confier à ses compagnes.

– Les filles, quelque chose ne va pas aujourd'hui. C'est comme si nous aussi, qui sommes le seul orgueil de cette cité agonisante, et cette Maison, qui est le seul lieu où règne un peu de joie dans le déclin irrésistible du royaume... Bref, c'est comme si plus rien n'avait de valeur.

La salle était très colorée. Des coussins de soie précieuse disposés avec soin dans les nombreuses niches embellissaient cet espace richement décoré et diapré. Des arcades, des colonnes, des rideaux et des modénatures subdivisaient le vaste salon en petites pièces accueillantes. Chacune d'entre elles portait un nom relatif à l'art qui y était pratiqué : la musique, la danse, la cour, l'amour.

Narayani, qui était descendue de bonne heure de ses appartements, se tenait derrière une arcade peinte de fleurs de jasmin et écoutait. C'était en ces lieux qu'elle avait été éduquée, entre ces murs colorés qu'elle avait grandi. Et Dieu que le temps avait passé! Pourtant... en revenant dans cette Maison du Plaisir, il lui semblait que rien n'avait changé. On eût dit que les parfums, les fragrances d'encens aphrodisiaques qui brûlaient à chaque angle de l'immense salon étendaient un voile magique capable de retenir l'écoulement des heures et de raviver les souvenirs.

Alors elle passa sous l'arcade et montra aux autres femmes les vases précieux qu'elle venait de placer sur des tables.

Celles-ci la regardèrent, ébahies, en poussant de petits cris d'émerveillement. Que pouvait bien faire leur reine ici, levée à cette heure du matin? Et dans cette forme! Un chœur d'exclamations se leva.

— Reine! Notre souveraine!

— Je vous en prie. Au moins vous, qui êtes mes amies, ne me prenez pas pour une idiote! Qui pourrait vouloir être appelée souveraine de cette ville? Et puis, pour vous je suis toujours Narayani!

— Maîtresse aux soixante-quatre vertus!

— Déjà! Eh bien, l'art de l'amour est une discipline sévère...

Elles éclatèrent de rire et retrouvèrent la bonne humeur qui, avec le temps, s'était lentement tarie. Les courtisanes brûlaient du désir de savoir ce qui lui était arrivé et Narayani fit son possible pour satisfaire chacune de leurs curiosités. Elle raconta enfin sa solitude et sa maladie, qu'elle n'était parvenue à considérer avec suffisamment de détachement qu'une fois remise de son horrible avortement. Mais elle ne voulait pas s'étendre là-dessus.

— Je sais qu'avec vous je n'ai pas besoin de donner trop d'explications. Vous pouvez deviner ce qui m'est arrivé sans que j'aie besoin de vous en parler davantage.

— Dis-nous la vérité, Narayani : tu es encore un peu folle, n'est-ce pas?

Les plaisanteries auraient pu durer indéfiniment.

— Écoutez-moi, mes chères amies, j'ai un plan, qui vous concerne aussi. Vous avez raison de dire que ce royaume n'a plus rien à vous offrir, c'est de votre avenir que je suis venue vous parler.

— Eh bien ?

— Je ne sais pas quelles sont les intentions de mon époux, Devadatta. Je ne sais pas non plus si ce vicieux de Dronodana est déjà en train de pourrir avec ses esclaves dans les souterrains de la tour. Mais ce qui est certain, c'est qu'un très mauvais air nous vient de ces lieux depuis quelque temps. Et il est bon que vous vous en soyez rendu compte. Chargez tous vos biens sur des charrettes, formez une caravane et quittez Nagadvipa au plus vite. Vous trouverez facilement à exercer vos talents à travers le monde.

— C'est là ce que tu es venue nous proposer ? De partir ?

— Qui peut encore s'intéresser à des femmes aussi raffinées que vous, dans cette ville de morts ? Suivez mon conseil : partez ! Je vous ai fait part de mon plan, maintenant, faites ce que vous voulez !

La reine commençait à s'énerver.

— Nous t'accordons notre confiance, nous ferons ce que tu dis. Mais pour toi et Devadatta... qu'en sera-t-il ?

Narayani décida alors de dévoiler aux courtisanes de la Maison du Plaisir la seconde partie de son plan. Après l'avoir écoutée avec attention, toutes tombèrent d'accord : la nouvelle orientation que la reine voulait donner à son existence était des plus raisonnables. Elles louèrent sa profonde intelligence et admirèrent son courage. Narayani était redevenue leur amie de toujours. Grâce à elle, leur vie allait changer : dès le lendemain, elles quitteraient la cité des Serpents avec ce qu'elles avaient déjà baptisée la Caravane des soixante-quatre vertus.

— J'entends les pas de mon mari, il arrive. Adieu, mes amies.

Les courtisanes se pressèrent vers la sortie de service de l'immense salon.

L'aménagement de la Maison du Plaisir évoquait une époque révolue. Mais grâce au charme puissant que Narayani libérait encore, ce lieu conservait du caractère. La reine réajusta la jupe qui lui descendait jusqu'aux chevilles autour de ses hanches, juste au-dessous du nombril. Des hanches lisses et harmonieuses, se dit-elle en retrouvant sa coquetterie d'autrefois. Elle défit ses cheveux, les éparpilla sur ses épaules nues et se peignit les lèvres avec cette résine sacrée qui lui servait à se décorer les pieds et les mains. Puis elle attendit la venue de Devadatta. Tous ses gâteaux et ses boissons préférés avaient été disposés sur la table. Et ce serait elle, sa femme, qui se chargerait aujourd'hui de lui ferait oublier ses tracas.

Devadatta fut déconcerté en la voyant. Il ne pouvait pas en croire ses yeux. Il parviendrait donc à toucher cette femme !

— Tu n'es plus la même, Narayani, tu n'as jamais fait tout ça pour moi. Est-ce bien toi ou es-tu une sorcière ? Je dois te prévenir que je suis désormais immunisé contre ta magie.

— Viens, Devadatta, tu verras que je n'ai pas oublié l'art de distraire un homme, lui murmura doucement Narayani.

Ils s'allongèrent en silence au milieu des coussins. Leurs corps nus, unis dans une longue étreinte, n'avaient jamais été aussi semblables. Ils éprouvaient tous deux la même et irrésistible crainte de se laisser transporter par une passion purement charnelle. Ils firent l'amour, puis s'abandonnèrent mollement au milieu des couvertures parfumées.

— Devadatta, ne va pas t'imaginer... Moi aussi je suis émue, tout autant que toi. Les heures que j'ai passées avec toi ne sont pas faciles à expliquer. Ce n'est pas un jour comme les autres, j'ai décidé de réécrire une partie de ma vie, de récupérer ce qui a été perdu.

— Que veux-tu dire ?

— Je veux dire que je t'abandonne, je quitte cette ville. L'homme que j'aime m'appelle, il m'apparaît en rêve, il hante mon imagination et serre contre lui mon petit Svasti.

— Personne ne peut partir d'ici. Nous sommes en hiver et la neige a recouvert les terres. Tu es encore en train de divaguer, Narayani. Tu es très fatiguée et tu dois te reposer, là, à côté de moi.

— Je me reposerai, Devadatta, je me reposerai.

Mais Narayani omit de dire la suite à son époux : elle ne lui dit pas qu'elle ne se sentirait en paix que dans les bras de Siddhārta.

L'effondrement de la cité

La doyenne des courtisanes fouetta les chevaux qui tiraient la caravane. Les jeunes femmes s'étaient installées dans les charrettes chargées de leur mobilier, une quantité exorbitante de malles et de coffres contenant tout le nécessaire pour exercer leur profession. Il aurait bien été impossible de dire combien d'objets, de produits de beauté, de sous-vêtements, mais également d'instruments de musique et de rouleaux de papier contenant les vers des meilleurs poètes elles avaient extraits de leurs chambres. Les voies de la séduction sont innombrables. Mandaravati, qui voulait emporter les perroquets dressés, arriva au dernier moment en portant leur cage. Ses compagnes se serrèrent un peu plus sur les banquettes et parvinrent à lui faire une place. Malgré cela, la jeune femme se plaignit.

— Belles amies que vous êtes ! Vous étiez prêtes à m'abandonner !

— En ce qui me concerne, tu l'aurais mérité, s'esclaffa sa voisine. Tu ne voulais pas y croire, hein ? Tu ne croyais pas que ce que Narayani avait prévu allait vraiment avoir lieu ! Et maintenant regarde, regarde ce que nous laissons derrière nous ! Tu es têtue comme une mule, Mandaravati. Dommage que tu n'aies pas fini sous les décombres !

— Arrêtez immédiatement de vous chamailler ! cria la doyenne, qui conduisait la charrette. Nous sommes toutes en vie, c'est l'essentiel. Nous ne vivrons plus dans cette Maison du Plaisir qui était si spacieuse que l'on si perdait. Désormais, nous n'avons que cette roulotte. Il faut que vous appreniez à vivre ensemble et à rester unies. Nous allons devoir supporter ces conditions longtemps. En avant, les filles, chantons à gorge déployée, puisque nous voilà libres de le faire ! Les dieux sont avec nous.

— Vive les femmes aux soixante-quatre vertus ! Vive nous, qui sommes si belles !

— Belles comme sont belles les putains ! Hourra !

À grand bruit, entre les grincements des roues, les blagues et les éclats de rire irrépressibles, la roulotte des courtisanes s'éloigna en descendant les longs et sinueux tournants couverts de neige, laissant à jamais derrière elle les remparts de la cité des Serpents.

Pas une sentinelle, pas un garde n'avait fait obstacle à leur départ. Et ce n'était pas par négligence, mais par pure nécessité : les quelques soldats qui avaient survécu au tremblement de terre étaient occupés à fouiller les décombres, dans l'improbable espoir d'entendre les cris de quelques rescapés.

Le désastre avait eu lieu en plein milieu de la nuit. La plupart des habitants de la tour avaient été surpris dans leur sommeil et le gouffre qui s'était ouvert sous leurs pieds les avait engloutis en un clin d'œil.

Un soldat équipé d'une lourde armure, les cheveux nattés et attachés sur le sommet de la tête, était sur le point d'abandonner les recherches lorsqu'il entendit un appel qu'il ne pouvait ignorer.

— Arrête-toi, Nakula ! Fais ton devoir, pour une fois. Vite, sauve ton patron !

Le tueur à gages descendit de cheval et courut secourir Devadatta. Il le libéra des décombres et l'aida doucement à se relever. Le blessé ne portait qu'un vêtement léger, son visage était couvert de sang, mais il ne semblait pas gravement touché. Nakula lui posa son manteau de peau de loup sur les épaules. Sans en comprendre la raison, il s'aperçut soudain qu'il n'avait jamais été aussi heureux de revoir son maître et s'inclina devant lui en signe de respect, mais ce dernier eut l'impression qu'on lui enfonçait une épée dans la poitrine.

— À quoi veux-tu que cela serve, à présent ! Ne vois-tu pas que tout a été détruit, que le royaume est perdu et que je ne suis plus personne ? Je préférerais mille fois être mort.

— Un miracle..., parvint seulement à bredouiller le robuste Nakula qui était rentré depuis peu de sa mission.

Il ne se sentait pas encore remis de son aventure dans la forêt et voilà que la folie des dieux se déployait à nouveau sous ses yeux : la tour du cobra, le monument du dieu Māra qu'aucune armée n'avait jamais réussi à abattre, était réduite en poussière.

Devadatta contempla le regard ébahi de Nakula. Il le trouva ridicule et éclata nerveusement de rire, encore bouleversé par les malheurs qui l'avaient assailli durant ces dernières heures.

— Te serais-tu mis à croire en nos dieux ? Ne sais-tu pas que Māra nous a abandonnés depuis longtemps ? Il vient même de trahir mon père, en l'enterrant vivant dans les souterrains.

Nakula resta silencieux. Le tueur à gages ne se réjouissait pas de la catastrophe qui avait frappé la cité des Serpents. Cette ruine n'était que la conséquence logique d'une lutte entre les dieux dont il avait vu le vainqueur de ses propres yeux. Après l'incendie qui lui avait sauvé la vie, il avait de bonnes raisons de croire que, dans les hautes sphères des gouvernements célestes dont les hommes se voyaient exclus, les jeux avaient changé.

— Et toi, alors ? poursuivit Devadatta. Je te croyais déjà mort, dévoré par quelque tigre furieux. Quelles nouvelles m'apportes-tu ?

— Un miracle, je te dis..., balbutia Nakula. Dans la forêt où tu m'as envoyé, j'ai assisté à un miracle.

— Tu veux dire que tu l'as retrouvé ? Je le savais, Svasti est vivant...

— Oui, je l'ai vu. C'était lui, à n'en point douter, je l'ai reconnu à ses cicatrices.

— Quelles cicatrices ?

— Les marques dont tu m'avais parlé, tu ne t'en souviens pas ?

— Ah oui ! Les cicatrices...

— Devadatta, tu ne m'écoutes pas... Tu m'as envoyé à la mort. J'ai défié le pouvoir des magiciens pour toi et à présent...

— À présent quoi, l'interrompit brusquement son maître, le spectacle ne te suffit pas ?

Le rajah lui montra du doigt la désolation qui régnait autour d'eux. La neige, indifférente, continuait d'ensevelir les ruines.

— Voilà le cimetière de ma vie et de mes desseins. Que veux-tu que j'ai encore à fiche de toi ? Tu es revenu bredouille, c'est la seule chose que je puisse encore comprendre.

— Si seulement tu voulais m'écouter...

Devadatta avait des raisons d'être confus. La nuit qu'il venait de passer dans les bras de Narayani lui revint alors en mémoire. « Cette nuit sera notre dernière nuit ensemble, qu'elle soit la plus merveilleuse ! » lui avait-elle dit. Alors elle savait ! Elle avait prévu ce qui allait se passer.

« Ah, Narayani ! Voilà pourquoi tu es partie. Voilà ce que tu essayais de me dire ! »

Une fois de plus, il ne l'avait pas comprise. Elle s'était levée du lit, merveilleusement belle et encore chaude de leur amour, et, tandis qu'elle se rhabillait, elle lui avait dit qu'elle préparait quelque chose. Mais elle était partie sans lui laisser le temps de poser d'autres questions. Elle était partie et elle l'avait quitté pour toujours.

— Cette femme a du courage à revendre ! s'exclama Devadatta qui paraissait avoir oublié la présence de Nakula.

— Devadatta, c'est toi le vrai malade.

— Narayani est la mère de l'enfant que je t'ai envoyé chercher dans la forêt.

— Narayani ? Tu veux dire la reine, ton épouse, la folle ?

— Elle était folle de douleur. Elle savait trop de choses, elle connaissait la vérité. Elle a guéri par sa seule volonté et a voulu me faire l'amour pour effacer le passé. J'étais son mensonge.

— Tu m'en demandes trop. Je ne sais plus quel fil de cette histoire absurde tu me demandes de retenir. Je sais seulement que j'ai vu l'homme le plus puissant que cette terre ait mis au monde. Et Svasti était présent. Que tu veuilles m'écouter ou pas, c'est là tout ce que j'ai à te dire, coupa court le tueur, en maudissant le jour où il s'était retrouvé mêlé à ces histoires qui le dépassaient.

— Un homme puissant, dis-tu ?

— Oui, capable de dompter le feu...

Nakula réussit enfin à raconter ce qu'il avait vu et qui lui pesait. Il décrivit dans les moindres détails le miracle sorti de l'esprit de ce Magicien aux allures d'ascète.

Devadatta s'enveloppa dans les pans de son manteau trop grand et regarda une dernière fois les décombres de la tour sous lesquels, il en était persuadé, le grand Dronodana son père gisait enseveli. Le récit du tueur à gages venait de dissiper ses dernières incertitudes : voilà où était partie Narayani ! Vers qui serait-elle allée, si ce n'est vers cet homme, le seul qu'elle ait vraiment aimé ? Mais elle faisait fausse route, car Siddhārta ne se trouvait plus là où elle croyait, il était déjà ailleurs.

Devadatta n'avait d'autre choix que de continuer à assister, impuissant, à leur folle poursuite.

— Allons à Kapilavastu, ordonna-t-il à Nakula. C'est là, dans le royaume des Sākya, qu'est allée mon épouse. Je veux dire, la future amante de mon cousin Siddhārta.

Il respira profondément.

— Tu avais raison, Nakula. Cette fois-ci, tu n'es pas revenu les mains vides.

DEUXIÈME PARTIE

Les duellistes

Le vieillard était assis, immobile, et ses bras croisés sur sa poitrine ajoutaient à son allure austère et imposante. Ses grands yeux ronds étaient tournés vers le ciel et son regard, fixe, formait comme un pivot autour duquel se balançait sa tête. Siddhārta eut l'impression qu'une musique y jouait en permanence et se demanda si ce n'était pas ce son intérieur qui, avec le temps, avait rendu l'ermite aveugle. Le prince demeura là sans bouger, en silence, à observer le visage du vieil homme. Il vit alors ses traits se détendre peu à peu pour former un sourire, comme si l'aveugle manifestait de la sympathie à l'égard de cette nouvelle présence.

Le soleil descendait vers l'occident et ses rayons brûlaient le visage de Siddhārta comme une fièvre. Il lui sembla apercevoir au loin, dans la direction vers laquelle était tourné l'homme, un petit point noir qu'il n'avait pas remarqué jusqu'alors. Mais le scintillement de la lumière dans ses yeux l'empêchait de le distinguer avec précision et il pouvait bien ne s'agir que d'une impression.

— Nous serons mieux dans peu de temps, le vent est en train de tourner et les nuages vont vite arriver, dit le vieillard. Pourquoi ne te retournerais-tu pas en attendant ? Si tu avais les épaules dirigées vers le soleil, ton visage serait à l'ombre.

Siddhārta suivit ce conseil et fut soulagé. Mais l'intuition de l'aveugle le troubla. « Cet homme, se dit-il, est le maître Ālāra Kālāma, son dépassement du Bien et du Mal a rendu son savoir supérieur. »

– Je sens à ta respiration que tu ne te laisseras pas distraire. Admire la paix qui règne en ce lieu, Siddhārta. Tu l'as bien méritée. Il n'y a pas d'espace, ici, pour celui qui ne sait pas habiter les nuages et la majesté des cieux.

Le ciel, remarqua Siddhārta, revenait continuellement dans les propos du maître. Il y était plongé, il semblait capable de le traverser de long en large comme un marin parcourt les océans. Par ailleurs, il n'existait rien ici de plus naturel que le ciel. La végétation était si rase et si parsemée que les bandes de terre semblaient sans consistance. Et seuls des bassins d'eau de pluie, et cette cabane de paille, dont le toit sifflait dans le vent, venaient peupler cet espace. Un grand lac inondait une grande partie des terres.

La sensation d'une attente sereine était dans l'air. Siddhārta devait trouver en quels termes énoncer le véritable but de sa venue. Si Ālāra Kālāma gardait les bras croisés sur sa poitrine et ne changeait pas de position, c'était parce que le disciple ne lui avait pas encore adressé sa requête de la façon qui convenait. Du moins Siddhārta en avait-il la conviction.

Ce n'était pourtant pas chose facile. La posture d'Ālāra Kālāma lui présentait un mur d'indifférence. Intimidé, Siddhārta contemplait le reflet du maître dans le lac ou regardait derrière ses épaules robustes, au-dessus du toit de la cabane, en cherchant à mesurer la vitesse du vent, convaincu que c'était l'ermite qui en décidait. Siddhārta vit alors avec surprise le minuscule point noir réapparaître au loin. Non, il y en avait plusieurs maintenant. Ils se déplaçaient en dessinant de larges cercles autour d'une étrange colonne de fumée et se dirigeaient vers la colline. Ce n'était pas une impression : ces astres, ou tout autre objet qu'ils fussent, traversaient le ciel à toute allure et se rapprochaient.

La distraction de Siddhārta ne plut pas au maître.

– Siddhārta, trop de pensées vaines détournent ton esprit du dessein qui t'a conduit jusqu'ici.

Ālāra Kālāma avait parlé sans se retourner, manifestant de nouveau son incroyable faculté de percevoir tout ce qui se passait autour de lui. Mais son ton était peu conciliant.

– Je sais que tu n'es pas en train de me regarder. Si mes oiseaux, qui volent au loin sur les autres collines et parcourent le ciel groupés dans leur noire nuée, t'empêchent de voir ce qui se trouve près de toi, comment crois-tu obtenir la concentration nécessaire à l'apprentissage de la technique que tu me demandes de t'enseigner ?

Siddhārta n'eut pas le temps de s'excuser d'un tel comportement que des milliers de becs croassants exécutèrent un piqué vers le sommet de la colline. Après un instant de panique, il comprit que la myriade d'oiseaux, parmi lesquels il crut distinguer près d'une centaine de plumages différents, ne quittait pas le ciel avec des intentions agressives.

Lorsque tous les oiseaux, jusqu'à la plus petite hirondelle, se furent posés sur le sol, Ālāra Kālāma tourna ses épaules, plaça un bras derrière son dos et l'autre sur sa tête, fit pivoter son buste et leva la jambe avec souplesse pour se mettre en position de combat. Mais contre qui allait-il se battre ? Où était la menace ? Siddhārta ne comprenait pas.

Soudain, l'eau sembla se changer en un noir tourbillon d'oiseaux. Des corneilles. Ce qui lui avait semblé une colonne de fumée s'était mis à tournoyer au-dessus d'un homme d'allure belliqueuse en composant une couronne insolite. Les virevoltes des volatiles enveloppaient son visage, qui restait caché.

Siddhārta chercha alors le maître du regard. Il ne le trouva nulle part. Puis, tout à coup, il entendit sa voix crier vengeance. L'homme escorté par les oiseaux répondit par un hurlement plus féroce encore. Les corneilles s'éloignèrent alors de lui, et les contours de son nez, de sa bouche, puis de ses yeux et de chacune de ses rides apparurent peu à peu.

Siddhārta resta pétrifié. L'inconnu, qui s'était jeté comme une bête enragée sur Ālāra Kālāma, était absolument identique à ce dernier. Aucun portrait n'aurait pu être plus ressemblant. L'agresseur et l'agressé étaient la même personne. Mais, à la différence du maître, son double avait l'expression d'un fou.

Ce dernier se jeta de nouveau de tout son poids sur Ālāra Kālāma en lui assenant des coups de tête et de pied. L'autre encaissa le choc en se maintenant au sol comme une masse, puis il parvint à rassembler la force nécessaire pour envoyer à son tour une rafale de coups de poing à son agresseur.

– Maudit vermisseau ! hurla une voix.

Mais lequel des deux combattants avait parlé ? Même leurs voix avaient le même timbre. Les insultes se perdaient dans un écho indistinct et il était bien inutile de chercher à savoir de qui elles provenaient.

— Siddhārta veut savoir qui tu es, cria celui qui avait pris le dessus tandis que l'autre tentait de se relever. Approche-toi, que je lui fasse voir une fois pour toutes ce que tu es : un cadavre bon pour les vers.

Mais celui qui était au sol avait réussi à se remettre sur ses genoux. Prêt pour une nouvelle charge, l'air furieux, il s'était mis à gratter la terre de ses mains.

— Alors je creuse déjà ma fosse ! criait-il, les bras couverts de boue.

Ses gestes forcenés effrayèrent les oiseaux, qui s'envolèrent au-dessus du lac. La boue était devenue sa nouvelle arme. Animé d'une rage inouïe, il se mit à faire pleuvoir une tempête d'argile sur son adversaire.

— Bouffe-la ! Bouffe à ton tour les pierres et la terre comme je le fais. Avale-les et bourre-t'en les intestins.

— Ton destin de fou est écrit, tu renaîtras parmi les créatures les plus abjectes. Qui crois-tu impressionner ?

Le premier Kālāma esquiva un dernier jet de terre et éclata de rire. Les crâneries de l'autre semblaient l'avoir convaincu que la lutte allait à présent sur sa fin.

Le fou avait cessé de lancer des pierres et s'était jeté à genoux dans l'eau. Il y plongeait et replongeait la tête pour émerger de nouveau en suffoquant et en répandant de gigantesques gerbes d'eau. Il semblait vouloir se noyer, puis il revint à l'attaque. Son délire avait empiré. Il commença à s'arracher les cheveux en regardant le prince droit dans les yeux. Siddhārta put alors observer ses pupilles vides et éclipsées par la cécité, et il en fut effrayé.

— J'arracherai tous mes cheveux jusqu'à ce que tu voies mon sang jaillir, Siddhārta. Mon sang est un sang véritable et tu regretteras de l'avoir fait couler.

Un sifflement aigu et long sortit alors de sa gorge. Il ouvrit les bras face au vent et se mit à flotter juste au-dessus de la surface de l'eau. L'air vrombissait autour de lui. D'immenses nuages blancs vinrent cacher le soleil et la terre s'assombrit.

— Stupides oiseaux, maudites créatures ! Avant que je ne vous le fasse payer, faites comprendre à cet homme qui je suis.

Une nuée d'hirondelles s'éleva alors et vint couvrir la nudité de cet homme qui planait au-dessus du lac. Elles l'enveloppèrent de leurs plumes de la tête aux pieds. Leurs becs, pleins de compassion, cherchaient la chaleur de son corps. Alors Siddhārta comprit.

Il se tourna d'un bond vers l'autre maître, dont l'identité venait de lui être révélée, et affronta ce regard impassible qui n'était plus celui d'un aveugle.

— Māra! Combien de fois encore chercheras-tu à te mettre sur ma route pour me tromper? C'était donc toi, le marchand. Tu m'as indiqué une autre colline, aussi illusoire que le bâton et l'écuelle qui se sont consumés entre mes mains. C'est lui, celui que tu appelles le fou, qui est le vrai maître Ālāra Kālāma.

Les traits du faux Ālāra Kālāma se mirent brusquement à vieillir et des lambeaux de chair flétrie tombèrent de son visage. Les yeux de Siddhārta, assoiffés de vérité, avaient déchiré une fois de plus le voile de Māyā, les fausses croyances que le dieu du désir s'amusait à tisser.

Cette réplique exacte du maître s'envola soudain pour atterrir sur l'autre rive du lac et le grand Nāga reprit sa véritable apparence. Sa tête triangulaire se gonfla en un large éventail. Et Siddhārta reconnut cette forme qui avait surplombé la tour de la cité des Serpents durant des années. Il se représenta ce lieu qu'il connaissait par l'esprit et il vit la reine, guérie de sa folie. Elle partait en laissant les décombres de son ancienne prison derrière elle. Le prince s'adressa de nouveau au grand cobra, dans le corps duquel soufflait l'esprit de Māra.

— Maintenant que ton nid a été détruit, grand cobra, où pourrais-je te rencontrer encore si ce n'est en moi?

Les oiseaux abandonnèrent alors Ālāra Kālāma, le laissant étendu à terre, nu et couvert de boue, sans connaissance. Siddhārta s'approcha de lui, le tira par ses membres souillés et inertes, le chargea sur ses épaules et se mit en marche.

Deux nuits et deux jours s'écoulèrent. Siddhārta, avec son lourd fardeau, marchait à grand-peine tout en cherchant la vraie colline du maître. Il arriva au fond d'une clairière, vit passer une nuée d'oiseaux, et trouva enfin la cabane d'Ālāra Kālāma. Le maître était de retour dans sa demeure et Siddhārta attendrait sa guérison.

Le maître aveugle

Par respect envers Ālāra Kālāma et pour ne pas le gêner par sa présence, Siddhārta s'était construit un petit refuge de branches et d'écorces d'arbres au bord du lac, où il attendait que le vieux corps du maître se remette des coups reçus pendant son terrible affrontement avec le serpent du dieu Māra.

Mais les jours passaient et la situation ne changeait pas : Ālāra Kālāma continuait à ronfler si bruyamment qu'on eût dit un homme étourdi par les vapeurs de l'ivresse. Néanmoins Siddhārta gardait l'esprit clair et se comportait avec la plus grande sollicitude à son égard, comme si le maître allait faire de lui son disciple.

Il nettoyait chaque recoin de la cabane et s'affairait à de petits travaux domestiques auxquels le maître ne semblait pas beaucoup s'occuper à en croire le désordre qui régnait chez lui. Tel un véritable apprenti, il lavait les vêtements incrustés de gras et de boue abandonnés aux quatre coins de la pièce, faisait bouillir l'eau pour le riz dans un récipient de cuivre qu'il avait soigneusement nettoyé, préparait les encens. L'ordre, pensait-il, était indispensable dans un lieu de prière et de médiation. Ālāra Kālāma serait content de lui.

Ce soir-là, après être rentré dans son pauvre abri, il se rappela qu'il avait oublié une pile de marmites de cuivre devant l'entrée de la cabane. Si Ālāra Kālāma s'était réveillé entre-temps et avait voulu sortir, il aurait très certainement trébuché contre elles. Siddhārta revint sur ses pas et entreprit de remettre à leur place les récipients en veillant à ne pas faire de bruit. Un

114

silence insolite était descendu entre les murs de cannes tressées. Il semblait même que le maître ait cessé de respirer.

Préoccupé, Siddhārta jeta un coup d'œil vers sa couche. Ālāra Kālāma était immobile, dans la même position : le corps renversé en arrière, les bras raides. La couverture usée qui le recouvrait se soulevait et s'abaissait doucement sur sa poitrine. Il respirait. Il avait sans doute dû entrer dans une phase de repos plus sereine. Les traits de son visage paraissaient également plus détendus. Le prince en fut rassuré et se remit à ranger les casseroles avec soin. Il vit alors, derrière un énorme récipient en étain couvert de toiles d'araignée, un objet qu'il n'avait pas remarqué jusque-là, quelque chose qu'il ne se serait jamais attendu à trouver dans la maison d'un ascète.

C'était un coffret d'ivoire de facture précieuse, de ceux que les nobles aiment commander aux artisans les plus renommés. Le sceau portait le nom d'un souverain qui, à en croire la finesse de la gravure, devait être très riche et très puissant. On pouvait y lire : « Bimbisāra, roi du Magadha », suivi d'autres titres que Siddhārta ne parvint pas à déchiffrer. Gagné par la curiosité, il prit la petite boîte entre ses mains afin de l'étudier de plus près. La présence d'Ālāra Kālāma, même s'il dormait, le gênait inexplicablement.

Le couvercle se souleva sans difficultés. Siddhārta eut du mal à croire ce qu'il découvrit : un bijou d'une valeur inestimable reposait dans le coffret, un collier de perles rares et rosées pêchées dans les mers lointaines de Ceylan. Bien qu'il ait grandi dans le luxe et l'opulence du palais de Kapilavastu, entouré des plus somptueux joyaux, il n'en avait jamais vu d'aussi précieux. La transparence de ces perles merveilleuses semblait vouloir lui révéler les plus mystérieux secrets des mondes sous-marins. Avec un étonnement et un trouble indicibles, il s'aperçut que ce collier l'attirait profondément. Mais dès qu'il approcha la main pour le toucher, les perles se délièrent une à une, comme par enchantement, et roulèrent au fond de l'écrin.

Anxieux, Siddhārta voulut les ramasser. Mais à peine eut-il tendu la main que la voix coléreuse d'Ālāra Kālāma tonna derrière lui.

— Que fais-tu ici ? Tu n'es pas encore parti ?

Siddhārta se retourna d'un bond, abandonnant sa précieuse découverte. Il regarda le maître tel un voleur pris sur le fait. Les iris opaques de ces yeux aveugles et impénétrables effrayaient le prince. Ālāra Kālāma était hors de lui.

– Que crois-tu, jeune homme ? Que je n'ai pas suivi tes misérables tentatives de mettre de l'ordre dans ma demeure ? Depuis que tu as mis le pied ici, tu as commis quantité d'erreurs que le plus imbécile des disciples n'aurait jamais faites.

– Je vous demande pardon, mais je ne savais pas comment il fallait que je me comporte. Je voulais seulement attendre qu'il me soit permis de parler de la doctrine.

Le maître, dont le corps robuste semblait vierge des coups qu'il avait reçus, avança à tâtons en direction de l'écrin. Siddhārta, consterné, fit un pas en arrière. Tout en cherchant à se convaincre que le coffret d'ivoire ne pouvait attirer l'attention de cet aveugle, le prince rougit de honte. Il avouait sa faiblesse.

– J'ai voulu regarder les perles de plus près et j'ai cassé le fil du collier. Je vous promets que je l'arrangerai et que je ne fouillerai plus là où il ne m'est pas permis.

– De quel collier parles-tu ? Tu es devenu fou ? Quel renonçant garderait avec lui quelque chose qui le renverrait inutilement à l'avidité d'hommes qu'il a depuis longtemps cessé de fréquenter ?

Humilié par ces paroles, Siddhārta chercha désespérément la preuve de ce qu'il venait d'avouer. L'écrin était encore là, mais les perles avaient disparu. Sur le sol en terre battue, à côté du récipient d'étain et de la pile de vieilles marmites et de casseroles cabossées, il ne restait plus aucune trace de l'objet précieux. Un nouveau mirage, pensa-t-il tristement, une autre mauvaise plaisanterie du dieu Māra.

Ālāra Kālāma se tourna vers lui.

– Ramasse ce que tu as laissé par terre et va-t'en. Je veux que dès demain ma demeure soit redevenue exactement comme avant. Lorsque tu auras éliminé toute trace de ton passage, quitte cette colline et éloigne-toi le plus possible de cette région. Tu ne recevras pas mon enseignement. Et puisque tu n'en es pas digne, tu t'en iras en me laissant le bâton et l'écuelle qu'Arada, ton premier maître, avait conservés en attendant ta venue.

Siddhārta obéit. Dans les jours qui suivirent, devant le maître qui l'observait, cloîtré dans un silence obstiné, il défit tout ce qu'il avait naïvement rangé et ordonné dans le seul but de lui faire plaisir. Enfin, le dernier jour, il remit à Ālāra Kālāma le bâton et l'écuelle d'Arada.

— Voilà, maître, je suis prêt à partir en laissant derrière moi ce que je n'ai pas réussi à gagner, ni à la sueur de mon front ni grâce à la connaissance.

Le cou brisé d'un canard sauvage dont les plumes étaient couvertes de boue pendait du bras d'Ālāra Kālāma. Siddhārta ne savait pas si l'oiseau agonisait ou s'il était déjà mort.

— Tes mains impures ont rendu les canards malades, les plus sacrés de tous les oiseaux. Tu ne peux pas me laisser ce bâton et cette écuelle que tu as longtemps gardés sans les purifier. Ils seraient encore nuisibles, ils feraient même tousser les esprits gardiens des rouleaux d'écriture dans lesquels est conservé mon savoir. Purifie-les dans la source qui se trouve au pied de la colline et reviens ici avant la fin du jour.

L'évocation de la doctrine pour laquelle il avait enduré tant de choses troubla le cœur meurtri de Siddhārta. Mais il se rendit sans tarder à la source que lui avait indiquée le maître. Lorsque, avant le coucher du soleil, il remonta le sentier et rejoignit la cabane, il trouva le vieil homme en sanglots. Celui-ci pleurait en enterrant les cadavres d'une trentaine d'oiseaux. Dès qu'il aperçut Siddhārta, il se redressa, furieux, et lui courut après en l'apostrophant de mille imprécations.

— Maudit sois-tu ! C'est toi qui les as tués, tu es rentré trop tard. Je n'ai pas réussi à les sauver !

Le visage rouge, armé d'une hache noire avec laquelle il fauchait l'air, Ālāra Kālāma s'était mis à poursuivre Siddhārta en proférant des injures et en criant vengeance.

— Si je t'attrape, je te brise le cou entre mes mains, et ce ne serait pas un péché !

Dans le feu de l'action, Siddhārta avait laissé tomber le bâton et l'écuelle, contre lesquels il faillit trébucher. Ālāra Kālāma entendit son pied glisser et se dirigea droit sur lui.

— Tu vas mourir comme un vaurien !

La hache, partie avec un élan soudain de la main du maître, dessina dans le ciel nuageux une parabole haute et menaçante, et vint se ficher à quelques centimètres de la tête de Siddhārta.

— Tu es encore vivant ? demanda le maître avec mépris.

Le cœur de Siddhārta s'était mis à battre frénétiquement.

— Oui, répondit-il dans un filet de voix.

Mais c'était comme s'il avait menti.

— Il y aura des jours de pluie, à la source, les os creux et les tempes tourmentées de mon fils baigneront dans les pleurs des oiseaux. Un autre disciple s'en est allé, proféra Ālāra Kālāma qui ne s'adressait même plus à Siddhārta.

Puis il disparut dans l'obscurité de sa cabane, de la nuit tombante et de sa cécité.

Le jeune homme se releva couvert de boue et regarda la pente qu'il lui faudrait descendre. Il avait ordre de quitter les collines à jamais, d'abandonner l'espoir de recevoir l'enseignement du maître. Si Māra s'était déjà glissé sous la peau sale du prince, à l'intérieur même de ses os qui avaient échappé à la hache, tout ce que Siddhārta toucherait deviendrait impur et il contaminerait chaque chose aussi sûrement que s'il était porteur des germes d'une maladie. La mort était préférable : c'est ce qu'avait voulu dire Ālāra Kālāma.

Alors, ce prince qui n'avait plus de royaume, cet ascète qui n'avait pas encore de doctrine pouvait partir. Pourtant, ces perles de Ceylan, ce sceau royal... Ce n'était pas possible... Le fantôme d'une femme le tourmentait.

La convocation

Il était le seul homme encore en vie de ce royaume fantomatique. Il ne restait plus personne qu'il eût pu oppresser, supplicier ou humilier. Léchant les blessures sanguinolentes du moignon de sa jambe, Dronodana observait l'infâme ronde nocturne des chacals rassasiés et écœurés. L'abondance des charognes pourrissant dans la forêt les tenait à l'écart.

Péniblement, à la seule force de ses bras, le rajah parvint à se traîner jusqu'au bord du fleuve. Il éprouva un pauvre soulagement en y plongeant son visage ruisselant de sueur et tamponna ses plaies de son eau trouble et visqueuse. Une idée folle se présenta alors à son esprit excité. Il se rappelait tout à coup l'existence de ce sorcier stupide qu'il avait fait enfermer, durant ses années de gloire, dans les prisons de la cité des Serpents. C'était un homme au visage osseux qui portait toujours sur son dos un panier rongé par les rats. Il y conservait, éparpillés parmi de mauvaises herbes sèches ne possédant pas le moindre vertu curative, de minuscules rouleaux remplis de vers védiques.

— Coupez-moi tous les membres que vous voulez, coupez-moi même la tête, macaques ignorants ! hurlait-il aux gardiens depuis sa cellule. Je me fous de vos haches, je connais le remède à tous les maux et je saurai me faire repousser n'importe quelle partie de mon corps tant que j'aurais encore envie de vivre !

Personne ne l'écoutait. Les geôliers ne songeaient même pas à répondre à ses provocations en lui faisant goûter de leurs lames.

119

— Il n'y a pas de plaisir à ça, laissons-le, disaient-ils. Nous avons bien autre chose à faire que de triturer ce pauvre fou. Ce serait perdre notre temps.

Pourtant, un jour, Dronodana s'était fait lire certaines strophes des textes védiques et il avait été à un pas de croire aux interprétations obscures de ce dément. La situation désespérée dans laquelle se trouvait à présent le rajah le rendit plus crédule et il vit dans le miracle d'une chair qui renaîtrait pour recouvrir ses os brisés son dernier espoir. Il se mit alors à fouiller des yeux les vestiges du sanctuaire, les détritus laissés par les pelles, les cadavres des petits enfants au fond de la fosse encore fumante des meurtres commis : il cherchait à se souvenir ; il fallait rassembler des os d'animaux, à deux ou à quatre pattes, avec ou sans ailes, pourvu qu'ils soient en pleine décomposition. Puis il fallait les frotter, les laver, les écraser avec des pierres jusqu'à obtenir une poudre qui, mélangée à des brindilles et de l'argile, formerait une bouillie. Des couches et des couches de ce résidu noir auraient le pouvoir prodigieux de faire revenir un sang neuf dans ses membres et de régénérer ses veines et ses artères.

Décidé à donner suite à cet absurde espoir, Dronodana rampa parmi les cadavres jusqu'à rejoindre l'enceinte de banians. Il s'apprêtait à descendre dans la fosse pour récupérer des morceaux des corps sans vie dont il était empli lorsqu'une ombre glissa non loin de lui et se découpa entre deux rochers éclairés par la lune. La silhouette avança tout en restant de profil.

— Tu m'as appelé, rajah Dronodana ? demanda le sorcier.

— Toi ? répondit le rajah étonné en reconnaissant le visage osseux.

— C'est bien moi. Mon nom est Mucalinda. Les remparts de la cité des Serpents se sont écroulés et plus personne ne s'y trouve à présent. J'ai enfin pu sortir de tes prisons fétides. J'ai réussi à conserver dans cette besace des années et des années d'étude des arts védiques, dont j'ai tiré ma magie de la résurrection de la chair.

— Tu es venu guérir ma jambe ?

— Je suis à ton service, ricana le sorcier, éveillant la méfiance du rajah.

— Fais-moi redevenir l'homme que j'étais jadis, Mucalinda. Je t'en serai infiniment reconnaissant.

120

— Mais jadis, tu n'étais pas si puissant. Et tu devras le devenir bien plus !

— Bien sûr, plus puissant, plus puissant !

— Voyons ce que contient cette fosse dans laquelle tu t'apprêtais à descendre. Bien ! Il y a là tout ce qu'il nous faut, ces os me semblent parfaits. Commençons tout de suite.

Mucalinda sortit les rouleaux de sa besace et les étendit sur le sol. Il consulta les écritures pour se rappeler les différentes phases du processus, puis alla déterrer les morceaux des cadavres qui semblaient convenir le mieux. Dronodana se voyait déjà remontant jusqu'au sommet du cimetière sur ses deux jambes que le sorcier lui aurait rendues. Mucalinda, avec tout le calme nécessaire, débarrassait soigneusement les fémurs, les rotules et les vertèbres de la chair putride qui les entourait — tout ce qui restait des petits prêtres. Lorsque le soleil se leva, il avait suffisamment ramassé de déchets pour en remplir un gros vase. Il alla le remplir d'eau et en fit boire trois longues gorgées au rajah. Puis il alluma un feu et y déposa le récipient dans lequel il avait ajouté des broussailles écrasées et de l'argile.

— Et le sang sain, où le prenons-nous ? demanda alors Dronodana, satisfait de se souvenir avec précision des composantes de la préparation.

— J'en ai autant qu'il en faut.

Mucalinda sortit une ampoule de sa besace et versa dans le récipient quelques gouttes d'un liquide huileux, dense et rougeâtre qui dégageait une odeur de chair fraîche.

— Maintenant, il ne nous reste qu'à attendre.

Durant deux jours entiers, Dronodana ne quitta pas des yeux la mixture noire qui bouillait dans la marmite. Peu à peu, de sales et morcelés qu'ils étaient, les os redevinrent blancs et transparents comme des perles. Le lendemain, Mucalinda enfonça un os de la longueur du tibia du rajah dans le moignon de sa jambe et le prolongea par les cartilages d'un nouveau pied. Il enduisit alors la greffe du liquide qui s'était déposé dans le fond de la marmite. Dronodana se soumit à cet interminable traitement qu'il apprit à accomplir lui-même : sous les yeux attentifs du sorcier, il dut répéter l'opération durant dix jours et masser pendant des heures et des heures le maigre membre. Il était sur le point de perdre espoir lorsque, au matin du onzième jour, il découvrit que la chair avait repoussé et que sa jambe était redevenue intacte ! Il sentit ses doigts de pied bouger dès le soir, put plier la jambe le matin suivant et, dans le courant de la même journée, jeta le bâton qui lui servait de canne.

— Je peux bondir comme un lion ! Je peux courir comme un tigre !

Mais où était passé Mucalinda ? Dronodana, qui avait recouvré ses forces, se mit à le chercher partout. Il explora la forêt avoisinante, parcourut à plusieurs reprises les rives du fleuve. Mais pas la moindre ombre parmi les buissons ni le plus petit scintillement entre les berges boueuses n'en indiquait la présence.

Il entendit alors résonner le rire de Māra et tomba à genoux devant la montagne sacrée.

— Dronodana ! Tu étais tellement affligé par tes malheurs que tu ne m'as même pas reconnu. Mucalinda, le grand Nāga, est très vexé.

Les tempes du rajah étaient en feu et sa gorge le brûlait. Pour se faire pardonner, il était prêt à rendre la vigueur qu'il venait de recouvrer.

— Ne tremble pas, tu as dit toi-même que tu ne craignais rien. Tu savais que je finirais par te rejoindre.

— Je suis ton serviteur, Māra. Dis-moi ce que je dois faire, j'exécuterai tes ordres.

Des nuages noirs s'amoncelèrent dans le ciel et une violente tempête, sans foudre ni lueurs, éclata dans un grondement lointain. Le vent se mit à souffler à une vitesse inouïe. Des trombes d'air tourbillonnant les unes derrière les autres arrachèrent les arbres et emportèrent jusqu'aux blocs de terre restés prisonniers des racines. Elles entraînaient avec elles tout ce qui n'avait à présent plus de raison d'exister. Dronodana, planté comme une fourche devant l'entrée du vieux temple, attendait les instructions.

— Ces misérables arbustes me sont insupportables. La forêt ne doit plus exister, disait la voix de Māra à celui qu'il avait choisi pour serviteur. J'assécherai le lit du fleuve et toutes les sources qui y conduisent. Voici venu le grand bouleversement des mondes.

La pluie tombait en particules solides pareilles à de la grêle. Elle prenait les couleurs du sable que le vent arrache aux roches et que le soleil fait fumer sous ses rayons.

— Ce lieu est maintenant un désert aride. Le climat a changé. Regarde autour de toi, Dronodana ! Voici la terre sur laquelle surgira ton royaume solitaire. Tu appelleras sa capitale Uruvela. Et c'est en cet endroit précis, indiqua le dieu Māra en y faisant surgir un tourbillon de sable, que poussera l'arbre des Quatre Vérités autour duquel les anneaux de Mucalinda, le cobra qui descend d'Ananta, lequel affronta Vishnu, roi de tous les dieux, durant des cycles cosmiques, veulent déjà se lover.

En prononçant ces mots, Māra fit resplendir le soleil et écarta les nuages et les brouillards pour que le sable du désert vienne se déposer sur les roches arides. Puis il demanda aux royaumes souterrains et aux ténèbres de faire revenir à la vie la multitude des hommes qui avaient été tués de la main ou par la volonté de Dronodana et que ceux-ci forment l'armée qui aiderait le rajah à reconstruire le temple des prêtres.

— Tes ennemis éternels vont travailler pour toi. Tu ne te fatigueras pas.

Les spectres, que Dronodana commençait à reconnaître et dont les visages lui rappelaient les tortures par lesquelles il les avait envoyés à la mort, étaient déjà à la tâche. Disciplinés, ils travaillaient à la construction du second royaume de Māra. Et, avant toute autre chose, à la croissance luxuriante du grand arbre.

La femme de l'ascète

Aux heures les plus chaudes de la journée, une pluie épaisse et lourde se mit à tomber dans un bruit assourdissant, pareil à celui de cent cascades. Elle courait entre les pierres, inondait les champs, ravageait les enclos et fit rapidement déborder les eaux du fleuve.

Siddhārta comprit, et son désespoir devint insupportable : c'était Ālāra Kālāma qui avait provoqué ce tohu-bohu. Épuisé, le jeune ascète s'écroula. Ses genoux butèrent contre les cailloux et ses mains, qu'il avait lancées en avant pour parer sa chute, heurtèrent quelque chose de pointu. Il ressentit la brûlure des entailles mais ne s'en soucia pas. Il resta dans la boue, abandonné à lui-même, sans chercher à s'abriter, comme cet arbre gisant près de lui à qui la nature n'avait pas donné les moyens suffisants pour résister à la tempête. Maintenant qu'il avait été chassé de la cabane, Siddhārta ne trouvait de réconfort que dans le souvenir des paroles du maître et dans l'espoir que son destin, quoi qu'il lui réserve, s'accomplirait tôt ou tard.

Enivré par l'odeur âcre de la boue et de l'herbe trempée, il tenta de s'agripper aux racines rugueuses d'un épineux, mais les forces lui manquèrent. Ses muscles ne le soutenaient plus. Il parvint encore à bouger les doigts. Il voulait garder les yeux ouverts.

L'obscurité l'entraînait avec elle dans un tourbillon infini où les heures semblaient s'écouler interminablement. Son esprit était traversé par une multitude de pensées et il tentait en vain d'en saisir une pour qu'elle lui tienne compagnie. Ainsi, durant des jours et des jours, aussi longtemps que dura la pluie, Siddhārta oscilla entre conscience et inconscience. Il attendait la mort comme si elle seule pouvait lui permettre de rejoindre le maître Ālāra Kālāma et d'obtenir son enseignement. Mais la mort ne venait pas.

Dans une proche maisonnette de paille et d'écorce, une femme haute et robuste vêtue d'une tunique d'ascète souleva les planches qui servaient de porte et se pencha au-dehors. Elle observa un instant le soleil poindre au sommet de la colline, rentra dans sa demeure, puis elle s'engagea sur le sentier qui descendait vers la source.

Elle avait rêvé pendant la nuit de quatre mâts dressés jusqu'au ciel et d'un enfant qui courait tout autour, un vase d'or et un sceptre taché à la main. L'enfant s'était accroupi au bord du fleuve pour laver le sceptre et quatre drapeaux de la victoire étaient alors apparus en haut des quatre mâts.

Lorsqu'elle vit le prince étendu dans l'herbe, sans conscience, sous le soleil qui séchait ses vêtements, la femme s'agenouilla près de lui et lui murmura de se réveiller.

— Qui es-tu, toi qui me tires de mon sommeil ? Pourquoi as-tu le crâne rasé comme un homme qui vient de prononcer les vœux ?

— Et toi, jeune ascète, pourquoi ne t'es-tu pas laissé mourir ?

— Je ne peux pas mourir, répondit Siddhārta sûr de lui, tant que je ne suis pas retourné au sommet de la colline et que je n'ai pas revu mon maître.

— Tu es le jeune homme de mon rêve. Voilà qui tu es : le nouveau disciple d'Ālāra Kālāma. Je suis venue t'offrir la nourriture que j'ai cuisinée pour toi durant ces jours de tempête.

La femme lui dit qu'elle se nommait Sabhu et lui raconta le rêve prémonitoire qu'Ālāra Kālāma en personne lui avait inspiré la nuit passée.

— Il y a quelques jours, je t'ai vu ramper le long du sentier en portant le maître sur ton dos pour le ramener chez lui. Des volées d'oiseaux vous suivaient en dessinant de grands arcs dans le ciel.

Siddhārta avait accepté l'écuelle de haricots et de lentilles. Il était affamé. Tandis qu'il dévorait son repas, il écoutait attentivement ce que cette femme lui disait, tout en se demandant pourquoi elle portait des vêtements qui auraient bien plus convenu à un homme.

125

— L'homme chez qui tu t'es rendu, le maître Ālāra Kālāma, poursuivit Sabhu, est mon mari. Nous vivons séparés depuis que nous avons quitté notre ville.

— Ton mari ?

— Nous nous sommes mariés à Rajagaha, la capitale du Magadha, le royaume du souverain Bimbisāra. C'est là-bas que notre amour est né.

Siddhārta fut déconcerté en entendant le nom du souverain. Il décida cependant de ne pas demander à Sabhu si elle connaissait l'existence du collier de perles qu'il avait découvert dans l'écrin d'ivoire. Sabhu retira une cordelette de son cou et y fit quatre nœuds.

— Ālāra Kālāma a mauvais caractère, mais tu as passé l'épreuve. Lorsque tu retourneras le voir, donne-lui ceci de ma part, il comprendra que j'ai fait mon devoir. Depuis qu'il m'a répudiée, nous ne nous parlons plus, mais je n'ai cessé d'espérer qu'un jour il accepterait de me transmettre sa doctrine à moi aussi. Je suis une femme, mais je ne pense pas que cela m'empêche de pratiquer l'ascèse.

— Alors, toi aussi, Sabhu, tu me dis d'aller le voir ?

— Prince Siddhārta, tu tardes déjà trop. Ālāra Kālāma t'attend pour te donner son enseignement. Prends un autre chemin, passe par ce versant de la colline où les arbres ne poussent pas et où le ciel est plus dégagé. Lorsque tu seras là-haut, il te verra mieux. Ses yeux aveugles ne savent contempler que l'espace qui nous domine. Ils suivent les empreintes que nous traçons sur les nuages, nous qui avons l'impression de marcher sur le sol.

— Je ferai ce que tu dis, Sabhu.

— N'oublie pas de conserver le cordon que je t'ai donné, lui répéta-t-elle encore en le regardant s'éloigner. Ne crois pas que tu es le seul à mériter l'enseignement, tout le monde voudrait prendre le chemin sur lequel tu as la chance d'avancer.

— Je le sais, Sabhu, j'ai compris à présent.

À peine Siddhārta se fut-il mis en chemin qu'il commença à songer à celui qu'il avait laissé derrière lui, mais pas à Sabhu, qui ne lui avait fait qu'une suggestion. Il regarda les nuages épars dans le ciel, et, au loin, il vit les petites traces de pas de Svasti qui quittaient la forêt ; il lui faudrait faire bien du chemin, à lui aussi, mais tôt ou tard, il trouverait ce qu'il cherchait.

Siddhārta finit par apercevoir au loin la cabane et la petite cour qui l'entourait. Il remarqua avec une surprise immense l'ordre qui y régnait : la remise à outils nettoyée, le linge propre et étendu, les marmites empilées, tout était en place, comme si le maître ne lui avait pas ordonné de défaire ses petits travaux de rangement. Était-ce encore une fois l'œuvre d'Ālāra Kālāma ? Cet homme ne cessait pas de le surprendre.

Le sommeil de Vishnu

– Alors, tu as rencontré cette sorcière ? Dieu sait ce qu'elle a dû raconter à mon sujet !

Ālāra Kālāma prit la cordelette des mains de Siddhārta, la parcourut de ses doigts sans baisser la tête, en compta les nœuds d'une main, puis tendit son autre main vers une petite boîte rectangulaire. Lorsqu'il l'ouvrit, Siddhārta ne fut pas surpris de voir qu'elle contenait un grand nombre de cordons identiques à celui que lui avait donné Sabhu. Mais aucun d'entre eux ne portait quatre nœuds.

– Elle a dû te dire que c'est entièrement de ma faute si elle n'a pas fait ce qu'elle voulait faire, répéta Ālāra Kālāma pour la énième fois.

Siddhārta le regardait aller et venir. Le maître semblait irrité et soucieux. Il fouillait dans tous les coins et mesurait la pièce d'un angle à l'autre à pas incertains, tandis que ses pupilles continuaient de fixer le vide. Il n'avait pas beaucoup changé depuis leur première rencontre, il était resté ce vieux lion, bien qu'aveugle et inoffensif.

– Pourquoi restes-tu muet comme une carpe ? Tu ne t'attendais pas à me voir ainsi ? Ou bien peut-être, encore une fois, ne t'attendais-tu pas à ce que je t'accueille ?

– Je m'y attendais.

– Bien. Alors tu devrais également savoir ce que je suis en train de chercher. Pourquoi ne m'aides-tu pas à le retrouver ?

Siddhārta jeta un coup d'œil furtif le long des murs de la cabane et aperçut la lueur blanche du coffret d'ivoire. Il n'avait pas changé de place depuis qu'il l'avait abandonné sur le sol, derrière la pile de vases. Il allongea la main et l'attrapa en soulevant un nuage de poussière.

— Ah, le voilà! Enfin! Tu vois, il suffit parfois d'un peu de bonne volonté, lui dit le maître d'un ton malicieux. Cet écrin contient exactement ce qu'il nous faut.

Ālāra Kālāma saisit le précieux objet et le secoua délicatement à deux ou trois reprises. Siddhārta sentit des sueurs froides lui couler le long du dos. Comment pourrait-il s'excuser et le convaincre que ce n'était pas lui qui avait cassé le collier? Ce n'était pas de sa faute, mais de celle d'une force étrangère et mystérieuse. Il fut presque déçu lorsqu'il vit qu'Ālāra Kālāma ne prêtait même pas attention à l'état du collier et retirait une à une les perles de l'écrin, en les faisant rouler entre ses doigts pour en évaluer la richesse, sans se soucier du reste. Le maître déposa les précieuses sphères sur la table.

— Elles sont très belles, n'est-ce pas?

— Oui, répondit Siddhārta d'un ton hésitant.

— Mais dis-moi un peu : comment sont-elles faites? De quelle couleur sont-elles? Je ne les ai jamais vues, je ne pourrais pas dire si elles sont belles, se contredit le maître.

Siddhārta lui décrivit la couleur transparente et rosée, les veinures changeantes, différentes les unes des autres. Il se prit tellement au jeu de sa minutieuse description qu'il se rendit compte peu à peu qu'il ne voyait plus les perles.

— Une lumière pure et cristalline vient colorer chaque chose, même mes mains. Quand je les regarde, elles se confondent avec le paysage que j'ai devant les yeux. Je vois des dunes de sable soulevées par le vent, mais ce n'est pas un désert. Une mousson est passée par là, il y a peu de temps, je la vois s'approcher avec ses lueurs rougeâtres. Mille tambours semblent gronder au loin. Une force effroyable qui a porté la mort et la destruction vient de bouleverser la terre. À présent que tout est silencieux et que le cyclone est reparti, un poète est né et le quatrain de sa douleur dit ceci :

> *Les nuages s'avancent tel un roi*
> *Parmi ses armées tumultueuses;*

> *Leurs drapeaux sont les éclairs,*
> *Leurs tambours les coups de tonnerre.*

« Parle, maître, je t'écoute. Je peux encore entendre ta voix.

— Tu es entré dans la tête de Vishnu, le créateur. Le dieu est endormi, son corps repose sur les anneaux du serpent Ananta, la créature de l'infini. Comme l'araignée qui a avalé la toile qu'elle a tissée, Vishnu a réabsorbé le cosmos en lui, et à présent il le rêve dans sa forme idéale. Ce que tu vois est une des images du cosmos ; si tu te déplaces un peu tu en verras mille et mille autres. Tu peux contempler le passé et le futur. Le poète que tu as cité est le sublime Kalidasa, il naîtra dans mille ans. Continue à regarder, Siddhārta, pendant que je te raconte l'histoire du maître Markandeya qui, avant toi, a visité la tête endormie de Vishnu.

Ālāra Kālāma lui raconta l'histoire du pèlerin Markandeya, qui vécut une très longue vie :

— Il était né dans le corps de Vishnu. Il vivait déjà depuis des milliers d'années, ses membres étaient forts et son esprit vigoureux. Il était habitué depuis bien longtemps à errer et à visiter le monde à l'intérieur du corps divin endormi. Sur son chemin, il rencontrait de nombreux ascètes, visitait les ermitages et se faisait accueillir par les maîtres qui le saluaient, la joie au cœur, lorsqu'il arrivait comme lorsqu'il s'en allait. Les gens des villages étaient prêts à lui offrir des repas abondants et de bons lits pour dormir. Markandeya était respecté aussi bien des soldats que des prêtres, des bons que des mauvais. Ainsi, au cours de son voyage, il découvrait peu à peu tous les replis de l'âme humaine. La variété du monde exaltait son esprit, la diversité et le changement lui inspiraient toujours de nouveaux enseignements, affinaient ses sens déjà parfaits et nourrissaient son intelligence. Mais un jour...

— Ne m'en dis pas plus, l'interrompit Siddhārta, je sais comment va finir cette histoire. Je suis Markandeya, et voilà que l'imprévu m'arrive.

« Vishnu dort la bouche entrouverte, sa respiration est lente et rythmée dans l'immensité de la nuit. Me voilà marchant sur la pointe des pieds sur l'ourlet de ses lèvres gigantesques. Je tombe, je m'agrippe fortement à quelque chose de mou et d'humide et je reconnais sa bouche. Ma tête est encore dedans, à regarder le monde que je suis sur le point d'abandonner, alors que je ne sens déjà plus mon corps. Et à présent que se passe-t-il? Je dois avoir glissé, mais où? Il n'y a pas de soleil, aucune étoile ne brille non plus; les lacs et les montagnes se sont évanouis, la terre a disparu, le monde m'apparaît comme un mirage du passé. Et lui aussi s'est évanoui, j'ai l'impression de naviguer suspendu dans l'espace. Je vois un gigantesque océan de lait, les eaux de la non-existence. Le monde, enfermé dans le néant, n'est rien d'autre que l'une des nombreuses sphères du néant. Mon intelligence, ma générosité, ma méchanceté n'importent à personne ici, ils ne génèrent ni bonheur ni souffrance.

« Quelqu'un m'entend-il? Je suis en train de parler, quelqu'un entend-il ma voix? je commence à crier et le son se disperse. M'entendez-vous? Rien : il n'existe aucune limite. Trouverais-je la façon de rentrer?

— Te voilà! le réveilla Ālāra Kālāma.

Le collier de perles, parfaitement intact, pendait entre ses mains.

— Il est à toi pour toujours.

Siddhārta reçut l'écrin et la bénédiction du maître. Il baissa la tête avec respect et dit :

— Ce que tu as appelé âme, en vérité, n'est que le vide. L'âme, maître Ālāra Kālāma, n'existe pas. Il n'existe aucun attachement dans l'océan de lait, ni matériel ni spirituel, ni au Bien ni au Mal.

— Je comprends seulement maintenant ce que tu veux dire, Siddhārta. Je comprends les quatre nœuds que Sabhu, mon épouse, a faits à la corde. Aucun autre de mes disciples ne m'avait dépassé avant toi : tu as fait un pas en avant, tu as même mis à nu l'âme, que je croyais inconsistante et immatérielle, dans la tête de Vishnu. Mais souviens-toi que c'est moi qui t'ai appris le vol magique.

— Je ne l'oublierai pas, Ālāra Kālāma.

— Siddhārta! cria le maître, tandis que le prince se dirigeait vers la porte de la cabane. Ce collier ne t'appartient pas.

— Je le sais, répondit Siddhārta d'une voix solennelle. C'est la rançon d'une reine qui s'appelle Narayani et que je rencontrerai à la cour du roi Bimbisāra.

– Tu dis des sottises. À présent va-t'en ! Je n'ai plus besoin de toi.

Ālāra Kālāma s'était remis à faire le grincheux et l'indisponible, et semait la panique dans la pièce en imitant le chant des corneilles. Sans s'en préoccuper, Siddhārta partit avec l'écrin dans sa sacoche : il savait qu'en cet instant Ālāra Kālāma n'était plus là. Dans la cabane, sur la colline, ne restaient que son regard aveugle et son caractère épineux. Le maître, grâce au vol magique, était en train de parcourir d'autres lieux et d'autres espaces. Et c'est ainsi, d'un voyage à l'autre, qu'Ālāra Kālāma poursuivrait sa vie.

Le mirage d'un baiser

Le carrosse franchit les remparts de Kapilavastu, la capitale des Sākya, et se dirigea vers la grande porte du palais. Durant cette dernière partie d'un voyage long et éreintant, la course rapide des chevaux et le ballottement monotone de la voiture avaient plongé son unique passagère dans un sommeil profond. Narayani dormait, d'un sommeil sans rêve. Mais, venant des profondeurs de son esprit, des images commencèrent à se dessiner et à lui apparaître, défilant les unes derrière les autres, des images si vives qu'elles ne paraissaient pas sorties d'un simple rêve.

— Reine, voilà ce que tu avais perdu. Voilà le collier de perles.

— Je ne sais pas de quoi tu parles, répondit Narayani à l'homme qui l'importunait.

Elle lui tourna rapidement le dos et s'avança vers la porte dorée du palais.

Tout était exactement comme dans ses souvenirs, comme dans ses rêves ! Kapilavastu, la ville de lumière aux rues pavées d'or et aux murs toujours en fleurs. Le parfum que répandaient ses ruelles était unique, une douce et intense odeur de cèdre. Rien n'avait changé depuis son départ. La splendeur du royaume où, pour la première et pour la dernière fois, elle avait croisé le regard du prince ne s'était pas ternie. Et Dieu sait qu'elle sentait son cœur battre, Narayani, à l'idée de le revoir. Mais elle ne commettrait pas la même erreur : à présent, elle était prête à lui déclarer son amour.

Elle suivit avec le même élan les empreintes qu'elle avait laissées sur sol. Elles étaient restées intactes après toutes ces années. Ses propres pas la guidaient. Mais l'homme qui lui avait barré le passage n'avait pas renoncé, il se trouvait de nouveau devant elle et l'empêchait d'atteindre l'entrée du palais. Il l'arrêta sur les marches du grand escalier, alors qu'elle ramassait, tout en pressant le pas, la traîne de ses longs habits argentés. Il semblait même ne pas avoir besoin de courir pour la rattraper. À chaque marche qu'elle montait, il se trouvait déjà là, il la précédait, avec son large manteau et sa capuche qui jetait une ombre sur son visage, comme si ses pas effleuraient le sol sans le toucher.

— Tu es la reine, n'est-ce pas ? La tour dans laquelle tu t'étais enfermée n'existe plus. Tu es venue à Kapilavastu pour reprendre ce que l'on t'a pris, reine sans couronne.

— La dignité de ma fonction se remarquerait-elle à mon aspect ? Je suis encore belle, je le sais. Mais je ne sais pas ce que tu veux insinuer. C'est ton collier, je te le répète : je ne l'ai jamais possédé, répondit sèchement Narayani sans ciller.

— Je veux seulement te le rendre, je veux te redonner l'amour que tu viens chercher, insista l'homme mystérieux.

— J'en suis flattée. Mais à présent laisse-moi passer.

Après ce court aveu, Narayani fit encore quelques pas, puis se retourna, répondant à un élan inconnu. Cet homme, à n'en point douter, avait les gestes d'un prince. Il venait de baisser sa capuche, révélant un visage aux traits purs et harmonieux, pour lui faire un sourire dont elle était déjà éprise.

— Siddhārta, c'est donc toi ! C'est moi qui les ai perdues, ces perles, et j'espérais...

— Tu espérais que je ne les trouve pas, Narayani. Parce qu'à présent je sais, moi aussi.

— Qu'est-ce que tu sais ? Tu ne peux rien savoir... moi-même, je ne me souviens plus !

Mais ce regard, ces yeux la mettaient dans l'embarras. Narayani hésita encore un instant.

— Où les as-tu trouvées ?

— Chez mon maître, celui qui dû affronter le Magicien.

Narayani ne pouvait plus mentir et feignit une réminiscence.

— Le Magicien... Bien sûr, je crois savoir de qui tu parles. Je me souviens seulement qu'il portait un manteau pareil au tien, mais les traits de cet homme s'estompent dans mon esprit.

– Peu importe, je ne suis pas ici pour t'accuser. Tu es pure, je le sais. Je voudrais seulement te rendre le collier. Moi aussi je me suis livré à ces pouvoirs, mais je ne m'en servirai plus à présent.

– Des pouvoirs ?

– Ne fais pas semblant pas de ne pas savoir, Narayani. Comme tu le sais fort bien, ces perles permettent de voyager avec l'esprit et de traverser l'espace et le temps, pour aller à la rencontre de son propre désir. J'ai cherché à voir ce qu'il y a derrière le voile de la Māyā. Toi, en revanche, tu n'as fait que te l'approprier davantage.

– Aide-moi à me souvenir, Siddhārta, je crois que je ne sais plus qui je suis. Qui sommes-nous, toi et moi ?

– Des amants, Narayani. Tant que les princesses et les îles que tu as vues et rejointes existeront, nous serons amants. Mais comme tu as passé bien plus de temps avec le Magicien qu'il te l'était permis, ces lieux sont devenus dangereux pour moi. En m'aimant, tu m'empêches d'atteindre mon but.

C'en était bien trop pour que Narayani puisse continuer à l'écouter. Comment Siddhārta pouvait-il connaître son secret ? Comment pouvait-il savoir qu'elle avait vécu auprès du Magicien ? Et s'il la connaissait si intimement, pourquoi, alors, ne la détestait-il pas ? Il semblait au contraire l'aimer de plus en plus.

– Je t'en prie, ça suffit ! Ne me parle plus de ce magicien. Lorsque nous sommes ensemble, toi et moi, il cesse d'exister. Et alors, je comprends... Je t'aime, Siddhārta, je t'aime parce que tu m'emportes loin de lui.

– Le sens d'un tel amour m'échappe. Mais je te promets que je resterai avec toi, je ne te laisserai plus seule.

– Tu m'aimes. Je le sais depuis toujours.

– Je te demande seulement de ne pas compliquer les choses.

Narayani s'approcha de lui, sensuelle et douce comme elle savait l'être.

– Je te conduirai sur les îles et je te montrerai les princesses.

Siddhārta la caressa.

– Relâche ces voiles que tu serres dans ta main, ou tu vas les déchirer.

Les jeux de leurs doigts se cherchant et se fuyant, la chaleur de la respiration de Siddhārta et ses yeux braqués sur les siens, finirent par faire trembler Narayani de peur et d'amour. Leurs deux bouches, jusqu'alors étrangères, ne surent ni pourquoi ni comment ni quand elles commencèrent, à un certain moment, si bref et si éternel, à se toucher.

Narayani se réveilla en sursaut. Elle se redressa et regarda au-dehors, à travers la toile qui recouvrait le véhicule. Le cocher n'avait pas prévu un freinage aussi difficile et les roues s'étaient mises à déraper sur le pavé dans un grincement bruyant.

— Que se passe-t-il? demanda Narayani.

— Nous sommes arrivés à Kapilavastu, là où tu m'avais demandé de te conduire, lui répondit le cocher.

Les mâts de la ville se découpaient dans le ciel, mais aucun drapeau n'y flottait. La seule chose indiquant qu'il s'agissait bien de la capitale des Sākya était la tour du Bienvenu qui portait encore, bien que légèrement écaillé, le blason royal, et se dressait au-dessus des remparts dans le ciel pâle et rose. Des nuages gorgés de pluie allaient peut-être arriver, peut-être s'étaient-ils déjà éloignés et l'orage était-il déjà loin, nul ne pouvait le dire. « Une seule chose est bien certaine, pensa Narayani en descendant du carrosse, la ville de Kapilavastu est en deuil. »

Elle congédia le cocher, en lui indiquant avec assurance la direction des écuries où il pourrait faire se reposer les chevaux, et se mit à marcher dans la ville, convaincue que personne ne viendrait l'accueillir. Et il en fut ainsi. Les rues étaient désertes. La facilité qu'elle éprouvait à s'orienter au milieu de tous ces jardins et de toutes ces cours était bien étrange, et le vague souvenir de quelque chose de très doux la saisit durant quelques instants. Mais son attention fut attirée par la sévérité et la tristesse qui régnaient autour des murs des maisons et des enclos des jardins.

Soudain, quelqu'un tira les battants dorés de la lourde porte du palais. Celle-ci s'ouvrit et laissa paraître une foule de gens élégamment vêtus. Narayani leva les yeux vers ce cortège funèbre et solennel conduit par des brahmanes. Il descendait en direction de l'allée principale. En entendant la sombre et sévère litanie qui s'en échappait, elle comprit qu'on célébrait l'enterrement d'un personnage fort prestigieux. Durant un instant, son sang se glaça, mais elle fut soulagée lorsqu'elle entendit prononcer le nom du défunt.

— Asita, premier brahmane de Kapilavastu, tu n'as pas laissé d'héritiers.

Personne ne s'était aperçu de sa présence. Les gens étaient si absorbés dans leur prière que Narayani put les suivre jusqu'au dernier tronçon de route, après quoi le cortège s'enfonça dans le parc pour rejoindre le bord du fleuve.

— Jetons sa dépouille dans le Rohini, prions pour que les cendres d'Asita rejoignent au plus vite le Gange sacré. Siddhārta les y attend : avant de mourir, le brahmane a exprimé son pardon vis-à-vis du prince. Nous n'en connaîtrons jamais le motif, il l'a emporté avec lui.

Ces mots avaient été prononcés par le vieux souverain. Suddhodana, c'est ainsi que s'appelait le père de Siddhārta, se souvint Narayani. Elle l'observa longtemps et le trouva fort vieux et fatigué, comme si des centaines d'années s'étaient écoulées depuis ce jour où elle l'avait regardé de loin célébrer les noces de son fils. Et la jeune femme à ses côtés, les cheveux attachés derrière la nuque et vêtue d'un simple vêtement de soie, ce devait être... « Oui, pensa Narayani consternée, elle est très belle et a l'allure d'une princesse. Ce doit être Yasodhara. » Celle-ci serrait contre elle un enfant vêtu de bleu, son enfant. Mais son époux, Siddhārta, n'était pas là. « Siddhārta attend les cendres d'Asita sur les rives du Gange », avait dit Suddhodana.

Au terme de la cérémonie, le roi donna la bénédiction au petit Rahula, son petit-fils, l'héritier du trône. Puis, comme si ses dernières forces l'avaient abandonné, le vieux souverain s'agrippa au bras de Yasodhara qui le soutenait avec l'attention qu'on porte aux malades. Narayani étudiait attentivement chacun des gestes de la jeune femme. Elle admirait son charme sans en éprouver de jalousie car la douleur complexe qu'elle éprouvait lui conférait une dignité capable de chasser toute mauvaise pensée.

Le souverain et la princesse s'approchèrent et s'arrêtèrent juste à la hauteur de Narayani, qui s'était tenue à l'écart, à la queue du cortège. Cette dernière eut alors deux grandes surprises. La première fut de s'apercevoir que Suddhodana se faisait aider par Yasodhara parce qu'il était complètement aveugle ; il avançait à pas lents sans connaître la direction dans laquelle il était guidé. La seconde fut d'entendre l'épouse de Siddhārta lui adresser la parole.

— Suis-nous, nous rentrons au palais. Attends-moi sous la tonnelle de mûriers. Laisse-moi le temps d'accompagner le roi dans ses appartements, et je te retrouve aussitôt.

Deux femmes

Yasodhara avait changé de tenue pour rejoindre Narayani à l'ombre des mûriers. Elle ne portait ni bijoux ni étoffes précieuses. Elle avait voulu être simple, comme l'était sa vie, depuis le départ de Siddhārta, et comme étaient les choses qu'elle avait à dire à cette femme venue de loin. Toutes deux avaient le même âge, les mêmes longs cheveux et la même grâce dans le sourire et dans leur façon de s'exprimer; toutes deux avaient connu le bonheur d'être mère. Mais Yasodhara était plus sereine, Narayani plus nerveuse.

— Tu n'es pas là depuis longtemps, Narayani, n'est-ce pas?

— Je viens juste d'arriver.

— Depuis quelque temps les étrangers, ici, à Kapilavastu, se font rares. On dirait que ce royaume a cessé d'attirer ceux qui viennent de loin. C'est pourquoi j'ai été surprise de voir ton visage, un visage nouveau, parmi ceux qui s'étaient unis au cortège funèbre.

— La ville est fort belle et le palais merveilleux. Ce lieu m'est très cher.

Les joues de Narayani s'empourprèrent légèrement, ce qui la plongea dans un embarras inattendu. « Je l'aime, je suis venue pour lui », aurait-elle voulu dire. Mais comment aurait-elle pu? Et puis elle sentait bien que ces mots auraient été superflus. Yasodhara semblait déjà lire dans ses pensées les plus intimes.

— Viens avec moi, Narayani. Je voudrais te montrer quelque chose qui, je crois, peut t'intéresser.

L'épouse de Siddhārta conduisit la courtisane jusqu'à l'extrémité de l'enceinte de la ville. Elles marchèrent en silence, se jetant de temps en temps un regard furtif. Le fleuve Rohini passait non loin de l'enceinte et s'avançait jusqu'au-dessous de la muraille. Yasodhara désigna l'endroit où il venait couler entre quatre rochers blancs.

— Regarde ici, voilà la marque que Siddhārta, mon mari, a laissée pour moi le jour de son départ.

— C'est un cercle, un tourbillon dans l'eau, dit Narayani, étonnée de la banalité de ce qu'elle était en train de voir.

— Un simple remous. Mais si tu remarques bien, il ne se déplace jamais, il ne se mélange pas aux autres, il ne coule pas avec les courants du fleuve. Il est comme enchanté.

Narayani avait peut-être compris.

— Et tu regardes dans de ce tourbillon transparent...

— Siddhārta me regarde aussi à travers l'eau du fleuve. Narayani, Siddhārta est parti pour toujours et il ne reviendra plus.

— Pourquoi me dis-tu cela? Je ne le connais même pas, ton mari, mentit Narayani. Tu parles comme si je...

— Comme si tu étais venue pour le voir, lui. C'est la raison pour laquelle que je te dis ce n'est pas la peine de le chercher ici.

La simplicité et la sincérité de Yasodhara humilièrent tellement Narayani qu'elle se sentit défaillir.

— Tu me demandes de me confier à toi. Je n'ai pas d'alternative.

— Si tu veux trouver Siddhārta, tu dois te rendre dans le royaume du Magadha, à la cour du roi Bimbisāra. Je ne sais pas combien de temps il lui faudra pour y parvenir, mais je sais que ce roi l'attend avec beaucoup d'enthousiasme. Ici, à Kapilavastu, tu peux seulement avoir une idée de son passé, de tout ce qu'il a abandonné et de la tristesse qui a envahi nos cœurs.

— J'ai honte, Yasodhara. Tu devrais me détester et tu m'envoies vers lui. Tu as lu l'amour dans mes yeux et tu me parles de lui. Pourquoi fais-tu cela?

— Que devrais-je craindre?

— Les amants ont toujours peur de perdre leur amour. Toi, au contraire, tu sembles indifférente à tout.

Yasodhara sourit.

– Pas à tout. C'est précisément la peur, et seulement elle, qui me rend indifférente. La peur d'aimer vraiment et de perdre vraiment.

– Je t'avoue que je ne l'ai jamais ressentie avec autant de force.

– N'en dis pas plus. Pars, va rejoindre Siddhārta. Je crois que lui te comprendra.

Narayani quitta rapidement la ville. Elle séjourna dans des villages qu'elle traversait, changeant sans cesse de direction, bien incertaine du projet qu'elle devait poursuivre. Être reçue à la cour du roi Bimbisāra et y attendre Siddhārta, voilà certainement ce qu'elle aurait désiré plus que tout. Mais il y avait quelque chose d'insaisissable et d'étrange dans ses déplacements, quelque chose qui lui faisait quitter sa route au lieu de se diriger droit vers Magadah, comme si elle cherchait absolument à différer leur rencontre. « Pourtant, se mentait Narayani, il est juste de suivre le conseil de Yasodhara, j'en suis sûre. »

Un jour, en arrivant aux portes d'un village aux maisons basses et colorées, elle vit, aux alentours d'un de ces prés à chevaux que l'on trouve autour de toutes les bourgades, des charrettes qui éveillèrent son attention. Il y avait en particulier une roulotte sur laquelle avaient été peints dans un rose tape-à-l'œil des fleurs à gros pétales. Elle était si voyante qu'on ne pouvait pas ne pas la remarquer. On eût dit l'un de ces véhicules des cirques itinérants, emplis de jongleurs, de musiciens et d'acrobates. Cette vision suscita chez Narayani un sentiment soudain d'allégresse.

– Halte-là, ordonna-t-elle au conducteur. J'attendrai ici, devant cette roulotte, jusqu'à ce que quelqu'un se montre. Je voudrais savoir qui a le courage d'affubler les chevaux de la sorte. Regarde cette pauvre bête ! On dirait une farce !

L'animal, les flancs cinglés par une corde bouclée et zébrée, agitait ses oreilles, agacé par une attente qui se prolongeait. Narayani, toujours plus curieuse, se mit elle aussi à attendre.

Les filles du cirque

— Vous ?!

Narayani éclata de rire. Elle n'aurait jamais imaginé que ses recommandations aient pu être suivies avec autant d'enthousiasme. Ses compagnes de la Maison du Plaisir avaient bien quitté la cité des Serpents, et voyez donc ce qu'elles avaient inventé !

— Pourquoi vous êtes-vous déguisées ainsi ?

Les jeunes femmes avaient descendu la rue du village comme un troupeau de canes multicolores et bruyantes, se poussant et s'embrassant avec une insouciante allégresse. Elles ne semblèrent pas très surprises de faire cette rencontre fortuite, et n'y prêtèrent même que peu d'attention, préférant continuer à plaisanter entre elles, à se taquiner les unes les autres et à rire de leurs coiffures. Elles auraient pu croiser sur leur chemin un troupeau d'éléphants roses ou de singes parlants sans leur accorder plus d'intérêt. Tout cela finit par agacer Narayani.

— Même les plumes des perroquets sont plus discrètes ! La grâce et l'allure sont certes parmi les vertus féminines les plus appréciées des hommes, mais vous courtise-t-on encore, amochées de la sorte ?

— Ne te fais pas de souci pour nous, Narayani, nous n'avons pas à nous plaindre de ce côté-là. Et maintenant que nous offrons des spectacles sensationnels, des danses acrobatiques et des numéros de dressage, l'argent pleut sur nous !

Clair de Lune entra dans la roulotte et en ressortit en serrant un porcelet dans ses bras.

— Il est nain, et il est si mignon ! Regarde ce que je lui ai appris à faire.

La courtisane, réputée pour être la plus timide et la plus maladroite de toutes, semblait maintenant tout prendre à la rigolade et tout considérer comme un jeu. Elle n'était pas la seule, cependant, que son nouveau métier semblait avoir complètement métamorphosée : jouer les actrices, en s'ingéniant chaque jour à trouver des personnages et des déguisements toujours plus originaux, apportait à toutes ces anciennes courtisanes une satisfaction inattendue. La solidarité et l'amitié qui s'étaient renforcées entre elles dans ce cirque itinérant improvisé avaient mis du piment dans leur vie et faisaient leur joie.

— Finalement, vous vous en tirez très bien, en parcourant le monde ! Et qu'est devenue la Supérieure, elle n'est pas avec vous ? demanda Narayani.

Lawanja, une courtisane à la chevelure épaisse, éternua bruyamment, une, deux, trois fois de suite ; puis elle se gratta le genou et fit claquer ses doigts, exécutant une mimique qu'elle semblait avoir patiemment mis au point et dont elle paraissait étrangement fière.

— Elle ? Pouah ! Je n'ose même pas te dire ce qu'est devenue la doyenne. Elle est tombée amoureuse, figure-toi... La vieille a perdu la tête pour un homme ! Un noble qui habite du côté de Harshavati, quelqu'un dont la puissance semble égale à celle du dieu Indra. Il était entouré de tant de belles femmes quand elle l'a rencontré, les plus belles que l'on puisse imaginer, qu'il ne la regardait même pas. Mais tu sais comment elle est, lorsqu'elle veut obtenir quelque chose... Bref, elle lui a tellement tourné la tête avec ses breuvages d'amour, elle lui en a administré tant et tant qu'à la fin, complètement abruti, il n'a pas eu d'autre possibilité que de lui concéder la victoire. Un homme grand et fort, et pourtant il s'est fait piéger. Et il se fait câliner comme un vrai bébé maintenant !

— Comment fais-tu pour savoir tout cela, Lawanja ? demanda Narayani. Je vois que tu n'as pas perdu ta mauvaise langue !

— C'est tout comme je te dis, coupa court la courtisane.

Les autres éclatèrent d'un rire à se décrocher la mâchoire. Narayani chercha en vain à obtenir un peu d'attention au milieu de l'euphorie générale. Ses anciennes compagnes ne la laissaient pas parler. Et comme pour rajouter à l'agitation, une foule de villageois, par groupes ou par familles entières, s'étaient mis à descendre les ruelles et venaient s'attrouper sur la place où campait la caravane. Il y en avait de tout âge et de toute condition. Narayani n'en croyait pas ses yeux.

— Voilà notre public ! En avant pour le défilé ! hurla l'une des filles au visage brillant d'un maquillage jaune d'or.

Le spectacle commença en moins de temps qu'il ne faut pour le dire. La fanfare attaqua un air et les courtisanes débutèrent la danse des miroirs au centre d'un cercle imaginaire. Évoluant par couples, ces danseuses improvisées se mirent à exécuter des figures acrobatiques où chacune répétait les mouvements de sa partenaire. Les applaudissements et les acclamations furent suivis de lancers de pétales rouges, en signe de fête, et l'on entendit les pièces de monnaie sonner sur le pavé. Personne n'aurait voulu voir se terminer ces pirouettes, ces grimaces et ces mimiques pareilles à celles des enfants et qui provoquaient des hurlements d'approbation et de ravissement. Mais la représentation endiablée de la compagnie de la Caravane du Plaisir s'acheva.

— Comme toutes les belles histoires, notre spectacle a une fin. Et nous voilà toutes réunies maintenant pour vous saluer et remercier cet agréable public de son accueil chaleureux. Nous faisons nos adieux à cette belle petite ville qui surgit des vertes collines sur une chanson, et c'est notre magnifique princesse Narayani qui va nous la chanter !

L'annonce prit Narayani au dépourvu. Mais elle jugea préférable de surmonter sa timidité que de décevoir ses compagnes. Elle entonna son chant d'amour, celui qui lui était un jour sorti du cœur et qui s'était gravé dans sa mémoire.

> *... pure distance,*
> *tu viens de ton Dehors, de tes nuits mystérieuses*
> *oh ! fais-moi mourir...*

L'assistance écouta les dernières paroles avec émoi, puis les courtisanes se pressèrent autour de Narayani pour l'embrasser et la serrer dans leurs bras. Seule l'une d'entre elles resta impassible, la fixant d'un regard ironique. Sans perdre de vue la reine, Lawanja s'éloigna alors de la roulotte pour exécuter le numéro secret auquel seuls certains invités étaient conviés.

Māra

Dans l'excitation de la fête, personne ne semblait avoir remarqué cette étrange jeune femme qui s'éloignait à pas rapides. Pourtant certains hommes, les yeux écarquillés, commencèrent à la suivre. Tels des automates, ils avançaient comme s'ils ne savaient pas où ils allaient, formant une procession sinistre sous les couleurs du crépuscule. Un œil attentif aurait compris qu'un inquiétant rituel allait se dérouler.

Non loin de là, une ombre furtive avait tout observé. Dieu sait pourquoi, le rapide Svasti ne voulait pas perdre de vue cette jeune femme brune à la bouche charnue. Lorsqu'elle s'arrêta au milieu d'un champ, entourée d'hommes, le jeune garçon se tapit dans l'herbe et observa.

Les nuages vinrent cacher la lune, plongeant la terre dans la pénombre. Un brouillard épais provenant du marécage voisin semblait s'acharner sur cette colonie de fantômes. Lawanja s'agenouilla et tous les hommes, dans un silence irréel, joignirent leurs mains, en signe d'adoration.

La jeune femme fit alors tomber ses vêtements et offrit sa poitrine nue au public halluciné. La tension était dans l'air. Personne ne laissait échapper le moindre son. Lawanja tourna lentement les yeux vers ces hommes qui, devant son regard avide, baissèrent la tête.

Seul l'un d'entre eux, fort maigre, soutint ce regard en tremblant. Il se leva alors et vint s'allonger devant elle. Aussitôt, le plus petit des spectateurs, l'air assujetti et presque honteux, s'avança vers l'homme étendu, souleva son vêtement et en

145

dégagea son pénis encore détendu. D'où il était, Svasti éprouvait bien des difficultés à voir ce qui se passait mais il s'aperçut que la sueur perlait sur le visage de tous ces hommes et qu'ils écarquillaient les yeux.

Lawanja regarda longuement et avec indifférence le membre de l'homme. Elle n'eut qu'à poser sa main sur la cuisse du malheureux pour que son pénis durcisse. Elle se mit alors à genoux. Svasti voyait son dos nu et ne pouvait qu'imaginer confusément ce qu'elle faisait. La jeune femme approcha son visage du ventre de l'homme. Sa bouche s'entrouvrit et le bout de sa langue en sortit. Puis les cavités de ses joues se mirent à produire un bruit étrange et sa longue et mystérieuse langue en sortit soudain. Le front de la victime était trempé de sueur. Les bras et les jambes des spectateurs se raidirent. Ils attendaient. Alors, la langue commença à s'enrouler lentement autour du sexe de l'homme, depuis l'extrémité de son pénis jusqu'à ses testicules.

Pareille à un serpent mortel, cette langue monstrueuse semblait vivre d'elle-même, se relâchant et se resserrant pour former maintenant plus de dix spires autour du membre prisonnier. Lawanja, elle, était plus immobile qu'une statue.

Ce qui avait commencé comme une pratique sexuelle commune s'était transformé en un jeu de mort que la victime, cela ne faisait plus de doute, accepterait jusqu'à sa dernière conséquence : à présent Lawanja suçait son sang de sa langue vorace. L'orgasme, que l'on imaginait proche, resta suspendu, horrible, en un élancement douloureux, puis éclata. Le public, surpris, n'apercevait plus de signes de vie dans le corps exsangue et blanc étendu devant lui. La langue gonflée se retira lentement. Svasti vit alors le petit homme traîner le corps anéanti de l'initié derrière lui avant de l'abandonner dans l'herbe.

Les nuages s'écartèrent pour laisser la lune illuminer de sa lueur blanche le corps à moitié nu de Lawanja. Elle s'approchait comme un spectre de la cachette de Svasti. L'enfant, terrorisé, était bien incapable de faire le moindre geste. Il fixait le visage qui avançait droit sur lui, un visage affamé, celui d'un vampire qui n'est pas rassasié. Lawanja mâchait et mâchait encore. Un filet de sang noir coula au coin de sa bouche et vint dessiner une ligne sinueuse autour de son sein. Les yeux fixés vers la lune, ignorant la présence de cet observateur qui se tenait à quelques pas d'elle, l'esclave de Māra avalait avec plaisir ce liquide chaud qui lui remplissait la bouche. Svasti écarquilla les yeux. Le visage défait et lourd de Lawanja, ses lèvres écarlates, tout sembla se transformer, pendant un instant de pur délire, en un souvenir horrible et lointain. Svasti avait devant lui le visage ricanant de Dronodana, le Père absolu, gorgé du sang des petits prêtres du temple maudit. Une condamnation et une faute incompréhensibles pour le pauvre Svasti, témoin de cette horreur à laquelle il était abandonné.

Le cobra Mucalinda

Le bois qu'elles avaient laissé derrière elles revenait dans l'esprit des jeunes femmes tel un souvenir lointain, son ombre et sa fraîcheur leur semblaient uniques. Une lande déserte s'étendait maintenant à perte de vue. L'aridité et l'absence de tout lieu abrité avaient mis fin à leur allégresse. L'air brûlait comme une fournaise et desséchait la peau.

— Qu'est devenue Narayani ? Elle est partie aussitôt après la fête ? demanda Rayon de Bétel.

— Pauvre reine ! répondit Satva. Avez-vous entendu son chant d'amour pour le prince ? N'avez-vous pas compris que cette femme a une épine dans le cœur ? Espérons qu'elle trouvera un jour ce qu'elle cherche. Quel plaisir de la revoir ! Elle a dit que son voyage la mènerait dans le royaume du Magadha, chez le grand roi Bimbisāra.

L'adroite Vasudatta, qui n'avait pas encore cédé sa place de guide, arrêta tout à coup la roulotte. Quelqu'un était venu planter un poteau, surmonté d'une enseigne, en plein milieu du désert.

— Eh ! Regardez : un écriteau !

Du fond de la roulotte, les filles manifestèrent leur agacement.

— Et alors ? Allons-nous rester ici à le regarder jusqu'à ce que nous soyons devenues une folle gourmandise pour les vautours ? lui crièrent-elles.

— Qui pourrait lire ça ! Ce doit être écrit dans la langue d'une tribu inconnue, protesta Rayon de Bétel.

— Pourquoi, tu sais lire notre langue, peut-être, Rayon de Bétel ? la taquina sa voisine en lui donnant une petit tape sur les hanches.

— Eh ! Laisse-moi ! Je ne veux pas dire que nous savons lire, qu'est-ce que tu veux que ça me fasse ? Je dis simplement que nous n'avons pas de temps à perdre ici, nous devons ficher le camp au plus vite, avant de mourir de soif, au lieu de chercher à savoir ce qui est écrit sur ce bout de bois.

La querelle, qui avait éclaté en un rien de temps, dura quelques minutes. Il s'en fallut de peu qu'elles n'en viennent aux mains.

Mais pour celui qui était caché derrière la dune et jouissait du spectacle, c'était un grand divertissement : la roulotte, couverte par cette grappe de femmes hurlantes, ressemblait à une gigantesque motte de beurre, tremblante et aux couleurs étranges, qui se déferait tôt ou tard au soleil. Hélas, cet amusant petit théâtre ne va pas durer, pensa l'observateur embusqué dans un trou qu'il avait creusé dans le sable.

— Il serait bien que nous nous hâtions, tu ne crois pas, Mucalinda ?

Le cobra s'enroula autour de la taille du jeune homme, disparut derrière son dos et réapparut le long de son buste en dressant la tête devant son épaule osseuse. Svasti courut alors ventre à terre vers le convoi. Les chevaux, sentant une présence étrangère, se mirent à battre le sol poussiéreux de leurs sabots et à hennir nerveusement. Même les perroquets et les autres petits animaux de cirque commencèrent à s'agiter. Mais Svasti n'eut qu'à toucher le bec des oiseaux pour arrêter leurs piaillements et leurs sautillements. Avec tout ce tapage, il ne pouvait pas avoir été entendu. Seules les bêtes avaient flairé sa présence. Il resta immobile un instant à regarder Lawanja rire aux éclats puis se décida à parler.

— Bienvenue dans mon royaume, femmes saltimbanques ! Mes frères et moi sommes très heureux de faire votre connaissance.

Les jeunes femmes se turent soudain à la vue de cet étrange couple. Elles ne savaient ce qui, du jeune garçon ou de la fine langue fourchue entrant et sortant en un éclair, les effrayait le plus. Vasudatta prit son courage à deux mains et tenta une approche.

— De quels frères parles-tu ? Nous ne voyons personne ici.

— Ceux qui sont morts et qui parlent avec moi et avec ce serpent.

— Tu veux dire que tu sais communiquer avec les esprits ? lui demanda Lawanja.

Svasti ne répondit pas. Même si cette femme, sous la lumière du soleil, lui semblait identique aux autres, il lisait dans ses yeux apparemment intéressés une force inconnue et sournoise, une froideur sans nom. Il éternua trois fois de suite, fit claquer ses doigts et cracha. Toutes détournèrent les yeux, indignées par cette injure. Lawanja ne chercha pas à renouveler sa question. À compter de ce moment-là, elle évita de parler.

— Tu dois être l'enfant magicien dont nous avons beaucoup entendu parler, n'est-ce pas ?

Le ton admiratif de Clair de Lune plut à Svasti.

— Oui, c'est bien nous : Mucalinda et moi avons le pouvoir de nous métamorphoser en chacun des quatre éléments. Nous sommes eau, feu, terre et air.

— Sensationnel ! Personne ne serait capable de faire tout ça.

— Il faut l'avoir vu pour pouvoir être surprise, répondit sèchement Svasti.

— Nous n'attendons que ça ! Quand pourriez-vous nous en faire l'honneur ?

— Pour aujourd'hui, il n'en est pas question. Vous n'avez pas lu l'écriteau ?

Seule Lawanja jeta un rapide coup d'œil vers l'inscription et son regard revint, plus vite encore, à l'enfant. Mais elle n'ouvrit pas la bouche.

— Si vous voulez que je vous montre mes pouvoirs, vous devez me prendre avec vous. J'ai des affaires à régler dans les parages et j'ai besoin d'une place dans votre roulotte, poursuivit Svasti.

Les pupilles de Satva, qui ne lâchait pas le coffre contenant les recettes sonnantes des spectacles, s'étaient mises à briller. Ses compagnes non plus ne voulaient pas croire que l'occasion qu'elles croyaient devoir conquérir se présentait à elles aussi facilement. Bien qu'il soit sale et négligé, étrange et prétentieux, si ce garçon pouvait accepter de prendre part à leur spectacle, le prestige de leur compagnie farfelue toucherait au firmament.

Sans lui demander quelles affaires il entendait traiter et surtout où il voulait se rendre, elles le firent monter avec elles et se serrèrent sur le banc autant qu'elles le purent. Svasti s'installa confortablement dans le large espace libéré, à côté des cages des perroquets. Mucalinda, le cobra, bien que tranquillement et impassiblement enroulé autour de la poitrine nue de son patron, éveillait quelque méfiance.

— Ça fait longtemps que tu travailles avec ce...

Satva ne termina pas sa phrase.

— Depuis très peu de temps, quelques heures seulement. Mais nous nous sommes entendus tout de suite, dès que nous nous sommes rencontrés.

— Ah!...

L'exclamation se perdit dans le vent. La roulotte avait repris sa course folle, suivant les indications de Svasti. Lorsque les premiers signes de vie apparurent à l'horizon, des toits de paille entourés par une végétation d'arbustes et de bambous, l'atmosphère était redevenue joyeuse et euphorique comme après le dernier spectacle. Svasti plaisantait avec les jeunes femmes et Satva avait même trinqué au nouvel arrivant.

— Vous savez quoi? Ce Svasti est vraiment un garçon sympathique! Bienheureuse celle qui l'attrapera! Et vous voulez savoir autre chose? ajouta-t-elle en faisant une grimace qui lui déforma la voix, j'ai l'impression de l'avoir déjà vu... Non, je sais, il ressemble à quelqu'un! Ses yeux noirs sont exactement pareils à ceux de Narayani.

— Arrête de dire des bêtises, Satva, lui répondit une des passagères qui était restée silencieuse. Tu es complètement soûle, tu prendrais une abeille pour un tigre!

— Mes amies! Chantons! Chantons pour Svasti, faisons-lui entendre la chanson des putains, des prostituées de la bonne humeur, parce que bientôt nous aurons un nouveau spectacle!

Risque de mort

Les deux hommes avaient laissé leurs ceinturons pendre au harnais des chevaux et étaient partis se cacher dans les fourrés pour admirer l'éclat transparent du joyau. Ils étaient embusqués dans les buissons depuis longtemps et le soleil se couchait. Il fallait rester patient. L'occasion se présenterait dès que le propriétaire de ce précieux objet aurait tourné le dos.

— Je n'en peux plus, il n'a pas bougé d'un centimètre.

— Chut ! fit l'autre. Tu verras, ce sera un travail bien fait.

Depuis qu'il avait posé son bâton, Siddhārta n'avait pas cessé de soupeser le collier dans ses mains et d'observer les perles, le regard ébahi. Les deux brigands, circonspects, attendirent encore. Puis le plus expert d'entre eux fit signe à l'autre que le moment d'agir était venu. Confus et troublé, Siddhārta regarda une dernière fois le bijou et se décida à le remettre dans son écrin et à ne plus y penser. C'est alors qu'un coup violent à la nuque le jeta au sol, le visage contre terre. Les malfaiteurs lui attachèrent les bras dans le dos en lui liant les poignets avec force. Une douleur violente lui traversa le corps. Il sentit qu'on immobilisait ses chevilles puis on le roua de coups de pied. Les voix et les rires grossiers de ses assaillants parvinrent à ses oreilles. Ils le couvraient d'insultes, mais Siddhārta ne pouvait voir leurs visages.

— Tas de fumier, tu joues le religieux et tu pars en promenade pour voler de l'or !

L'écrin était resté pris sous le corps de Siddhārta, qui sentait ses bords s'enfoncer dans sa poitrine à chaque coup qu'il recevait.

– D'abord on te tue à coups de poing, et après on te prend tes perles !

L'un des deux hommes l'attrapa par le cou et le souleva pour le mettre à genoux. Puis, d'un geste adroit et rapide, il s'empara de l'écrin.

– Vous ne pouvez pas ! protesta Siddhārta. Ces perles ne sont pas à moi, elles appartiennent à une femme, je dois les lui rendre.

Avant qu'il n'ait le temps de voir leur visage, les brigands le frappèrent encore à la figure et prirent la fuite en l'abandonnant couvert de bleus, pieds et poings liés.

– Les perles, les perles... Pourquoi, pourquoi l'ai-je embrassée ?

Siddhārta se tordait sous la douleur. Son esprit était embrumé par une pensée obsédante : il avait utilisé l'enseignement du vol magique pour rejoindre la femme nommée Narayani, et, au lieu d'être soulagé de ses peines, il s'était mis à l'aimer. Ce qu'elle n'avait vécu qu'en rêve avait été bien plus réel pour lui.

Tandis qu'il se demandait ce qui l'avait poussé à prendre ce risque, Siddhārta fut à nouveau frappé. Et les coups, cette fois-ci, furent encore plus violents, motivés par une haine aveugle contre laquelle il était sans défense. Le visage plongé dans la boue, Siddhārta étouffait ses cris en cherchant à contenir au plus profond de lui sa peur et son humiliation. Qui étaient ces hommes ? N'avaient-ils pas eu ce qu'ils voulaient ? Les brigands l'attrapèrent par ses cheveux couverts de boue, qui avaient bien repoussé depuis leur première tonsure, et lui cognèrent plusieurs fois la tête contre le sol ; puis ils le soulevèrent et le portèrent près d'un arbre au tronc dur et noueux.

– Tu resteras ici jusqu'à notre retour.

Des cicatrices déformaient leurs visages balafrés. Des cicatrices noires, noires comme les incisions sur les bras de Svasti ! Où était Svasti, pourquoi n'était-il plus avec lui ?

Siddhārta resta sans manger ni dormir pendant deux jours et deux nuits. Son dos lui faisait mal. Les cordes qui le retenaient à l'arbre lui paralysaient les bras et le torse. Il se sentait pareil à une bête entravée avant son sacrifice. Les brigands reviendraient, encore et encore... À l'aube du troisième jour, il les entendit s'approcher mais ne parvint même pas à soulever ses paupières.

— Pourquoi aujourd'hui et non hier ? chuchota-t-il d'une voix exténuée.

— Parce que nous ne trouvions pas ceci !

Le bandit ouvrit de force la bouche du prince et son complice y enfonça un objet dur entre la langue et le palais.

— Comme ça, tu ne penseras pas à la faim !

Ils s'en allèrent et revinrent peu de temps après. Sa persécution était sans fin, sadique et absurde comme seul peut l'être le mal.

— Voilà une soupe chaude pour te restaurer, dit celui qui commandait.

L'autre sortit de la bouche de Siddhārta la pierre ronde, qui lui avait ouvert de douloureuses blessures sur le palais et sur ses gencives rougies. Puis il s'approcha de lui, plaça entre ses lèvres le bord d'une écuelle et lui fit boire lentement un bouillon de riz. Siddhārta essaya de résister à la brûlure du liquide chaud sur ses blessures. Mais ce qu'il buvait était bon et apaisait sa soif. Les deux brigands voulaient le garder en vie. Mort, il ne pourrait servir leurs buts, qui lui étaient encore entièrement inconnus. Lorsqu'il eut fini, ils replacèrent la pierre dans sa bouche et la lui enfoncèrent presque au fond de la gorge. Siddhārta sentit ses dernières forces l'abandonner et il laissa retomber sa tête en avant. Il était épuisé, il avait besoin de dormir. Mais ses nerfs le tenaient éveillé, ou du moins suffisamment lucide pour continuer à suivre les allées et venues des deux hommes. Leurs pas s'éloignèrent dans la direction qu'il connaissait bien à présent. Ils s'étaient installés un peu plus loin, de façon à pouvoir le surveiller. D'où il était, il entendait leurs voix.

La longue journée passa en silence, puis la nuit commença à tomber et vint rapidement noircir les cimes les plus hautes des arbres opalescents. Siddhārta avait l'impression de reposer au fond des mers et de voir la lumière extérieure se refléter sur la surface des vagues. L'obscurité s'était installée lorsqu'il se résigna à la douloureuse certitude de ne pas fermer l'œil pour la quatrième nuit consécutive. Il entendit alors un bruissement de feuilles ; des pas s'approchaient de l'arbre. Quelqu'un venait. Le prince se prépara à recevoir d'autres coups. Mais les pas étaient légers. Ce ne pouvait être ceux de ses tortionnaires. C'est alors qu'un visage se dessina au milieu des ombres de la nuit. Un enfant !

« Svasti, c'est toi ? » aurait voulu demander Siddhārta. Mais la pierre l'empêchait d'exprimer ce désir immense. Une petite main effleura ses lèvres douloureuses et lui retira le caillou de la bouche.

— Tu as mal ? interrogea une voix d'enfant.

— Oui, énormément. Tu arriverais à me détacher de cet arbre, Svasti ?

— Je ne porte pas un nom masculin. Je suis une fille, je m'appelle Sujata.

— Excuse-moi, Sujata, je me suis trompé.

— Ce n'est rien. Je te détache quand même. Mais après, je dois rentrer chez moi, dans mon petit lit. Si maman ne me trouve pas, elle me grondera.

L'enfant dénoua les cordes qui retenaient les poignets de Siddhārta au tronc de l'arbre et repartit en courant dans la direction d'où elle était venue. Elle disparut à la vue du prince. Il n'entendait plus non plus les voix et les bruits de pas des brigands. La petite Sujata s'était évanouie et il ne restait à Siddhārta que le souvenir de son apparition. Qui l'avait dépêchée à son aide ? Était-elle une envoyée du ciel ? Les voies du bien et du mal commençaient à s'entremêler, et il était bien difficile à présent d'y voir un peu de cohérence et de clarté.

Les pieds et les poings libérés, Siddhārta se remit péniblement debout. Il vit alors la pierre, ronde comme une bille, qui était restée là, sur la terre froide et dure. Il la ramassa et s'enfonça à travers les arbres, en direction du fleuve. Il l'atteindrait à l'heure des ablutions matinales. Et lorsqu'il se serait purifié, qu'il aurait lavé son corps et ses vêtements, il jetterait la pierre dans l'eau.

Un pas nécessaire

Siddhārta serrait dans sa main droite la pierre qui lui avait causé tant de douleur. Il s'apprêtait à la jeter au loin, mais le pressentiment de commettre une profonde erreur retenait son bras. Puis la pierre dessina une courte parabole dans l'air et retomba un peu plus loin dans un « plouf ». La force sacrée du fleuve purifierait le mal qui y logeait. Mais la pierre ne toucha pas le fond. Les vagues qui s'écartaient de la surface opposaient une résistance étrange et inattendue au courant. Le tourbillon se transforma en une série de cercles concentriques bordés de rouge qui, à la différence des autres, ne s'élargissaient ni ne se réduisaient, mais restaient immobiles sous les yeux ébahis du prince. Alors que Siddhārta les comptait, étonné par leur immobilité, une voix se fit entendre. Une voix proche et pourtant très lointaine, qui avait la distorsion de l'écho.

— Ton geste, que tu as voulu incertain et presque nonchalant, appartient en vérité à un dessein bien plus grand.

La voix venait du fleuve, mais également du ciel et de la rosée du matin. Elle était partout.

— Siddhārta, regarde attentivement ce tourbillon immobile et parfait.

— Qui se cache derrière cette voix ? Je vois le tourbillon, mais pas celui qui me parle. Peut-être suis-je en train de me parler à moi-même ?

La voix, sans se préoccuper des hésitations et des doutes du prince, continua à l'interroger.

— Compte les huit cercles qui le composent.

— Je les ai comptés, dit Siddhārta.

— Observe celui qui est le plus écarté. Que vois-tu ?

— Les remparts et la grande porte dont je me suis enfui.

— Fort bien. C'est la première des épreuves que tu as traversées. Qu'est-ce qui vient ensuite ?

— Dans le septième cercle, je vois le visage de Svasti, les signes des chakras peints sur son corps. C'est sans doute la deuxième épreuve que je devais franchir.

— Oui, confirma la voix. La rencontre de la forêt fut celle d'une victime innocente qui pourrait encore se sauver du mal.

Siddhārta trouva le terme « innocent » bien peu approprié pour définir l'esprit du petit Svasti.

— Svasti est vivant et il est libre d'aller où bon lui semble.

Le prince continua à énumérer les cercles et à méditer sur leur signification. Il se voyait lui-même dans le tourbillon, au milieu des épreuves qu'il avait traversées et de celles, encore inconnues, qui l'attendaient.

— Dans le sixième cercle, je vois la rondeur d'une sphère de plomb. Dans le cinquième, le poli des perles. Dans le quatrième, la rotondité de la pierre.

— Et dans le troisième cercle, que vois-tu ?

— Je ne vois rien.

— Le troisième cercle est la forme que prend le serpent, symbole de l'infini, et de l'éternité que tu cherches.

— Mais je ne le vois pas encore, cet infini.

— Tu ne le vois pas parce que j'ai fait en sorte que tu ne le voies pas.

— Mais qui es-tu, toi qui as ce pouvoir sur moi ?

— Je suis ta volonté, et aussi ta tentation. Tu as embrassé cette femme parce que j'ai fait en sorte que tu la rencontres et que tu t'éprennes d'elle. C'est à ton tour de décider ce que tu veux faire à présent. De choisir si tu veux dépasser le troisième cercle, le deuxième et enfin le premier.

— Je veux aller jusqu'au bout.

— Au prix du renoncement à l'amour de Narayani ?

— Je voulais seulement l'aider, je connais déjà toutes les nuances de l'amour. J'ai aimé cette femme dans chacune de mes vies passées, c'était toujours elle, je l'ai reconnue. Mais à présent que j'ai un autre but, je n'appelle plus amour ce qu'elle cherche encore en moi.

– Que vois-tu dans le troisième cercle, Siddhārta?

– Je vois la compassion.

Dès que Siddhārta eut prononcé ce mot, les eaux se retirèrent et engloutirent le tourbillon, et les reflets rouges qui s'étaient mis à briller sur la sombre surface du fleuve disparurent.

Siddhārta termina ses ablutions, endossa sa tunique et marcha jusqu'à une zone marécageuse. Il s'y arrêta et observa de curieux personnages qui s'y tenaient immobiles, comme si le temps s'était arrêté, les jambes plongées dans des eaux stagnantes et infestées par les moustiques et les moucherons. Il vit les sillons des rides sur leurs visages et leurs grosses veines saillantes sur leurs bras osseux, leurs yeux poussiéreux et leurs bouches desséchées par le soleil. Ils étaient quatre; non, il y en avait un de plus, que Siddhārta ne remarqua qu'ensuite, enfoui dans l'eau jusqu'au front. Ils avaient le cou et les bras recouverts de piqûres d'insectes, et la mare épaisse semblait remplie du sang qui avait coulé de leurs milliers de morsures.

Il comprit que ces hommes étaient de véritables renonçants. Les excoriations d'où coulaient leur sang semblaient ne les gêner en rien, ils pratiquaient le dépassement absolu de la douleur et de l'attachement aux désirs du corps. Siddhārta devait être accueilli par ces ascètes. Il se tint à l'écart, pour les regarder encore, mais l'un d'entre eux, qui avait déjà reconnu la forte volonté qu'exprimait le regard du prince, s'approcha de lui. Les privations et la faim l'avaient rendu blême.

– Ton corps éprouve encore de la douleur, une douleur qui n'a plus de sens pour moi.

– Je voudrais participer à ta discipline, dit Siddhārta.

– Es-tu prêt à dormir à même le sol? Sur la terre nue?

– Oui, je le suis.

– Es-tu prêt à supporter la chaleur et le gel, la pluie et la sécheresse, le vent et l'absence suffocante d'air?

Siddhārta l'était, il ne cherchait pas autre chose.

– Es-tu prêt à supporter la faim et la soif, et à élever ton corps par l'esprit?

– Je suis prêt.

– Alors, pose ton sac et assieds-toi avec nous.

Siddhārta fut glacé jusqu'aux os par l'austérité et la sévérité du lieu. Pour la première fois, il comprit combien son esprit et son corps avaient besoin d'une discipline acharnée. Il sentit que ce n'était que sur ce morceau de terre, aussi misérable soit-il, qu'il pourrait dépasser le trouble de l'âme qu'il éprouvait devant Māra.

– Narayani, mon amour impossible, je te demande pardon. À compter de ce moment, Siddhārta a commencé à se séparer de toi. Je vais à présent essayer de t'oublier.

Le couteau du pain

Svasti était un menteur. Les jeunes femmes de la roulotte s'en étaient tout de suite rendu compte. Elles s'étaient cependant fort bien accommodées de ses mensonges. Grâce à lui, elles avaient quitté cette terre aride empuantie par les cadavres et avaient découvert de nouveaux villages, dans lesquels elles avaient pu donner leur spectacle. Néanmoins, après s'être longuement interrogées sur son compte, elles décidèrent d'un commun accord qu'il était préférable de ne pas trop se fier à ses prétendues aventures et à ses rêves. La lande déserte où elles l'avaient rencontré n'était pas son royaume et ses frères morts n'étaient qu'une de ses nombreuses inventions, à commencer par sa prétendue maîtrise de la lecture. L'obscur écriteau, qui avait été à l'origine de leur dispute au beau milieu du désert, était destiné à rester un mystère, tout autant que leur destination.

— Nous nous sommes perdues ! Nous ne faisons que tourner en rond, se lamentait Vasudatta. Ces villages sont tous pareils, j'ai l'impression de voir toujours les même maisons et les mêmes rues.

— Près d'ici, il y a un village qui s'appelle Uruvela. C'est là qu'habitent mon amie Sujata et sa mère, expliquait Svasti à l'une des jeunes femmes qui ajustait de longues plumes au dos d'une veste.

— Et elle qui continue à l'écouter... ! commentaient les autres du fond de la roulotte. Quand cesseras-tu d'être aussi nigaude et crédule, Clair de Lune ? Elle n'a même pas remarqué que cet

enfant a également perdu son cobra. Son Mucalinda, qui devait
se transformer en feu et en air, n'était qu'un serpent desséché
pas même bon pour les chacals! C'est une chance qu'il soit
mort, autrement nous l'aurions encore entre les pattes, cette
saloperie!

— Allez, Satva, cesse un peu de te plaindre. Au fond, Svasti
est un orphelin, on peut comprendre qu'il soit un peu timbré.

La roulotte s'était arrêtée près d'une rangée de maisons qui
semblaient en construction. Un grand nombre d'entre elles
étaient sans fenêtres et l'enduit qui les recouvrait donnait aux
rues désertes qu'elles bordaient un aspect encore plus fantomatique. Les maisons surgissaient le long des lacets sinueux d'une
rivière dont les eaux, peut-être sous l'effet des rayons du soleil,
supposèrent les jeunes femmes en observant le phénomène avec
étonnement, paraissaient couler dans le sens inverse de la pente.

Les voyageuses étaient fatiguées et décidèrent que quelques
jours de repos seraient les bienvenus. Après qu'elles eurent
déchargé leurs malles pour en sortir les vêtements à laver ou à
raccommoder, certaines se réunirent pour répéter leur choré-
graphie.

Svasti semblait s'ennuyer. Il était mécontent du panier qu'on
lui avait offert pour y ranger les restes de son cobra. Ce dernier
lui semblait inapproprié à la valeur de son contenu. Il regarda
autour de lui et, tout à coup, trouva ce qu'il cherchait. Il alla
jusqu'à un jeune arbre en portant son panier sur sa tête. Puis il
le reposa à terre et commença à creuser un trou près des
racines. Clair de Lune, qui l'avait vu s'éloigner, le rejoignit.

— Svasti, c'est un figuier. Tu dois laisser ses racines tran-
quilles si tu veux qu'elles s'enfoncent bien dans le sol. Si tu
creuses ici, tu vas empêcher cet arbre de devenir beau et fort.

— Non. Je dois enterrer Mucalinda.

— Il y a d'autres arbres, tout autour, et bien plus appropriés.

— C'est celui-ci que je veux pour lui. Mucalinda est à moi et
je dois l'enterrer ici même.

— Fais comme tu l'entends.

Svasti creusa un trou profond de quatre fois la hauteur du
panier.

— Et à présent?

— À présent je l'enterre.

– Comme ça? Sans même faire une prière?

– Qu'est-ce que c'est, une prière?

– Ce sont des petites histoires que l'on raconte lorsque meurt un être que nous aimons, ou lorsqu'il naît. On les dit pour le protéger.

– Je n'en connais pas. Et toi, Clair de Lune, tu connais des prières?

– Non, je n'en connais pas non plus.

– C'est bien dommage. Comment vais-je enterrer Mucalinda maintenant? Pourquoi ne me parles-tu pas de ta mère? C'est peut-être une histoire qui plaira à Mucalinda et qui le protégera.

– Ma mère? demanda Clair de Lune étonnée.

– Oui, quand tu étais petite tu avais certainement une mère.

Clair de Lune songea que Svasti, en revanche, ne savait pas qui était sa propre mère. Elle s'attendrit sur son sort et voulut lui faire plaisir.

– L'histoire de ma mère, hésita-t-elle, ne te conviendrait pas, car tu es encore un enfant. Ce serait même mieux que je l'ai oubliée aussi.

– Tu as dit que c'était pour Mucalinda, ce n'est pas pour moi, remarqua promptement Svasti.

– Oui, c'est vrai.

Clair de Lune n'avait pas d'autre histoire à raconter que celle, dramatique, d'une mère qui finit sa vie en prison pour avoir tué son mari. Son visage se figea au souvenir du soir où se déroula cette tragédie.

– Ce soir-là, je jouais avec ma sœur. Comme toujours, à cette heure, nous attendions le retour de mon père, qui était parti aiguiser le couteau pour le pain. Papa rentra tard, comme toujours, et ma mère le gronda. Elle lui dit que c'était la dernière fois qu'elle lui permettait de couper le pain pour ses filles. Car lorsqu'il sortait, il n'allait pas aiguiser le couteau, il allait boire et coucher avec d'autres femmes qui étaient plus belles que ma mère. Mon père lui affirma qu'il n'avait pas bu. Ma mère lui répondit qu'aller avec des femmes et boire étaient la même chose. "Regarde!" lui dit-elle, et elle ouvrit la porte de la chambre. Trois jeunes filles étaient attachées sur le lit, bâillonnées si fortement qu'elles étouffaient presque.

« "Tu les reconnais ?" cria ma mère à mon père. Il lui répondit qu'il ne remettrait plus jamais les pieds à la maison et sortit en claquant la porte. La table était prête. Nous nous assîmes, ma sœur et moi, et notre mère nous demanda de l'attendre, car elle allait elle-même aiguiser le couteau pour couper le pain. Nous restâmes assises à regarder la miche encore entière. Notre mère ne revenait pas. Alors j'allongeai le bras sur la table et rompis la miche avec mes mains pour en donner un morceau à ma petite sœur. Mais lorsque je me retournai pour le lui tendre, elle avait disparu. J'entrai dans la chambre où étaient attachées les trois femmes et je vis leurs visages muselés couverts de larmes. Je les détachai. "Pourquoi pleurez-vous ? leur demandai-je. — Nous pleurons pour toi, pauvre enfant ! — Et pourquoi devriez-vous pleurer pour moi qui suis chez moi, alors que vous n'avez pas de maison ? — Nous sommes habituées depuis bien longtemps à ne pas avoir de maison et notre souffrance, maintenant, est passée. Toi, en revanche, en un seul instant, tu devras supporter de ne jamais revoir ni ton père ni ta mère ni ta sœur, et pour avoir perdu ta famille tu perdras aussi ta maison. — Ce n'est pas vrai. Mon papa, ma maman et ma sœur sont partis aiguiser le couteau pour couper le pain", protestai-je.

« Il faisait déjà nuit noire, les trois jeunes femmes et moi venions de manger la miche de pain, lorsqu'on frappa violemment à la porte. Trois gardes entrèrent. L'un d'entre eux tenait dans sa main le couteau à pain, couvert de sang. "À qui appartient ce couteau ? demanda-t-il. — Il est à moi ! répondis-je. — Alors tu dois être la sœur de l'enfant mourante que nous avons repêchée dans la rivière. Avant de s'éteindre, elle nous a demandé de te remettre le couteau. Et vous, qui êtes-vous ? demanda le garde aux jeunes filles. — Nous sommes les tantes de la jeune enfant, racontez-nous ce qui s'est passé", mentirent-elles. Les gardes se rapprochèrent d'elles pour leur murmurer quelque chose qu'ils ne voulaient pas que j'entende. Mais l'une d'entre elles me fit un signe de la main pour que j'approche. Puis elle s'adressa à tout le monde : "L'enfant est prête à entendre la vérité. Pourquoi lui cacher ce qu'elle sait déjà ? Clair de Lune, tu sais ce qui s'est passé ? — Oui. Le couteau est taché du sang de mon père. Ma mère l'a tué et l'a jeté dans la rivière. Ma sœur s'est lancée derrière mon père et a trouvé le couteau. – C'est la version exacte des faits, confirma un garde, les choses se sont bien passées ainsi. Ta mère est maintenant en prison et personne ne sait quand elle sera libérée." Lorsque les hommes furent partis, je fondis en larmes. Les jeunes femmes cherchèrent à me consoler : "Pourquoi pleures-tu, mon enfant ? – Je pleure pour ma mère, parce que en un instant elle a perdu son mari, ses deux filles et sa maison. Et tout ça pour que j'aie le couteau à pain." Les trois jeunes filles me soulevèrent au-dessus de leurs têtes en m'acclamant et en me couvrant de fleurs et de bijoux. "Tu es l'une des nôtres, Clair de Lune ! Tu verras, tu te trouveras à merveille avec nous. Tu as déjà compris que les putains ne pleurent jamais sur leur sort, mais sur le chagrin des autres !" C'est ainsi que j'abandonnai cette maison et fus accueillie toute petite dans la Maison du Plaisir.

– Tu sais qui étaient ces trois femmes ? demanda Clair de Lune à Svasti qui l'écoutait bouche bée.

– Non. Qui était-ce ?

– Il y avait la doyenne. Il y avait aussi Vasudatta, celle qui conduit les chevaux, que tu connais. Et la troisième, la plus belle, s'appelle Narayani, c'est elle qui est devenue reine. Tu l'as ratée d'un poil ! Elle a quitté la roulotte juste avant que tu y montes. Si nous sommes encore en vie, c'est grâce à elle. Elle savait que la destruction de la cité des Serpents était imminente.

Lorsqu'il entendit prononcer le nom de sa mère, Svasti fut aveuglé par la haine. Une haine soudaine et déchirante : cette Clair de Lune était une sorcière et c'est pour le faire enrager qu'elle lui avait raconté son histoire. Mais il n'était pas stupide, il savait bien qu'il n'avait pas de vraie mère. Dans un accès de rage, il jeta le panier dans le trou qu'il avait creusé et le recouvrit de terre à coups de pied. Le cobra Mucalinda était enterré à jamais sous le figuier.

– Je déteste toutes les femmes, je hais les putains ! Narayani a tué, c'est une meurtrière !

Clair de Lune ne comprenait pas. Elle le regardait. Svasti ne raisonnait pas comme un garçon de onze ans. Son esprit semblait recevoir des messages d'un monde mystérieux et lointain. Il était trop souvent la proie de colères soudaines et d'emportements. Mais il était trop effrayant d'imaginer qu'il pût être possédé. La jeune femme tenta de s'excuser.

— Je n'aurais jamais dû te raconter cette histoire. Je t'ai rendu plus triste encore et j'ai ruiné le moment solennel de l'enterrement de ton ami serpent. Je suis désolée.

— Non. Tu as bien fait, au contraire. C'était amusant! Mucalinda a beaucoup aimé écouter l'histoire de l'épouse qui tue son mari. Mais à présent je dois partir, je te l'ai dit, j'ai un rendez-vous.

À peine Clair de Lune le vit-elle disparaître qu'elle entendit ses compagnes l'appeler à tue-tête.

— Que s'est-il passé? Qu'avez-vous à hurler de la sorte? cria-elle en les rejoignant en courant.

— Lawanja a disparu. Nous ne la trouvons plus. Nous avons cherché partout. Il ne manquait plus que nous te perdions aussi. Allez, il est temps de partir. Appelle le morveux, nous en avons marre de rester ici.

— Svasti est parti, nous ne le verrons plus.

— Ne dis pas de bêtises! s'impatienta Satva.

— L'enfant fait ce qu'il veut, il m'a dit qu'il avait un rendez-vous dans les environs.

— Où ça? Qui habiterait dans un tel endroit?

— Svasti s'est sauvé pour toujours.

Un tumulte de voix et d'appels retentit dans la roulotte : les jeunes femmes attendaient le départ.

— Eh bien vous deux, vous avez bientôt fini de papoter? grommela Vasudatta, assise sur le siège du cocher. Il est temps de quitter ce village maudit. Tant mieux pour celles qui sont là et que les autres aillent se faire pendre!

Lorsque les deux retardataires furent montées dans la roulotte, Vasudatta lança les chevaux à toute allure et l'équipée disparut dans un nuage de poussière.

— Je te le dis pour la dernière fois, Clair de Lune : les rencontres et les séparations sont la loi de la caravane des soixante-quatre vertus. Il faut savoir dire adieu!

Svasti arriva au bout du sentier. Il ne s'était pas retourné pour regarder la roulotte s'éloigner. Les voyageuses lui avaient été utiles pour venir jusqu'ici. Il était à Uruvela, le lieu de son rendez-vous, et Sujata, la petite fille qui lui était apparue en rêve, le rejoindrait d'ici peu à ce croisement.

Frère, sœur

Sujata arriva. Elle était descendue de la colline, l'âme en paix, et avait marché jusqu'à ce que le sentier s'interrompe, et Svasti était là, à l'attendre, comme il le lui avait promis.

— Te voilà, Svasti. Tu m'as appelée et j'ai couru vers toi !

C'était une petite fille aux cheveux si courts qu'ils laissaient apparaître son cou long et gracieux.

— Tes cheveux n'ont pas poussé depuis la dernière fois.

— Non, répondit sèchement Sujata.

— Tant mieux. Tu es plus belle.

— Ne plaisante pas. Tu sais bien que j'aimerais les avoir jusqu'aux épaules, comme les autres filles.

— Mais tu es différente, Sujata.

— C'est justement de ça que je voudrais te parler. Je ne me sens plus différente. Je ne veux plus faire ce que tu me fais faire. Maintenant je veux comprendre. Pourquoi m'as-tu fait dire toutes ces choses à Siddhārta, lorsqu'il regardait le tourbillon dans le fleuve ?

— Je l'ai fait pour qu'il se souvienne de moi et du mal qu'il a fait à ma mère.

— Et pourquoi alors m'as-tu fait offrir le collier de perles au maître Ālāra Kālāma, si tu savais qu'il l'utiliserait pour la rejoindre ?

Svasti ne répondit pas.

— Et pourquoi, enfin, m'as-tu demandé de le sauver des brigands ?

— Sujata, je ne t'avais pas envoyée pour que tu le sauves. Je t'avais dit de regarder quand ils le tuaient.

166

— Écoute, Svasti, je ne comprends pas : lui veux-tu du bien, à Siddhārta, ou lui veux-tu du mal ?

— Je ne peux pas te le dire. Depuis toujours, je reçois des ordres du Père absolu et du dieu Māra, et je ne leur demande jamais de me dire pourquoi je dois leur obéir. Sujata, toi et moi sommes libres de faire ce que nous voulons parce que nous appartenons au royaume des illusions et de la magie.

— Ce n'est pas ce que dit Siddhārta. Et puis j'en ai assez, et je suis venue te le dire. Je voudrais que mes cheveux poussent, et aussi mes seins, et je ne veux plus être aussi maigre.

Svasti baissa les yeux et se rendit compte que les mamelons de Sujata, la fille de la forêt et des toiles d'araignée, venaient toucher les voiles de son sari. Une soudaine sensation de chaleur monta de ses jambes et lui colora le visage. Il hésita. Il avait envie de s'approcher encore. La façon de parler de Sujata l'attirait. Enfin, il réussit à lui poser la question qui lui tenait le plus à cœur.

— Sujata, tu es tombée amoureuse de Siddhārta ?

— Comment pourrais-je tomber amoureuse, moi qui suis née et qui ai vécu dans les rêves des hommes ?

— Nous sommes tous nés ainsi, et pourtant nous tombons tous amoureux. C'est ce que nous avons appris du prince Siddhārta. Tu ne t'en souviens pas ?

— Je n'y étais pas et je n'ai rien appris du tout. Tu as rêvé de moi plus tard, bien plus tard : aujourd'hui, en ce moment précis.

— Je rêvais de Narayani, ma mère, et c'est toi qui es venue, et non elle.

— Tu es un menteur.

— C'est vrai, je t'ai menti. C'est de toi que je rêvais, comme Siddhārta rêve de Narayani et la fait souffrir.

— Moi aussi, tu me fais souffrir.

— C'est une roue qui tourne éternellement. Les magiciens gouvernent la roue, ils font que les enfants succèdent sans fin aux adultes, dans leurs rêves comme dans la réalité. Ils les confondent tous, mais ne les font jamais se rencontrer. Tout cela fait peur et tout cela est douloureux.

— Alors ça suffit ! Combien sont ces magiciens ?

— Ils sont autant qu'il y a d'hommes.

— Tu veux dire qu'un magicien existe en chaque homme ?

— Un magicien existe et un dieu existe. C'est aussi Siddhārta qui m'a appris cela grâce à son esprit qui sait comprendre chacun d'entre nous et l'univers lui-même.

— S'il en est ainsi, alors je suis amoureuse de Siddhārta.

— Je le savais. Tout le monde est amoureux de lui.

— Et toi tu es jaloux.

— Siddhārta est le seul qui sera capable d'arrêter cette roue et de cesser d'être un magicien. Lorsqu'il l'aura fait pour lui-même, il l'enseignera aux autres. Alors ni la jalousie ni la souffrance n'auront plus de raison d'exister.

— Mais si tu cesses d'être un magicien et Siddhārta aussi, je n'existerai plus ! Ça ne me plaît pas beaucoup, Svasti, je... je...

De véritables larmes se mirent à couler des yeux de la petite Sujata, qui avait commencé à comprendre la cruauté de son sort.

— Je ne veux pas finir comme ta mère, Narayani. Je ne veux pas être l'esclave des magiciens, aller et venir dans les rêves des hommes, selon leur bon vouloir. Que puis-je faire pour être la vraie Sujata, avec des cheveux qui poussent, des seins, et tout le reste ?

— Comment veux-tu que je te réponde, moi qui suis du côté des magiciens ?

— Alors je m'en vais et je ne reviendrai plus. Je vais rejoindre Siddhārta, et lui me le dira.

Sujata s'apprêtait à reprendre la route quand elle fut arrêtée par un violent éclat de rire suivi d'étranges bruits qui ressemblaient à des éternuements. C'est alors que Lawanja s'avança.

— Pauvres enfants, vous ne savez pas ce que vous dites. Mais que peut-on attendre de deux êtres aussi jeunes ? Je vous ai entendus vous disputer, les questions que vous posez sont très intéressantes.

— Qui es-tu ? demanda Sujata, intimidée par la présence de cette femme dont la longue et épaisse chevelure retombait en mèches sur son visage.

— Demande-le à Svasti, répondit Lawanja d'un ton suggestif et sinistre. Avec ce qu'il t'a révélé, il a sûrement compris qui je suis. N'est-ce pas, Svasti ?

Svasti se sentit observé par Sujata. Elle le regardait comme on regarde quelqu'un qui vient d'être pris la main dans le sac.

– Tu vois, petite Sujata, tu es trop jeune pour certaines choses. Même Svasti, me diras-tu, est un enfant. Mais il en a vu bien plus que toi, il est... comment dire... un peu plus compromis avec la vie. Et puis, c'est vraiment un triste jour pour lui, il a dû enterrer son compagnon Mucalinda, le cobra qu'il a tant aimé !

Les notes mielleuses des paroles de Lawanja parvenaient aux oreilles de Svasti. Il espéra un instant que Sujata comprenne, elle aussi, mais il fut bien déçu de constater que l'enfant était à présent sous le charme de cette femme.

– Je te demande donc, petite Sujata, de nous laisser seuls un moment. Svasti et moi devons retourner à l'arbre et il ne t'est malheureusement pas permis de nous accompagner.

– Je comprends. C'est très triste lorsque meurt un véritable ami. Merci, Lawanja, de m'avoir aidée à comprendre la douleur de Svasti.

– Tu es une fille intelligente, Sujata. Que les dieux soient avec toi.

Lorsqu'ils furent arrivés devant l'arbre, Lawanja regarda Svasti droit dans les yeux.

– Alors, où l'as-tu enterré ? Prends garde de ne pas mentir, cette fois-ci.

– Ici. C'est ici que repose Mucalinda.

Il indiqua le tas de terre qu'il se souvenait avoir piétiné.

– Il y a encore mes empreintes.

– Tu sais ce que tu dois faire à présent. Je ne crois pas qu'il soit nécessaire de te répéter les ordres du Père.

– Je connais les ordres de Māra.

– Bien, frère, alors je te laisse et je reviendrai quand le moment sera venu.

« Qui est-elle donc, elle qui m'appelle frère ? », se demanda Svasti, et il se mit à pleurer. Il se baissa vers les racines de l'arbre et, de ses petites mains, entreprit de les débarrasser une à une de tous les insectes et de tous les êtres vivants qui y logeaient. Puis il obstrua le passage des eaux souterraines afin d'assoiffer les feuilles et les branches. Pourtant cet arbre, destiné à garder le secret de la magie, ne mourrait jamais.

L'homme de boue

— La communauté existe depuis que ce marais existe. On peut dire qu'elle est née grâce à lui : nous, les hommes nus, sommes les enfants de cette boue, et réciproquement, la boue est notre enfant.

Rudraka, le gourou des ascètes renonçants, ne faisait pas peser son autorité sur les autres disciples. Tous avaient la même importance dans l'exercice de l'esprit.

— Seule la maîtrise de la chair peut conduire à la purification de l'esprit et à la clairvoyance. Le corps, avec ses bas instincts et ses désirs insatiables, nous détourne de la vérité qui unit chacun d'entre nous à l'univers infini et fait de nous une partie de celui-ci.

Il s'agissait de pratiques austères et radicales, de paroles froides et sévères. Siddhārta n'oubliait pas qu'il s'était arrêté dans le marais pour réaliser le complet détachement de la chair dont parlait Rudraka, mais les prescriptions de l'ascète ne le touchaient pas droit au cœur, comme l'avait fait la doctrine d'Ālāra Kālāma. Il y avait, entre les paroles de Rudraka et l'écoute du prince, un rideau d'autres sons et d'images qui le distrayaient. Il lui semblait plus important de regarder les pieds de Rudraka, qui s'enfonçaient bien plus que les siens dans l'eau stagnante, que de se laisser convaincre par la théorie que le gourou voulait lui transmettre. C'est dans ce fait brutal et concret que tenait sa faiblesse, son infériorité vis-à-vis du maître.

— Mes pieds répugnent à rester dans cette vase. Je suis habitué à les garder propres et à me protéger des insectes, n'eut pas peur de reconnaître Siddhārta en interrompant les dissertations de Rudraka sur l'esprit.

— Les insectes et la boue ont bien plus horreur de toi que tu n'as horreur d'eux. Même la vase éprouve du dégoût pour ton corps. Que crois-tu donc? Toi, Siddhārta, qui veux élever ton esprit, tu parles plus mal qu'un enfant gâté.

Alors Siddhārta se leva et s'avança dans le liquide boueux. Il s'y enfonça jusqu'à ce que la désagréable sensation de chaleur humide et de saleté fût si forte qu'il ne sentit plus ses jambes. Les instants passèrent. Rudraka restait silencieux. Siddhārta savait que le maître ne l'ignorait pas, mais c'était comme si cet homme à la peau ridée et aux yeux enfoncés lui disait : « Ce que ton corps ressent n'a aucune importance pour moi. Tant que tes préoccupations seront limitées de la sorte, nous n'aurons rien à nous dire. » Mais alors pourquoi lui avait-il manifesté une telle confiance et l'avait-il accueilli parmi ses disciples?

Lui-même ne le savait pas, lui dirait Rudraka plus tard; peut-être parce qu'il avait lu dans ses yeux une force supérieure à celle de tous ses disciples réunis. Il n'en connaissait pas la raison, mais il était certain que Siddhārta ferait preuve d'une capacité d'abstinence qui irait jusqu'à la limite de la vie. Pour Rudraka, Siddhārta savait ce qu'était la mort et connaissait la volonté des ascètes de la connaître. Mais il ne lui dit tout cela que bien plus tard, après dix mois de noviciat.

Un nuage de moucherons noir et menaçant, attiré par les épaules nues et le cou de Siddhārta, surgit du marécage. Le prince resta parfaitement immobile, fixant le tremblement d'une faible lueur à la surface de l'eau. Les insectes le couvrirent de piqûres qui lui gonflèrent les lèvres et les paupières.

— Je te remercie, Rudraka, d'avoir parlé de moi en bien aux insectes. Je ne méritais pas encore cette considération de ta part.

— Tu auras tout le temps de t'acquitter de tes dettes, Siddhārta.

Ce n'était que le début. Siddhārta savait que sa peau devrait devenir semblable à celle de Rudraka, son crâne se dégarnir comme le sien, et ses côtes saillir autant que celles du maître.

— Ainsi, reprit ce dernier, continuant une discussion qui était restée en suspens, tu es ici pour oublier une femme?

— Oui. Mais ce n'est pas exactement comme on pourrait le croire.

— Tu es un prince, m'as-tu dit. Il y a encore quelque part ta couronne, l'accueillant lit de coussins, et une rue pavée d'or sur laquelle laisser glisser la traîne de tes manteaux précieux.

— J'étais un prince, je ne le suis plus. J'ai abandonné un palais, mais aussi une épouse et un fils.

— Laisse-moi deviner : tu as commis un péché avec cette femme et tu veux te repentir pour revenir auprès des êtres qui te sont chers, l'âme purifiée ?

— Narayani n'est plus ce qu'elle a été pour moi. Ce n'est pas l'ambition de mettre de l'ordre dans ma vie terrestre qui me pousse à devenir un ascète, mon but est inscrit dans ce signe.

Siddhārta montra à Rudraka sa marque de naissance. En voyant la roue céleste sous le pied du novice, le maître resta sans voix. Comment avait-il pu ne pas comprendre ?

— Mon but est d'obtenir l'Éveil, ici, maintenant, dans cette vie. Me libérer de l'inquiétude, du désir du corps et de l'esprit, et de la séduction qu'il exerce sur moi. Si je n'en étais pas la proie, pourquoi aurais-je accepté le collier de perles qu'on m'a donné ? Pourquoi aurais-je abandonné un enfant orphelin qui cherchait une protection ? Pourquoi serais-je encore la cible du mal ?

— Qui ne l'est pas, Siddhārta ?

— Je veux connaître la façon d'extirper la douleur, pour la vider et la rendre inoffensive, pour la priver de sens, comme tu as privé de sens, Rudraka, la piqûre de l'insecte sur ton visage et les douleurs de la faim qui rongent ton estomac. Tu m'as questionné sur cette femme, Narayani, et je te parlerai d'elle. Elle, que j'ai rencontrée dans toutes mes vies, est mon inquiétude, la moitié sans laquelle je me sentais incomplet. Je ne pouvais être une feuille sans rechercher la goutte de pluie : elle était cette goutte. Je ne pouvais être pauvre s'il n'existait le riche : elle était le riche. Je ne pouvais être voleur et je ne pouvais être roi, elle était tout ce qui me définissait. Tel a toujours été le sens de notre amour. Et puisque les voies qui nous unissent sont infinies, notre recherche l'un de l'autre ne peut que finir dans une éternelle angoisse de vivre et de mourir à chaque fois.

Rudraka se taisait.

— En restant séparés, nous nous poursuivons sans cesse, sans jamais parvenir à nous rapprocher et à nous connaître vraiment. Le jour succède à la nuit, la plage nue à la marée, et la véritable rencontre ne dure pas plus d'un instant; le reste n'est que souffrance. Narayani ne comprend pas encore que mon but est de toucher à l'Illumination, de faire siéger l'univers tout entier en moi, et de faire disparaître les barrières qui me séparent de toutes les créatures, afin que je puisse être toutes mes vies à la fois, feuille et pluie, vague et sable. Et sais-tu pourquoi je veux cela, Rudraka ?

— Non, je ne peux pas le savoir. Dis-le, prince Siddhārta.

— Pour que même ce baiser puisse durer une éternité. Et il est plus, bien plus qu'un songe.

L'ascète n'en croyait pas ses oreilles. Jamais il n'aurait imaginé que cet homme engagé dans la voie de la sainteté puisse connaître les douces paroles de l'amour aussi profondément.

— Quel baiser ?

— Le baiser qu'elle croit avoir rêvé, alors que j'ai encore la sensation de sa bouche sur mes lèvres. J'étais avec Narayani lorsque, descendue de son carrosse, devant l'escalier du palais, elle attendait mon épouse Yasodhara et mon père, devenu aveugle, et observait chaque visage en espérant revoir le mien.

— Le désir a porté ton esprit jusqu'à elle.

— L'amour, Rudraka. Je dois le dominer, et je devrai dire à Narayani de ne plus me chercher. J'ai fait un choix, elle aussi devra le faire : j'espère qu'elle se décidera pour son fils, le petit Svasti.

Plusieurs semaines s'écoulèrent et bien des lunes descendirent derrière les collines, au loin, sur lesquelles on pouvait voir apparaître, au matin, les toits des cabanes des paysans. Siddhārta, qui pratiquait maintenant le rituel ascétique et rigide de Rudraka avec assiduité, restait, durant les longues nuits de veille, à regarder ces maisons, et songeait à la fatigue des hommes et des femmes qui travaillaient la terre. Il songeait aussi à leur bonheur de disposer d'un toit sous lequel ils pouvaient se reposer de leur labeur. Pourtant, il était certain qu'ils ne voyaient pas ce bonheur comme lui le voyait.

Siddhārta avait déjà beaucoup maigri. La faim le mettait dans des états hallucinatoires et lui donnait de terribles migraines. Chaque jour il réduisait son unique repas de riz, et il voulait continuer ainsi jusqu'à se satisfaire d'un seul grain.

— Tu as déjà fait beaucoup de progrès, aucun d'entre nous n'a jamais atteint ton niveau d'abstinence en aussi peu de temps. Ne va pas plus loin dans les privations, lui disait Rudraka.

Mais rien n'arrêtait Siddhārta dans son acharnement à poursuivre la méditation pure, dans sa lutte contre les désirs et les besoins élémentaires du corps. Plus rien n'existait pour lui que son détachement des choses terrestres. Maintenant qu'il avait passé un grand nombre d'années dans des conditions extrêmes, Siddhārta voulait découvrir les pouvoirs secrets de son esprit, et rien d'autre. Il voulait connaître l'essence qui transcende la chair et il n'hésiterait pas à consacrer des dizaines d'années s'il le fallait à la réalisation de ce qu'il appelait son Éveil.

Rudraka regardait le jeune corps de Siddhārta dépérir, ses yeux se creuser et sa langue se coller à son palais desséché par la soif. Ce n'était plus le corps vigoureux du jour où le nouvel arrivant avait retiré sa tunique et était descendu avec lui dans le marécage. Mais son esprit, lui, n'avait cessé de se consolider. Siddhārta était à présent un véritable ascète.

Pour Rudraka, un grand mystère demeurait : comment un homme aussi fort, capable de nier et d'abandonner la séduction de la chair et d'éclairer sa propre méditation d'une lumière divine, pouvait-il avoir prononcé les plus belles paroles d'amour à propos d'une femme ?

TROISIÈME PARTIE

Le tournoi des renonçants

Six ans plus tard...

Le soleil étendait ses rayons cuivrés sur le marais, et les crêtes des collines étaient déjà obscurcies par les premières ombres de la nuit. On pouvait lire de la préoccupation dans les yeux des ascètes.

— Quelle est la raison de vos craintes? Ne vous ai-je pas donné l'occasion d'avoir confiance en moi, au cours de toutes ces années?

— Certainement, Siddhārta. Personne n'a repoussé aussi loin que toi les limites de la peur et des privations du corps. Tu as été un exemple de l'ascétisme le plus sévère. Mais cette nuit est différente des autres, c'est la nuit des chacals.

— Je n'ai pas peur. Je vous ai dit que je resterai dehors, et si ces chiens sauvages veulent me dévorer, je serai leur repas.

Les six ascètes échangèrent des regards résignés et deux d'entre eux allumèrent un feu de broussailles près du prince. Mais le sol était trop humide et le bois ne crépita qu'un court instant avant que les dernières étincelles s'éteignent dans le noir. Les ascètes montèrent dans leurs austères grottes protégées d'un mur de pierre; sous leurs pieds s'étendait le marécage. Par-delà le mur, ils n'apercevaient que le cou de Siddhārta et ses épaules raides. Le prince fixait un point au milieu de la boue. Un cercle d'yeux jaunes brillait autour de sa silhouette immobile. Les grognements plaintifs des chacals montaient jusqu'aux abris des ascètes.

Siddhārta se tassait dans son corps squelettique. Des sueurs froides parcouraient ses vertèbres de marbre et sa langue desséchée tremblait contre son palais. Affaibli par la fièvre et le manque de sommeil, il savait qu'il n'avait aucune chance de résister à l'assaut des créatures sanguinaires, qui connaissaient bien l'odeur nauséabonde des corps soumis aux privations.

Le lent bruissement des broussailles lui indiqua que les chacals l'avaient encerclé. De leurs courtes et lourdes pattes ils creusaient des sillons dans lesquels venaient se loger leurs filets de bave. Les gémissements et les hurlements se firent toujours plus forts et plus insistants pour finalement retentir en un concert assourdissant. Les ascètes préférèrent tourner le dos au mur de pierres. Le lendemain, ils pleureraient Siddhārta, mais pour le moment ils n'avaient pas le courage de supporter la vue du massacre ; ce suicide était une absurdité, même pour un ascète tel que lui.

Des hurlements semblables à des voix humaines crépitèrent dans le vent chaud de la première lune de printemps. La saison nouvelle approchait et le deuil de leur frère durerait longtemps, un frère qui ne les étonnerait plus par l'audace de son esprit, ferme et imbattable dans l'affrontement des dangers mortels.

Les lueurs incertaines de l'aube, apparaissant derrière une étrange brume, ramenèrent la tranquillité. Les chacals ne se manifestaient plus à présent que par l'aboiement lointain et inoffensif du chef de la meute le long de la piste de la colline ; la nuit passée au bord du marécage était terminée pour eux aussi.

— Es-tu bien certain de ce que tu dis, Vappa ?

— Je te dis qu'il est vivant ! Ses cheveux et sa barbe dégoulinent de sang, mais Siddhārta m'a parlé et il m'a même souri. Vite, allons le retrouver.

— Je ne te crois pas, c'est absurde. Comment aurait-il pu survivre ?

Tout en restant groupés, les six ascètes se mirent timidement en marche sur leurs jambes pareilles à des baguettes : au bonheur de savoir Siddhārta vivant s'associait le besoin de satisfaire la curiosité de ce nouveau prodige. Leur surprise dépassa toute attente lorsqu'ils arrivèrent au bord du marécage : non seulement leur compagnon avait échappé à la mort, mais il n'était pas seul, il discutait avec une famille de paysans et semblait n'avoir aucunement l'intention d'interrompre sa conversation, pas même pour échanger un salut.

— Où se trouve la cabane?

— Elle est à quelques milles d'ici, en direction du premier village.

— Et ce village, comment s'appelle-t-il?

— Ce n'est pas véritablement un village, expliqua un homme. Depuis quelque temps, des constructeurs s'y sont installés et ont élargi la zone de leurs chantiers. Ils disent qu'ils ont été envoyés par le roi Bimbisāra en personne, avec ordre d'agrandir et d'embellir le royaume. Le Magadha, nous ont-ils assurés, va s'étendre aux immenses territoires avoisinants, et le roi veut impressionner ses nouveaux sujets grâce aux palais grandioses de ses villes et à la largeur de leurs rues.

— Tu ne lui as pas tout dit! s'écria la femme du paysan. Ils seront notre ruine, ils nous prennent nos terres, ils nous insultent pour la pauvreté dans laquelle nous vivons, et ce sont les premiers à nous ôter le pain de la bouche! Si Uruvela devient une ville, les champs ne donneront plus de fruits et nous ne saurons plus où habiter. Où est notre cabane! Tu ne veux pas avouer au santon que notre habitation a été entièrement rasée!

— Calme-toi, femme, n'aie pas peur. Je connais le lieu dont tu parles et ceux qui sont venus vous chasser de vos propres terres. Ils se flattent d'être des constructeurs envoyés par le souverain Bimbisāra, mais je t'assure que ces hommes sans visage déplacent des pierres sans poids et dressent des monuments plus fragiles que le verre. D'ici quelques semaines, expliqua Siddhārta, conscient qu'il annonçait également son nouveau choix aux ascètes qui écoutaient aussi les lamentations des paysans, je me rendrai en personne à Uruvela, j'irai vérifier l'inconsistance de ces murs de verre et de ces palais illusoires. Rentrez donc dans vos cabanes, continuez à mener votre vie de tous les jours et à faire le travail qui vous donne fatigue et satisfaction. Installez-vous dans les demeures construites par les anciens et considérez-les comme des maisons aussi authentiques et solides que vos charrues. De l'eau coulera sous les ponts avant que quelqu'un ne vous expulse d'ici.

Les paroles de Siddhārta apaisèrent les craintes des paysans. Elles leur donnèrent la force d'affronter leurs difficultés et la certitude d'avoir reçu un grand enseignement. Les ascètes, en revanche, étaient plus intrigués que jamais à son sujet : en dépit des privations, il n'avait pas manqué, une fois encore, de dispenser la sérénité et la compassion à ceux qui lui demandaient de l'aide. Aucun d'eux ne comprenait comment les blessures avaient pu disparaître de son corps. Mais qui était donc ce Siddhārta ?

— Montrez-moi votre enfant.

La mère apporta le ballot accroché autour de son cou et lui montra le front du nouveau-né.

— Je bénis cette créature, qui, malgré ses quelques mois de vie, a parcouru un long chemin, loin de sa demeure, pour venir jusqu'à moi. Son sommeil me rappelle le jour où naquit mon fils, le petit Rahula, et que je l'abandonnai à son sommeil, sans parvenir à le regarder. Demain, il fêtera son anniversaire.

Dès que les deux paysans s'éloignèrent avec leur petit, l'ascète Assaji prit la parole.

— Siddhārta, est-ce vrai que tu veux nous quitter ?

— Au cours de ces années et en votre compagnie, j'ai cherché la mort mille et mille fois. Elle me paraissait toujours désirable et toujours plus belle, mais cette mort n'a pas voulu de moi.

— Tu es trop fatigué pour te déplacer, l'implora Vappa, tu ne parviendrais même pas à rejoindre cet arbre. Tu as supporté la lutte extrême avec les chacals mais je suis certain que si tu te dressais sur tes jambes tu t'écroulerais aussitôt.

— Tu as raison, Vappa, et c'est précisément pour cette raison que j'ai décidé de vous quitter. La nuit dernière, entouré par les chacals, j'ai compris. En privant mon corps de forces, même mon esprit s'est affaibli. Au cours de toutes ces années passées ici dans l'abstinence, j'ai oublié ces paysans et j'ai permis qu'on séquestre leurs maisons et qu'on occupe leurs champs pour y créer des parcs et des jardins où ne poussent que des fruits vénéneux.

— Que dis-tu là ? Ces pauvres gens ne peuvent pas comprendre à quel point il est difficile et sain d'atteindre la pureté spirituelle.

— Non. Mais à quoi cela sert-il de comprendre lorsque la main qui se tend pour cueillir le fruit qu'elle a cultivé ne trouve rien d'autre que poussière et poison ? C'est ce qui arrivera à toutes les familles de paysans qui se préparent à fêter le printemps si je ne me rends pas à Uruvela.

— Tu n'avais jamais fait part de ces intentions-là.

— Comment l'aurais-je pu, puisque moi-même je ne les ai apprises que cette nuit ? Et ce sont les chacals eux-mêmes, avec leurs gémissements affreux et leurs dents aiguisées, cherchant la chair là où ils ne trouvaient que mes maigres os, qui m'ont révélé l'existence de racines qui s'enfoncent dans la terre empoisonnée. Alors je les ai rassurés, les chacals, je leur ai promis que j'irai extirper ce mal. Vous êtes libres de me suivre, de couper vos barbes et vos cheveux, aussi sales et emmêlés que les miens, de laver vos vêtements et de recommencer à manger.

Siddhārta regarda par-delà le marécage.

— Vous voyez cette route, là-bas ?

— Elle conduit à la maison des bergers. Mais pourquoi nous l'indiques-tu ?

— Ils y font le meilleur lait de chèvre qui soit. Pendant mes longs jeûnes et durant mes méditations, j'ai souvent eu l'impression de sentir son odeur, et je dois dire qu'il m'a été d'une grande aide de savoir que quelqu'un se nourrissait pour donner de la vigueur à ses épaules. Je voudrais passer dans ces maisons et demander aux bergers de m'en offrir un pichet.

Voilà qui était bien trop difficile à accepter. Les ascètes commencèrent à perdre confiance en celui qu'ils avaient considéré comme leur maître. Six années d'ascèse pour en arriver à demander du lait aux premiers bergers des environs ! Aucun d'entre eux ne s'autorisa à suivre Siddhārta dans son refus de la doctrine.

— Vous voyez, poursuivit Siddhārta, en se levant péniblement de l'endroit où il était assis et en se préparant à partir, il est arrivé que je me mire dans l'eau du marécage et que je n'y reconnaisse pas mon image. J'ai compté un à un les os du spectre qui me regardait. Ce ne peut être moi, me suis-je dit, je ne suis pas aussi décharné ! J'ai compté le nombre de piqûres de scorpions et de serpents sur ma peau, et je me suis de nouveau répondu que l'homme qui avait supporté toutes ces blessures ne pouvait être moi. Enfin, je me suis vu compter les jours et la quantité de privations que j'avais supportés. C'est alors que j'ai compris que ce n'était pas là la voie de l'Éveil. L'âme qui désire la mort est trop heureuse. Et quand la Mort, qui est aussi un effet de la magie, tarde à venir, alors l'âme s'impatiente, devient avide. Il n'y a pas de différence entre celui qui convoite les plaisirs de la chair et celui qui désire élever son esprit à la connaissance de la mort : aucun des deux n'accepte la réalité et la vérité des choses. La vie légère et consciente est faite d'équilibre et non d'excès. Et si tous ces discours vous semblent trop anodins, je vous quitterai sur un adieu encore plus sincère. Je vais boire le lait pour reprendre mon poids normal, puisque les muscles sont utiles à la marche.

Siddhārta ramassa son bâton et se mit en marche en s'y s'accrochant et en titubant, jusqu'à ce qu'il retrouve une démarche un peu plus alerte.

Les ascètes, qui ne comprenaient toujours pas, soulevèrent le menton en feignant une indifférence dont ils ressentaient déjà le poids. Celui qui avait lutté durant des années contre les chacals et les affres de la faim s'en était allé en prétextant des motifs d'une banalité digne d'un enfant : il voulait boire du lait.

Retour à la vie

— Bien! dit-il à voix haute. Je suis prêt à boire ce lait, à prendre de nouveau soin de mon corps et de son apparence.

Siddhārta, cherchant à se redonner des forces, marcha le long de la rive sinueuse du fleuve Naranjana. C'était une journée ensoleillée du mois de mai. L'air était frais et agréable. Il voyait déjà les silhouettes des maisons de bergers, quatre cabanes serrées les unes contre les autres, perpendiculaires à la pente. À l'arrière des maisons, on pouvait entrevoir les porches bas qui ouvraient sur les étables, et, entre celles-ci et les habitations, un va-et-vient incessant de femmes chargées de bottes de foin et de trayeuses ovales. L'affairement autour des bêtes était on ne peut plus normal dans la vie des bergers. Cependant, un détail vint frapper la curiosité de Siddhārta. Chaque fois qu'elles entraient dans leurs maisons, ou dès qu'elles en sortaient, toutes les femmes regardaient dans la même direction. Ce qu'elles voyaient semblaient les distraire un instant de leur labeur.

Tout en se dirigeant vers le hameau des bergers, Siddhārta regarda à plusieurs reprises dans cette direction imprécise. Mais, malgré ses efforts pour comprendre, il ne remarqua rien d'inhabituel. Cette chose devait certainement se trouver hors de portée de sa vue. Par ailleurs, Siddhārta commençait à sentir la fatigue d'une marche à laquelle son physique d'ascète, obligé à la méditation et à l'immobilité, n'était plus habitué. Il se remit à regarder l'eau de la rivière qui coulait en écumant entre les cannaies et ne put contenir son envie d'y plonger pour y laver son corps ainsi que sa tunique. Jamais bain ne lui sembla aussi régénérant et agréable. Il bénit et remercia cette eau vive qui, à la différence de celle du marécage qu'il avait laissé derrière lui, courait sans s'arrêter d'un obstacle à l'autre, courait vers la vie. En équilibre sur une pierre, il plongea ses longs cheveux qu'il raserait bientôt, et ressentit une infinie reconnaissance pour cette rivière.

Mais un malaise soudain freina l'enthousiasme et l'optimisme faciles de Siddhārta. Il était trop exténué et trop faible pour supporter la fatigue engendrée par sa rapide baignade. Sa vue se brouilla et son cœur se mit à battre violemment, provoquant de fortes douleurs dans sa poitrine. Il chercha à s'agripper à la branche d'un saule courbée au-dessus de l'eau, mais sa main trembla et il lâcha prise. Il tomba, se cogna la tête, perdit connaissance, et le courant l'emporta comme un tronc d'arbre inerte. L'eau, dont les remous emplissaient sa bouche, l'empêchait de respirer. La nuit tomba dans ses yeux. Puis une blancheur indistincte et lointaine, pareille à un drap flottant dans le vent : c'était la mort et son appel.

Du temps s'écoula avant qu'une main délicate, dégageant une réconfortante chaleur humaine, vienne se poser sur son front. Qui était-ce ? La mort serait-elle donc si tendre ?

Ce n'était pas un rêve, et pas même la réalité. C'était la bienveillance d'un destin semé au cours d'innombrables existences passées, la nécessité d'atteindre le but pour lequel Siddhārta était né, la nécessité de voir celle qui lui avait déjà sauvé la vie par le passé sur les rives du Naranjana.

Sujata avait quinze ans et ses cheveux n'étaient pas aussi longs qu'elle l'aurait souhaité ; sa poitrine était également trop menue pour son âge, et elle n'appréciait pas d'être encore aussi plate. C'était elle qui l'avait sorti de la rivière. Elle s'était penchée au-dessus de l'eau jusqu'à atteindre son bras tendu et, bien que Siddhārta soit un homme d'une certaine taille, elle l'avait hissé sans efforts.

— Tu pèses autant qu'une plume, je dois être plus lourde que toi.

Siddhārta sentait l'herbe tendre sous sa tête lui servir d'oreiller. Il ouvrit lentement les yeux sur la jeune fille. Elle l'avait déshabillé, mais n'éprouvait aucune gêne à voir son corps nu, trop occupée qu'elle était à laver son vêtement dans la rivière.

— Ce tissu est bien trop usé à présent, il faudrait te trouver un nouvel habit. Regarde ! Les taches ne partent même plus avec ma pierre. C'est pourtant celle que j'utilise toujours pour frotter le linge.

— Tu as raison, parvint à dire Siddhārta à la jeune fille qui lui montrait l'objet.

Le geste de Sujata arrêta l'ascète. Cette pierre, il la connaissait, elle venait du passé, un souvenir lointain, aussi présent dans son esprit que peuvent l'être les vieilles blessures.

— Où as-tu trouvé cette pierre ? Tu l'as toujours possédée ?

Malgré la douleur qui meurtrissait tout son corps et la fièvre qui brûlait ses lèvres, Siddhārta avait repris un peu de force et parvenait à parler distinctement. Il entendait bien interroger la jeune fille sans rien laisser dans l'ombre.

— Elle est à moi depuis la dernière fois que nous nous sommes vus, il y a plusieurs années. C'est la pierre ronde que les brigands t'avaient enfoncée dans la bouche et que tu as ensuite jetée dans la rivière. Tu t'es libéré de tout, à présent, si ce n'est de cette pierre et de la crapulerie des brigands et des constructeurs.

Sujata répondait avec assurance. Comme le voulait sa nature de femme née des songes et des illusions des magiciens, elle apparaissait devant un homme qui, entrant et sortant de la réalité, savait voyager par l'esprit. Mais celui-ci, comprit-elle très vite, n'était pas un magicien comme les autres. Siddhārta allait au-delà de toute chose, il franchissait toutes les frontières, y compris celles de la magie elle-même. Peut-être Sujata avait-elle trouvé le magicien qu'il lui fallait ! Il pourrait faire pousser ses cheveux, ses seins, et tout le reste...

— Si je te dis d'où vient cette pierre, tu pourras me rendre réelle ? Tu pourras faire pousser mes cheveux jusqu'à ce qu'ils viennent onduler sur mes épaules, comme les filets des pêcheurs sur l'eau ?

— Sujata, tu es déjà très belle et tu es vraie. Tu l'es pour moi. Et je crois aussi connaître la provenance de cette pierre. Mais tu dois m'accorder une faveur.

— Laquelle ? Je ferai tout pour toi.

— Je suis très faible, Sujata, j'ai très faim et très soif. Va jusqu'à ces maisons de bergers et demande leur un peu de lait. Je t'en saurai infiniment gré.

– Bien sûr. J'y cours.

La jeune fille disparut sans ajouter un mot. Elle avait abandonné la pierre près de Siddhārta.

– Si cette pierre parvient à remonter le courant du fleuve, alors le moment de l'Éveil est proche, dit Siddhārta à haute voix. Mais si elle descend le fleuve, le moment est encore loin.

Peu de temps après, Sujata revint avec une écuelle de lait encore chaud de la traite et le fit boire à Siddhārta en écartant de son front les longues boucles abîmées de ses cheveux. Elle les lui raserait, comme il le lui avait demandé. Puis elle compta jusqu'à trois et se risqua à l'interroger.

– Je l'ai laissée ici avec toi, et je ne la trouve plus à présent. Où est passée la pierre ronde, Siddhārta ? Il serait dangereux de la perdre.

– Eh bien, regarde là-bas.

Siddhārta montra à Sujata l'amont de la rivière.

– Je l'ai lancée dans l'eau et elle s'est mise à remonter le courant pour aller se placer parmi celles-ci.

– Celles-ci ? Qu'est-ce que c'est que ces scintillements de métal ?

– De l'or, Sujata. Ce sont les écuelles d'or qui appartenaient aux bouddhas qui m'ont précédé. Elles aussi, comme la pierre, ont remonté le courant durant une journée particulière de la vie de ces hommes.

– C'est un jour particulier, aujourd'hui ?

Sujata était curieuse. Siddhārta trempa ses lèvres dans le lait, goûtant la boisson tiède comme s'il en buvait pour la première fois.

– Aujourd'hui, c'est l'anniversaire de Rahula, mon fils. Et c'est aussi l'anniversaire de Svasti, ton ami. Cette journée ne serait donc en rien particulière ?

– C'est une journée particulière, bien sûr, mais...

Sujata ne l'avait pas oublié, elle n'aurait jamais pu. Pourtant le nom de Svasti l'effrayait. Une ombre de tristesse descendit sur son gracieux visage. Alors Siddhārta changea de sujet. Il était temps de repartir.

– Je me sens bien mieux à présent. Je peux me tenir sur mes jambes. Mais je ne suis pas tout à fait prêt. Pourrais-tu demander aux bergers de m'accueillir chez eux afin que je me repose et je me nourrisse jusqu'à ce que j'aie retrouvé toutes mes forces? Le royaume de l'arbre des Quatre Vérités nous attend, Sujata. Pour approcher de ce lieu, pour nous asseoir près de son tronc, sous ses branches aux feuilles d'or d'où coule le venin dont sont chargées ses racines assoiffées, nous devons être dans notre meilleur jour, le corps et l'esprit irréprochables.

— Oui, répondit Sujata.

En l'accompagnant vers les maisons des bergers, la jeune fille remarqua que Siddhārta regardait toujours dans la même direction, comme s'il cherchait quelque chose.

— Pourquoi regardes-tu là-bas?

Siddhārta lui retourna la question.

— Je voudrais tant savoir pourquoi les femmes qui travaillent dans ces maisons regardent sans cesse par là. Toi qui as vécu chez les bergers, tu pourrais me le dire?

— Eh bien, répondit Sujata un peu embarrassée, les femmes ont peur des constructeurs. Ils ont été envoyés par le souverain d'Uruvela, le rajah Dronodana, qui veut étendre le règne de ses sujets revenus de l'enfer. Il répandra des poisons sur les terres que le travail des hommes ont rendu fertiles. Voilà pourquoi les femmes le craignent.

— Je te remercie, Sujata. Tu m'as courageusement dit la vérité.

Sujata fit faire une halte à Siddhārta aux alentours de la première habitation. Une odeur âcre de fumier et de sueur de chèvre saisissait les arrivants, mais elle n'avait rien de déplaisant.

— Je t'ai conduit où tu voulais. Et regarde, à présent... mes cheveux!... Je suis devenue une jeune femme!

Le dernier voyage

Bien des jours avaient passé. Personne ne savait combien. Personne n'aurait songé à les compter. Depuis que Siddhārta était venu leur demander l'hospitalité, les familles de bergers, souvent réunies autour de leur hôte pour écouter ses enseignements et le récit de sa vie, avaient espéré en secret que l'ascète reste chez eux le plus longtemps possible, voire pour toujours.

— Depuis le jour où nous t'avons offert la première écuelle de lait, ces constructeurs envahissants ont cessé de descendre dans nos prés. Regarde! Ils ont abandonné leur chantier, ils ont laissé poutres et briques au sommet de la colline et ne sont jamais revenus nous importuner avec le bruit de leurs pics sur les pierres.

— Marandeva, je suis heureux de te voir joyeuse aujourd'hui. Promets-moi de continuer à l'être, ou du moins d'essayer.

— Siddhārta, tu as quelque chose d'important à nous dire? demandèrent les hommes préoccupés, qui étaient venus eux aussi se réunir autour du feu où, aux premières heures du soir, l'ascète avait pris l'habitude de les entretenir, le plus souvent en buvant des tasses de tisanes parfumées aux herbes.

— Ce matin, Sujata, la jeune fille qui me tenait compagnie et qui prenait soin de moi, est partie. Elle est partie aux premières lueurs du jour, et ces lueurs se reflétaient sur ses longs cheveux : c'est le signe que je suis guéri et prêt à entreprendre mon chemin vers le royaume gouverné par ce souverain perpétuellement insatisfait qui envoie ses constructeurs maudits sur vos terres.

– Mais comment ferons-nous pour chasser les envahisseurs, lorsque tu ne seras plus là?

Siddhārta savait que le risque dont parlaient les bergers ne serait dissipé une fois pour toutes que s'il s'en allait. Fallait-il pour autant les quitter à la hâte? Le royaume de Māyā et de l'ignorance, cause de la douleur éternelle qui bande les yeux des hommes et les rend esclaves de leurs errances et de leurs illusions, ce royaume s'étendait-il donc si vite? Non, se dit Siddhārta, sans doute reste-t-il encore un peu de temps pour une autre tasse de tisane chaude et un dernier enseignement.

Entre le cercle des bergers et le feu où bouillait une marmite d'eau se trouvait un grand panier de mandarines. Les convives se servaient et mangeaient distraitement. C'est sur ces mandarines qu'il allait disserter, et ce qu'il leur en dirait leur serait des plus utiles.

– Je vais vous parler de ces mandarines, annonça Siddhārta.

Comme cela arrivait souvent, un changement de sujet si soudain surprit ses auditeurs. Que venaient faire ici ces fruits dont personne ne se préoccupait?

– La réalité de ces mandarines est un miracle stupéfiant, poursuivit Siddhārta avec cette simplicité qui désarmait toujours ceux qui attendaient de lui de grandes paroles. Tout ce que nous disons et l'univers tout entier sont contenus en elles. Si nous voulons êtres réalistes, nous pouvons l'être à travers elles. Si, en revanche, nous voulons entretenir nos illusions, c'est encore à travers elles que nous continuerons à le faire. Les mandarines nous offrent une grande chance de nous sentir présents à nous-mêmes et de ne pas souffrir de notre bêtise. Manger en conscience est un exercice fructueux pour fuir la souffrance, vivre pleinement et rendre réel tout ce que nous aimons. Vous pouvez essayer d'éplucher la mandarine en sachant que vous êtes en train de l'éplucher, vous pouvez essayer d'en détacher les quartiers en sachant que vous les détachez. Enfin, appréciez leur parfum et leur goût, ou remarquez qu'elles sont acidulées. Mandaravati, c'est toi qui m'as offert cette mandarine dont j'ai compté les neuf quartiers, et ce nombre, tandis que je parlais, m'a aidé a comprendre ce que je voulais dire. Cette mandarine était réelle, puisque j'en étais conscient. Essayez à votre tour.

Et chacun pour son propre compte fit comme Siddhārta l'avait dit. Bien vite, les étoiles, le soleil et la pluie qui les avaient fait pousser apparurent dans les mandarines. Puis les feuilles et les branches qui les avaient soutenues, et aussi la fatigue et le dévouement de celui qui avait planté les mandariniers. Un monde d'histoires et de récits s'ouvrit aux bergers, et les réflexions qu'il éveilla en eux leur fit oublier le départ imminent de Siddhārta. Les mandarines donnèrent à chacun la faculté de voir plus clairement la réalité des choses.

Le berger du nom de Rupaka, qui n'avait jamais brillé par son intelligence et était un peu considéré comme l'idiot du village, un homme qui n'enlevait jamais, pas même lorsqu'il allait se coucher, son chapeau de paille troué, apprit plus vite que les autres la méthode enseignée par Siddhārta. Il compta les sept quartiers de sa mandarine juteuse et aperçut aussitôt le danger qui les menaçait.

— Vous avez entendu ?

Le grondement de sa voix interrompit la séance. Tous, pour la première fois de leur vie, prêtèrent une oreille attentive à Rupaka.

— Que devrions-nous avoir entendu, Rupaka ?

— Les chèvres sont paniquées ! Leurs sabots frappent contre l'enclos.

— C'est vrai ! Regardez !

Une femme montrait du doigt la barrière renversée et deux chèvres qui s'échappaient de l'enclos. Un bruit puissant se fit entendre. Certains hommes coururent prendre des cordes, tandis que d'autres se lancèrent à la poursuite des animaux. Siddhārta rejoignit le premier les deux chèvres qui avaient réussi à s'échapper. Il les trouva mortes, l'une sur l'autre, au bord de la rivière. Le reste du troupeau était sauf et à l'abri, et les bergers rejoignirent Siddhārta.

— Que s'est-il passé ? Qui a attaqué le troupeau ? Une horde de loups ?

— Nous n'avons pas entendu de hurlements. S'ils avaient été attaqués...

Les bergers attendaient avec impatience une réponse de Siddhārta, qui s'était accroupi pour examiner le pelage rêche des deux chèvres.

— Aucune bête féroce ne menace le troupeau, mais un péril bien plus grand, dit-il en cherchant les blessures dans le manteau laineux.

190

Siddhārta montra aux hommes la forme circulaire des blessures qui avaient causé la mort des deux chèvres. Elles avaient déjà cicatrisé et étaient aussi noires que les balafres qui couvraient les bras de Svasti. Le message était clair.

— Ces blessures sont celles d'un cobra. Le serpent est venu m'appeler.

— De quel serpent parles-tu, Siddhārta ? Nous ne te comprenons pas.

— Amis bergers, vos épouses ont déjà compris.

Les femmes se tenaient à genoux, les yeux écarquillés dans l'obscurité de la nuit. Elles regardaient vers le haut, vers la colline qui dominait leurs maisons, où les constructeurs sans visage avaient terminé leur travail. Les émissaires du nouveau royaume de Māra, édifié pour magnifier son pouvoir terrestre par le rajah Dronodana à la tête de son armée de lémures, avaient continué à tailler des blocs de pierre et des plaques de marbre durant le séjour de Siddhārta, mais personne ne s'en était aperçu.

— Voilà ce qui menace votre colline, conclut Siddhārta.

Les hommes découvrirent la statue immense du cobra, dont la tête en éventail cachait la lune.

— C'est effrayant ! Demain nous ne verrons plus le soleil, nous vivrons envahis par cette horrible tête qui nous sépare du ciel.

Siddhārta chargea sur ses épaules les deux chèvres, l'une blanche et l'autre noire, et se mit en marche vers une nouvelle destination. Il salua les bergers et leurs femmes et leur promit qu'il ferait tout ce qui était en son pouvoir pour que cette sombre période dure le moins possible. Puis il suivit la direction du vent, qui soufflait du sud au nord, vers Uruvela. Il emportait avec lui les victimes du sacrifice : c'était aussi pour elles qu'il chercherait la libération.

Qui es-tu, Lawanja?

Tout, à la cour du roi Bimbisāra, était réglé selon un ordre précis. Ce n'étaient pas seulement le profond respect et l'observation des lois du dharma qui faisaient de la capitale du royaume un lieu de dévouement aux règles établies par les anciens, mais surtout l'intérêt que ses habitants portaient aux écritures et à toutes les sortes de disciplines artistiques. Rajagaha ou Maison du Roi, la capitale qu'on appelait aussi Cinq Collines, dominait une région prospère et luxuriante. Elle accueillait les artistes et les savants qui séjournaient et jouissaient là de la tranquillité nécessaire à leurs activités. Les sculpteurs et les peintres, qui y faisaient de fréquentes visites, enrichissaient de jour en jour les palais en ornant les murs et les nombreuses cours de leurs œuvres précieuses. Des fresques et des mosaïques décoraient les vastes salons et couvraient les galeries où les nobles courtisanes se promenaient en récitant les vers des poèmes antiques qui célébraient les gestes d'amour et le courage des héros légendaires. C'étaient les vers sacrés du Bhaagavad-gītā, le chant des Bienheureux, qui étaient le plus souvent récités. Ils évoquaient le divin Krishna et sa lutte fratricide.

— L'homme qui naquit deux fois ? Que signifie cet admirable vers, madame ? demanda la suivante à sa patronne en l'entendant chanter.

— On naît une première fois dans la nature et une seconde fois dans l'esprit. La première naissance nous l'obtenons tous, mais la seconde est réservée aux Bienheureux.

192

— Krishna est donc un Bienheureux?

— Ceux qui luttent pour l'esprit sont des Bienheureux. Ma chère suivante, oublie mes paroles à présent et garde le silence, comme te l'ont appris les hommes d'un grand savoir.

La courtisane retourna dans ses appartements et sortit les feuilles de palmier encadrées sur lesquelles elle s'exerçait à l'art de l'écriture. Ses vers ne valaient sans doute pas grand-chose si on les comparait au raffinement et à la profondeur des textes anciens, mais pour cette femme, que certains avaient surnommée « Flûte d'amour » en raison de la douce mélancolie de son chant, ils étaient devenus sa seule raison de vivre.

Un jeune eunuque aux traits fins et aux sourcils effilés par un rasoir, une habitude qu'il avait prise chez les élégantes épouses des guerriers, referma la porte derrière lui, plaça quelques objets sur une petite table en os et s'adressa avec confiance à son élève. Plus que tout autre, il comprenait le besoin qu'éprouvait cette femme, à qui il n'était autorisé que de rêver du grand amour sans pouvoir jamais le satisfaire, de s'exprimer dans l'art de la poésie. Sa condition d'eunuque, en effet, créature fragile et sensible à laquelle sont refusés les rapports amoureux, lui avait fait immédiatement comprendre la tristesse d'un esprit poétique voué à capituler devant la vérité d'un amour impossible. Un amour éthéré et irréel, semblable à celui qu'il éprouvait pour elle, et qu'il n'aurait jamais osé lui avouer.

Dans sa splendeur, Narayani se tenait assise devant ses cadres et, le regard absent, se mettait à parler d'elle : une autre phrase d'amour était sortie de son cœur, comme toujours dévoué au prince Siddhārta, lui qui l'avait repoussée dans les rêves et dans la vie.

— Narayani, poétesse de la mélancolie... mon élève... mon amie! Quand tes lèvres prononcent ce nom, Siddhārta, je ne comprends jamais si c'était une vraie personne ou le fruit de tes poésies.

— Les deux, mon cher ami... les deux..., soupira Narayani. Cela fait six ans, à présent, que j'écris des poésies. L'homme que mes vers dépeignent est différent de celui qui existe, mais c'est la seule personne à laquelle il m'est autorisé de donner mon corps, c'est le seul que je peux embrasser et avec lequel je peux faire l'amour. Je remercie vraiment le royaume de Magadha et son grand souverain Bimbisāra. Leur accueil m'a permis de vivre une seconde fois! Si tu regardes attentivement mes feuilles de palmier, derrière l'écriture qui les recouvre tu trouveras le visage du second Siddhārta, mon Siddhārta.

Narayani était la femme la plus délicate et la plus intelligente qui soit venue à la cour du roi Bimbisāra depuis bien longtemps. Comment rester loin d'elle? L'eunuque feignait la dureté et l'impassibilité, mais son désespoir grandissait. Comment lui parler de la visite qu'il venait d'avoir dans les cours les plus secrètes du palais? Comment lui rapporter que cette fille à moitié folle réclamait le départ immédiat de la poétesse Narayani? Pourtant il aurait été plus honteux encore de la lui cacher.

— Narayani, je n'aurais jamais voulu que ce soit moi qui t'annonce cette nouvelle, mais qui d'autre aurais-tu cru?

L'appréhension de l'eunuque était des plus insolites et Narayani se mit soudain à pâlir.

— Ne me fais pas attendre une minute de plus. Parle, eunuque!

— Une jeune femme s'est présentée aux portes du palais, elle te demande avec insistance et refuse de partir tant qu'elle ne t'aura pas parlé.

— Je n'ai jamais dit que je ne voulais pas recevoir de visites. Pourquoi ne l'as-tu pas fait entrer?

Il y avait de la colère dans les paroles de Narayani, l'eunuque s'empressa de raconter la suite.

— La jeune femme tient dans ses mains les cornes ensanglantées de deux chèvres. C'était une vision horrible et j'ai préféré ne pas troubler ta sensibilité...

— Bêtises! Ai-je l'air de quelqu'un que le sang dégoûte? Quand cesseras-tu donc d'être aussi peureux! Je ne supporte pas ces manières de femmelette! Je n'ai pas besoin de délicatesse et je ne suis pas délicate. J'ai l'âme d'une putain, l'as-tu oublié?

— La jeune fille te fera chasser du royaume, elle est venue rapporter tes péchés.

— Seuls les morts sont sans péchés. Parle avant que j'aille moi-même chercher cette fille.

— Mais elle...

Avant de pouvoir achever sa phrase, l'eunuque poussa un cri perçant. La porte s'était ouverte avec fracas.

— C'est elle!

— Lawanja! s'écrièrent à l'unisson le jeune eunuque et Narayani en se tournant vers la sombre silhouette qui avait pénétré violemment dans la pièce.

Les deux anciennes compagnes de métier se fixèrent, telles deux prisonnières accusées d'un même crime.

— Que fais-tu ici? demanda Narayani. Où sont les autres?

Narayani ne pouvait s'empêcher de la harceler de questions. Pourtant il y avait une chose qu'elle n'osait pas lui demander, bien qu'elle éveille en elle une grande curiosité : Lawanja n'avait pas vieilli, elle était restée la même que lorsqu'elles s'étaient quittées, six années auparavant. L'eunuque, de son côté, se cachait les yeux pour ne pas voir ses mains ensanglantées. Surpris de découvrir que cette folle avait déjà eu affaire à Narayani, il était comme paralysé.

— Narayani, ne sois pas étonnée que je t'aie trouvée dans ce royaume. Cela fait six ans que je te cherche, depuis le jour où j'ai quitté la roulotte et abandonné les filles à leur destin. Ce jour-là, j'ai pleuré toutes les larmes de mon corps à la vue d'un enfant, un innocent, qui avait l'air perdu et qui racontait qu'il était seul au monde depuis que sa mère l'avait abandonné. J'ai alors décidé de rester avec lui et d'être cette mère qu'il n'avait pas. Svasti n'a jamais prononcé le nom de celle-ci, poursuivit Lawanja, jusqu'à ce qu'un jour...

Narayani la regarda horrifiée, retenant son souffle.

— Regarde! mentit Lawanja, en levant ses poings serrés sur les cornes des animaux. Je t'ai apporté les preuves du sacrifice qui a été accompli. Svasti a été retrouvé pendu à un arbre! Ses pieds se balançaient, inertes, au-dessus des deux chèvres qu'on avait tuées. Un collier de perles ornait son cou, étranglé par la corde... Le reste, je crois que tu peux l'imaginer. Pauvre Narayani, quelle douleur aura été la tienne durant toutes ces années!

— Quelle douleur, Lawanja? Tu ne sais même pas de quoi tu parles, femme maudite! Qu'es-tu venue me raconter?

— Ce n'est pas ma faute, Narayani. Je ne suis que la messagère de cette cruauté qui s'accroche à ton destin. Peut-être aurais-tu préféré que d'autres mains que les miennes enterrent ton fils? Tu dois venir avec moi, je te conduirai là où se trouvent l'arbre assassin et l'homme qui a aidé ton enfant à se tuer. Siddhārta! C'est lui qui m'a parlé du collier, de Svasti et de votre amour. C'est lui, après des années de vaines recherches, qui m'a avoué qu'il savait où je pourrais te trouver. Maintenant tu ne peux plus échapper à la rencontre!

Narayani ne parvint pas à supporter les douleurs atroces que retenait son ventre, et se mit soudain à vomir. L'eunuque, terrorisé, accourut pour l'aider, mais il fut repoussé avant même de pouvoir poser sa main sur son front.

— Va-t'en! Laisse-moi en paix. Tout ça n'est pas pour toi.

Les ordres qu'elle lui lança furent si sévères que l'eunuque ne protesta pas et jura de consacrer le restant de sa vie à s'acquitter de son devoir et à se cloîtrer dans une obéissance dévouée.

— Je te confie mes feuilles de palmier, c'est tout ce qui reste de moi dans cette chambre. N'y fais jamais entrer personne, aucune servante ne doit toucher à ces objets. Quand je serai loin, et que la lune apparaîtra, récite mes vers à voix haute, ma vie est retenue en eux, et n'oublie pas de faire les ablutions sacrées.

Ce furent les dernières paroles de Narayani avant qu'elle quitte les appartements que le généreux roi Bimbisāra avait mis à sa disposition. En compagnie de cet inquiétant visage en lequel elle ne parvenait plus à retrouver l'amie d'autrefois, elle devait partir de cet endroit trop heureux pour en rejoindre un autre qui parlait de mort.

— Qui es-tu, Lawanja? Je n'arrive pas à te reconnaître...

— Narayani, ma sœur, peut-être n'est-ce qu'à présent que tu commences à me connaître vraiment.

La réponse de la femme au visage d'enfant avait été froide et laconique. Elle conduirait Narayani loin de l'immense royaume de Magadha, dans celui, plus vaste encore, où s'étendaient les nouvelles terres du rajah Dronodana.

Tue-moi !

Une route droite et sans obstacles avait conduit Siddhārta aux portes de la ville d'Uruvela au terme de cinq jours de marche. Le voyage ne semblait l'avoir éprouvé ni physiquement ni mentalement. Les dieux l'avaient soutenu. Sur chaque tronçon de route, le prince avait reconnu les bons augures et la force qui lui venait du ciel. Dans le silence absolu, aussi profond que celui des abîmes marins, les hiérarchies divines assistaient en tremblant à l'avancée de Siddhārta vers le grand arbre de la Clairvoyance. Et tous avaient le même espoir : que Siddhārta sorte vainqueur de sa rencontre avec le terrible dieu Māra et touche à l'Éveil.

Les dernières mèches des cheveux cuivrés de Sujata, qui lui avaient montré le chemin tout au long du trajet, gisaient au pied de l'enseigne de la ville composée dans une langue inconnue.

– Uruvela, me voilà enfin arrivé ! C'est ici que je m'assiérai et méditerai jusqu'à avoir vaincu l'ignorance, la mienne comme celle de tous les êtres humains, déclara Siddhārta à voix haute après avoir abandonné les chèvres à l'entrée du royaume de Māra.

Ce geste lui fit peur. Il savait qu'il n'était pas innocent et sans conséquences. Déposer les chèvres du sacrifice en ce lieu et à ce moment précis revenait à faire sonner la trompette qui lançait la bataille. Et Māra répondit à ce cri de guerre.

Où qu'il porte les yeux, Siddhārta voyait les murs qui séparaient cette terre du reste du monde se dresser jusqu'au ciel.

197

Satisfaits et fiers de leur travail, les constructeurs, en compagnie de leur chef Dronodana, contemplaient le spectacle. Protégés par le manteau de Māra, ils se tenaient cachés dans une grotte voisine, trop éloignée pour que Siddhārta puisse les apercevoir; ils entendirent le fracas métallique des portes qui se fermaient et des ponts qui se relevaient derrière lui. Ce bruit fit briller leurs yeux de plaisir et se tordre leurs bouches en un sourire sinistre. L'or et le diamant reflétaient le blanc aveuglant du ciel sur la surface des toits et les pinacles des bâtiments déserts. C'était le visage du royaume de Māra. Siddhārta ne savait comment se défendre de cette lumière épouvantable qui incendiait les yeux et confondait l'esprit. Il se protégea comme il le put, abritant son visage entre ses mains, mais les rayons filtraient à travers sa chair. « Puisqu'il en est ainsi, se dit-il, je ne fermerai pas mes yeux, ils resteront ouverts et découvriront entre ces murailles fantomatiques, plus tranchantes que des lames d'acier, l'arbre que je suis venu chercher et sous lequel j'obtiendrai l'Éveil. »

Māra, lisant dans les pensées du prince, ne pouvait rester indifférent à la menace. Il ouvrit son manteau jusqu'à couvrir les toits des palais. Lorsque le ciel fut complètement obscurci, il invoqua le tonnerre, les éclairs et les flammes de l'enfer. Il employa tous les moyens en son pouvoir pour cacher l'arbre que Siddhārta voulait rejoindre à tout prix. Le misérable ascète désirait-il s'enfoncer dans le tumulte de la tempête? Alors, que la tempête fasse rage! Le rire de Māra, qui commandait les vents et les orages depuis les cimes enneigées jusqu'aux déserts, résonna en tout point de la Terre et déchaîna les cris des rapaces, les hurlements des bêtes féroces et le grondement lugubre du fleuve. La colère du dieu ne se calmerait pas.

Les façades brillantes des maisons et les reflets des pierres précieuses incrustrées dans les murs disparurent. Pourquoi Siddhārta ne parvenait-il plus à faire le moindre pas? Qu'est-ce qui faisait ployer son corps et empêchait ses jambes d'en soutenir le poids? Le prince était à bout de nerfs, il sentait qu'il était sur le point de céder. Et il savait que le dieu ne faisait là qu'aiguiser son couteau, préparant la série infinie de ses armes et de ses prodiges de magicien.

— Māra! pesta-t-il. Je sais que tu ne t'es pas encore déchaîné sur moi. Alors viens, viens soutenir le regard de celui qui a usurpé ton royaume.

Alors chaque chose se colora d'une effrayante lueur rose. Des nuages par centaines, apportés par les rafales d'un vent glacial, vinrent lui fouetter le visage. Durant un instant, le calme revint. Mais une nouvelle horde de nuages chargés de pluie se précipita contre les yeux du prince : un éclair avait déchiré le ciel et était soudain venu éclairer ce que lui, et lui seul, n'avait pas le droit de voir.

– L'arbre, voilà l'arbre !

Il l'avait vu, cet arbre gigantesque et austère qui étendait ses branches dorées plus haut que les nuages et plus bas que les nids de serpents. Et la tempête revint : un grondement lointain qui s'approcha en rugissant et vint brutalement déchirer ses tympans. L'arbre, à présent, semblait avoir disparu.

– Mais c'est une plaisanterie infâme ! hurla Siddhārta.

C'était le divertissement vulgaire du Mal qui attend la venue de son hôte. Il fallait faire cesser cet ouragan, ce faux mélange d'éclairs et de tonnerre. Siddhārta était dépourvu de tout pouvoir magique. Il était nu jusqu'à l'os, avec pour seule force son esprit, et il voulait neutraliser en pur ascète l'œuvre de son ennemi. Il se souvint des cinq rêves qui l'avaient accompagné jusqu'ici. Il revit les unes après les autres les images des bons présages et s'adressa à Māra comme s'il se parlait à lui-même puisque, en cet instant, il était lui aussi Māra.

– Le premier jour, je me rêvai étendu sur le côté, les genoux effleurant l'Himalaya, la main gauche touchant la rive de la mer Orientale, la droite la rive de la mer Occidentale, et les pieds posés sur le bord de la mer Méridionale.

En entendant ce rêve, Māra fut contraint de dissiper les nuages et de calmer les vents. Il ne tomba plus une seule goutte de pluie. Et il en fut ainsi tout le temps que durèrent les quatre autres rêves, qui redonnèrent à Siddhārta la force de traverser une terre sur laquelle personne n'aurait jamais osé s'avancer. C'était la première défaite essuyée par ce dieu depuis des siècles et des siècles de suprématie. Alors Māra montra à Siddhārta l'arbre de la Clairvoyance et l'invita à s'asseoir dessous.

L'immense figuier, dont le tronc était plus large que quatre chênes et dont les feuilles auraient pu supporter la tête d'un homme, dépassait en beauté tout ce que l'on pouvait imaginer. De ses branches coulaient des gouttes de rosée qui sentaient l'ambrette. On ne pouvait rien désirer d'autre, en sa présence, que de s'en voir entouré à jamais et de ne jamais cesser de l'adorer. Siddhārta fit trois pas dans sa direction, puis trois encore et vit Mucalinda, dont les anneaux glissaient lentement autour du tronc. Même ce cobra, qu'il avait souvent craint autrefois, lui apparaissait dans toute sa splendeur. Ses écailles argentées se lovaient voluptueusement autour de l'arbre, depuis ses racines jusqu'à ses fruits, tel un amant enlaçant son amante. Le prince n'en fut pas effrayé et s'approcha encore du figuier. Il s'apprêtait à s'asseoir et à méditer lorsqu'il comprit à quel point la tranquillité et le silence qui régnaient étaient illusoires. Une voix apeurée l'empêcha d'avancer ; quelqu'un le regardait droit dans les yeux. Ses paroles lui parvenaient déformées, traversant la corde qui maintenait sa bouche ouverte et retenait sa tête attachée au tronc de l'arbre.

— Ce n'est pas vrai, ce ne peut pas être toi. Non ! pas toi ! Je suis avec toi, mon petit ami, je vais t'aider.

Siddhārta défit les nœuds de la corde qui retenait Svasti à l'arbre de la Clairvoyance. Celui-ci sourit avec cette même expression, effrontée et implorante, qu'il avait eue pour l'accueillir en ce jour lointain, alors qu'il procédait au mystérieux rituel des pétales rouges.

— Tu savais que tu me rencontrerais ici. Ce ne peut être une surprise pour toi. Et tu sais aussi ce qu'il y a là-bas, dans cette grotte.

Svasti avait grandi. C'était à présent un jeune homme. Siddhārta le trouva beau comme un prince, et pas seulement d'allure. Le fils de Narayani était l'incarnation d'Arjuna, le héros chanté dans les odes, il était né pour affronter les dures luttes de l'esprit et n'avait pas peur de perdre, au cours de son âpre destin, les biens précieux que lui offrait la vie.

— Je le sais, Svasti. Toi et moi sommes semblables en cela. Toi non plus tu n'as pas peur de devoir t'éloigner à jamais de ta mère. Narayani nous regarde par les fissures de cette grotte, elle veut aussi connaître la nature de ces racines, la saveur de ces fruits. Et la menace de Dronodana plane au-dessus d'elle : il serait capable de la tuer si je parvenais à passer ne serait-ce qu'une nuit sous cet arbre. Mais ne crains rien, cela n'arrivera pas.

— Tu n'as pas compris, Siddhārta. Je ne peux plus être ton ami. Durant ces années, j'ai empli le tronc de l'arbre de venins. Je l'ai fait grandir dans la haine et le désespoir. J'ai cru en ma nature mauvaise. Je n'ai pas suivi ton enseignement.

— Ce n'est pas vrai, tu mens. Je peux te le prouver. Tu veux encore des épreuves de force ? Eh bien, tiens-toi un peu à l'écart et veille toute la nuit à mon côté. Tu verras que tu es capable de vaincre Māra.

— Je te crois, les preuves sont inutiles. L'enjeu est beaucoup plus important, cette fois-ci. J'ai vendu mon âme à Mucalinda, je l'ai donnée à l'arbre des Quatre Vérités. C'est pourquoi, si tu veux poursuivre le but qui t'a conduit jusqu'ici, il te faudra d'abord me tuer. Tue-moi, Siddhārta. Tu ne pourras pas obtenir l'Éveil sans en passer par-là.

Un bruissement dans les feuilles interrompit le terrible face-à-face. Siddhārta se retourna et entendit Svasti accueillir le nouvel arrivant.

— Viens, Sujata. Approche-toi et tends le poignard à notre ami commun.

La jeune femme s'avança timidement et plaça l'arme entre les mains de Siddhārta sans prononcer un mot. Le bras tremblant, le prince la regarda, puis regarda Svasti.

— Mais vous n'entendez pas ? Les rires ne parviennent-ils pas à vos oreilles ? Vous vous rendez aussi facilement aux provocations de Māra ? Il n'est pas avec toi, Svasti. Il n'est pas avec toi, Sujata.

Mais par-delà le silence n'était qu'un autre silence. Un mur de silence. Le dieu maléfique ne riait que pour ceux qui savaient reconnaître son rire.

— Sujata ! Mon enfant ! Donne-moi ce couteau ! hurlait Narayani à travers les parois de la grotte.

Mais son destin voulait qu'elle ne soit pas écoutée.

— Personne ne mourra, ici ! poursuivit-elle. Siddhārta ne le permettra pas. Je le sais...

— Tais-toi, putain ! Tu ne vois pas que tes cris n'intéressent personne ? Personne ne t'écoute, et ils me gênent beaucoup...

Dronodana, qui, malgré sa vieillesse, éprouvait toujours de l'attirance pour cette femme, lui attrapa le cou d'une main et, de l'autre, se mit à parcourir son buste, jusqu'à atteindre le bas

de son ventre, puis ses cuisses. Tout en la caressant, il l'empêchait de crier et la soumettait à la violence de son désir.

En voyant que ni Svasti ni Sujata n'étaient disposés à rompre
leur pacte sanglant, Siddhārta s'agenouilla au pied de l'arbre et
prépara son esprit au sacrifice qu'il était contraint d'accomplir.
Sa main ne trembla pas sur le poignard lorsqu'il se l'enfonça
dans la poitrine.

Nous deux

Le hurlement de Svasti fit trembler la terre. Il tomba à genoux au pied de l'arbre, près du corps du maître. Jamais, avant cet instant, il ne s'était rendu compte à quel point Siddhārta était resté proche de lui, il ne l'avait jamais abandonné. « Voilà qui est une véritable faute, pensa Svasti en proie à la peur, et non l'œuvre de la magie. » Il cria à en perdre la voix, le visage entre les mains pour ne plus voir. Mais il ne pouvait rester ici, dans cette cruelle situation d'impuissance, à recevoir les nouveaux ordres de Māra. Il se rendait compte qu'il fallait abandonner le rituel du dieu, même si cela devait lui coûter la vie. Il se retourna vers Sujata, qui semblait ne pas être consciente de la gravité de la situation.

— Viens, nous partons. Nous ne sommes pas dignes d'assister à cette mort sacrée.

— Et Siddhārta ? Siddhārta reste ici ?

La jeune fille suivait des yeux les mouvements convulsifs du prince tandis que Svasti l'incitait à fuir. Quelque chose la retenait. C'était la sensation de ne vivre qu'un rêve et la certitude que la réalité n'était pas celle que Svasti voyait. Dans cette dimension, où le temps est suspendu et l'espace infini, Sujata savait que la mort n'existait pas. Mais Svasti continuait à l'appeler. Elle le regarda s'éloigner un instant puis se mit à le suivre.

Svasti errait dans le royaume édifié depuis peu, et celui-ci lui apparaissait déjà menacé de ruine. Il empruntait des routes qui ne conduisaient nulle part, s'arrêtait au bord de ponts inachevés donnant sur le vide. Le vent érodait les remparts, les blocs de taille et les tours d'ivoire à une vitesse incroyable, comme s'ils étaient de sable. Sujata ne quittait pas un instant son compagnon du regard et courait derrière lui. Une cavité isolée, loin de tout, attira l'attention de Svasti. Il avait enfin trouvé ce qu'il cherchait. Il y pénétra, et Sujata avec lui.

— C'est ici que nous finirons nos jours. J'aurai la même fin que mes frères. Reste auprès de moi, Sujata, jusqu'à ce que tu ne me sentes plus respirer. Et toi aussi, peut-être, mourras-tu sous un tas de pierres et de terre. Mais c'est beau, si tu y songes, c'est aussi beau qu'un nid de serpents.

Svasti cherchait sa punition. Sujata se serra contre lui. Ils étaient seuls et loin de tous.

— Quand mourrons-nous, Svasti?

— Lorsque notre corps, sans eau ni nourriture, s'affaiblira au point que notre sang ne courre plus dans nos veines.

— Ça va venir vite. Je me sens déjà étouffer dans ce trou sans lumière.

— Espérons-le, Sujata.

— Moi aussi je veux mourir, je veux mourir avec toi.

Ils restèrent silencieux de longs instants. Il faisait froid dans leur petite tombe.

— Qui sait quelle sera notre apparence lorsque nous renaîtrons après la mort?

— Notre apparence..., répéta Svasti.

La nuit des flèches

Les nuages avaient disparu et le ciel, éclairé par la lumière iridescente et cristalline de la récente tempête, surplombait le grand arbre comme la coupole d'un temple. C'était une journée interminable. Le soir restait suspendu sans se décider à descendre. Svasti avait fui, loin de lui, Siddhārta, et de sa mère, Narayani, parce que c'était son destin. Le prince s'était vu contraint de mentir, Svasti ne lui en avait pas laissé le choix. Mettre en scène sa propre mort avait été douloureux. Les dieux eux-mêmes en avaient été témoins. Mais ce lieu n'autorisait qu'un seul affrontement, celui de Siddhārta et du dieu tentateur. Personne ne pouvait empêcher cette lutte, née avec le prince. Siddhārta avait atteint la maturité de l'âge et la maîtrise de son corps. Il cherchait à présent celle de l'esprit.

Il retira lentement le poignard de son thorax en extrayant la lame avec l'adresse des fakirs et la science des médecins, sans faire couler une seule goutte de sang. En parfait connaisseur de l'anatomie du corps humain et des forces qui inhibent la circulation sanguine, Siddhārta avait su transpercer sa chair à l'endroit précis où l'arme ne toucherait aucun organe vital et pénétrerait sans rencontrer de résistance.

L'herbe était tendre et ses pieds s'y enfonçaient agréablement. Siddhārta s'asseyait enfin dans la position à laquelle il avait aspiré depuis longtemps. L'esprit concentré, dans un silence parfait, il se tenait sous la large couverture de branches et voyait se découper sur le sol l'ombre triangulaire de la grande tête de Mucalinda, le cobra toujours ressuscité. Il observa cette ombre et en suivit les contours mouvants. Il passa des heures ainsi, plongé dans son esprit comme dans un océan infini de lait où la mer se fond dans le ciel et où chaque chose est pareille à son contraire. Qu'étaient ces gouttes incandescentes, ce liquide dense et brillant semblable à de l'or fondu qui diffusait une étrange lumière et une chaleur plus étrange encore ? C'était le venin, la sève retenue dans les racines de l'arbre. Siddhārta le voyait à présent, et il pouvait l'interpréter.

— Voici la preuve que j'ai attendue. La première vérité du monde a cette couleur.

Le soir descendit et c'est ainsi que Siddhārta passa sa première nuit sous le figuier.

— Toute naissance porte la mort en elle, toute jeunesse la vieillesse. Moi aussi je disparaîtrai dans l'abîme, mon corps aussi sera traversé par le venin qui coule dans cet arbre. La souffrance existe. Personne ne peut l'ignorer.

La colère de Māra se déchaîna au moment précis où Siddhārta prononça cette vérité. Le prince était sur le point de découvrir les trois autres vérités de l'homme, et le tronc de l'arbre éprouvait déjà le bénéfice de ces yeux pleins de compassion et de sincérité qui le regardaient et le comprenaient. Les branches s'agitèrent imperceptiblement, comme pour manifester leur reconnaissance, et s'abaissèrent pour protéger la tête de Siddhārta.

— Maudit, je fondrai sur lui en un éclair ! cria Attavada, l'ange du Mal, le général des puissantes armées de Māra.

Une horde de guerriers noirs, jaunes et rouges proférant insultes et anathèmes, fut lancée contre Siddhārta. Māra avait ordonné à son immense armée de détruire le terrible ascète. Mais lorsque les guerriers virent cet homme, assis sous un arbre, le ciel résonna de leurs rires dédaigneux.

— Et nous devrions gaspiller nos lances et nos flèches contre ce maigre ascète ? Pour qui nous prends-tu, Māra ? Nous le tuerons d'un crachat !

Mais dès que les flèches empoisonnées commencèrent à pleuvoir, les soldats furent paralysés par la peur. Pas un projectile ne parvint à atteindre le corps de Siddhārta. L'acier tournoyait sur lui-même et s'arrêtait à quelques centimètres de son visage, de son cou, des ses genoux ou de sa poitrine. Et là, chaque pointe s'ouvrait pour laisser éclore une fleur magnifique. Les troupes s'acharnèrent toute la nuit. Mais rien : les lances projetées par leurs bras se refusaient à frapper.

— Il est invincible! décréta Attavada en rappelant ses troupes.

— Éternel, je le suis pour moi-même. J'aime la vie pour la vie et non ce qui est stérile, déclara Siddhārta.

Aux premières lueurs de l'aube, il sut qu'il avait détruit la plus redoutable des armées. Il vit clairement combien la passion de la colère était misérable et inutile. La première journée passa, puis la deuxième et la troisième nuit. La lumière que diffusait le corps de Siddhārta illuminait à présent de grandes parties du ciel et les constellations s'assombrissaient devant l'éclat de sa clairvoyance.

Après l'armée d'Attavada, Siddhārta affronta les hordes de monstres aux yeux de braise. Des langues de feu cernèrent son corps durant d'interminables heures et incendièrent l'herbe sur laquelle il était assis. Mais il resta intact, parfait dans son souffle. Les êtres infernaux les plus affreux, capables même d'arracher la vie aux immortels, gisaient à présent, exténués et brûlés par leur propre fièvre destructrice, dans le jardin où poussait l'arbre de la Clairvoyance.

Si Siddhārta avait observé l'existence de la douleur au cours de la première semaine, il en découvrit la cause pendant la deuxième. Il vit toutes les existences passées, plus nombreuses que les étoiles dans le ciel, il vit les siennes, celles de tous les hommes et de toutes les créatures. Il comprit qu'aucune vie ne pouvait durer éternellement : l'ignorance de cette vérité était la cause de la douleur.

— Le nuage souffre parce qu'il est attaché à sa nature de nuage et n'accepte pas de devenir pluie. J'ai enduré cette même souffrance lorsque j'étais un grand corsaire, parce que je redoutais le jour où je ne le serai plus. Mais quel nuage reste à jamais nuage, quel corsaire ne cesse pas un jour de sillonner les mers? Accepter la vie signifie accepter la transformation et le changement, accepter d'être un jour nuage et le lendemain pluie.

— Si une cause existe, sa fin aussi : la guérison de la maladie de vivre est possible et la souffrance peut donc avoir un terme, continuait à méditer Siddhārta, éclairant de sa connaissance ses longues nuits sous l'arbre.

À la fin de la troisième semaine, un sentier qui se divisait en huit branches s'ouvrit devant le prince. Il le nomma « la voie qui conduit à l'arrêt de la souffrance ». Ses ramifications se mirent alors à grossir comme des fleuves en crue, vinrent rompre les hautes palissades de l'enceinte dressées par les bâtisseurs de Māra et soulevèrent les fondations des palais. Les blocs de marbre et les tours de plomb se brisèrent comme de fragiles écorces de bois et retombèrent au sol plus légers que des plumes.

Le royaume de Māra était détruit, Siddhārta touchait à l'Éveil. L'œil du dieu tentateur erra au-dessus des étendues de décombres. Tous les monuments, tous les remparts indestructibles avaient été réduits en poussière. Māra décida alors de jouer sa dernière carte et appela Mucalinda. Le cobra abandonna l'arbre sous lequel Siddhārta méditait et se prosterna devant le dieu.

— Donne-moi tes ordres, Māra.

— En ce jour le plus triste de notre royaume, je t'ordonne, cobra sacré, de rassembler mes trois filles, Inquiétude, Désir et Volupté, et de leur confier la tâche d'éliminer le prince.

Mucalinda rampa jusqu'à la grotte, la seule partie du royaume restée intacte, s'enroula autour d'une colonne peinte et appela les trois filles de Māra.

Désir se présenta avec une couronne d'épines autour de la poitrine. Volupté arriva couverte de voiles qu'elle agitait au rythme de sa danse. Inquiétude avait le visage de Narayani.

Les filles de Māra

Siddhārta toucha avec les yeux de l'esprit la sève molle dans le creux du tronc. Le figuier renaissait à une nouvelle vie, le doux nectar qui coulait des ruches des abeilles venait remplacer le poison dont il était gorgé. Et Siddhārta revécut la scène qui s'était jouée dans son esprit au cours de la première nuit de bataille contre Māra.

Il s'était enfoncé dans une forêt. Il marchait le long d'un sentier qui s'ouvrait au milieu des rangées d'eucalyptus. Il voyait l'air bleu, pareil à celui qui miroite sur les vagues de la mer, entrer dans ses narines et souffler dans ses poumons. Sa vue se faisait plus pure et plus claire à chacun de ses pas. Le vert intense des feuilles resplendissait comme s'il venait de surgir du brouillard. Ainsi, marchant vers la lumière, dans un paysage qui revigorait son corps et son esprit, il suivit une petite abeille dont les ailes de cristal lui indiquaient la route. Elle se posa sur une fleur. La tige oscilla un instant en un mouvement circulaire, puis, après avoir exécuté son minutieux travail, l'insecte reprit son vol et s'en alla rejoindre la ruche. D'autres abeilles l'attendaient en volant en cercle, pareilles à de petites comètes de velours. Elles se mirent à tournoyer de plus en plus vite, formant une ronde si serrée qu'on ne les distinguait plus les unes des autres. Puis le disque tourbillonna au-dessus de la tête du prince et forma une couronne de fils d'argent tressés. Siddhārta baissa la tête et la couronne s'y posa en lui enserrant le front.

La première tentation

Une main légère lui toucha alors l'épaule. Il se retourna et vit une épouse d'une grande beauté, entièrement dévêtue. Même ses cheveux ne couvraient pas sa nudité. Son visage ovale et sa tête ronde faisaient d'elle la plus attirante des créatures qu'il lui fût jamais donné de voir. Et elle se tenait là, devant lui, souriante en ce jour de fête.

— Tu es ici pour moi?

La jeune femme, intimidée, recula de quelques pas et lui tourna le dos en laissant voir la perfection de ses formes.

— Que t'arrive-t-il? J'ai dit quelque chose que je n'aurais pas dû? demanda doucement Siddhārta.

La jeune femme se mit à genoux et baissa la tête. Siddhārta comprit.

— Bien sûr, c'est pour la couronne! La voici!

Il retira sa couronne d'épines d'argent, la posa sur la tête gracieuse et s'aperçut que la parure était trop large. L'inconnue attrapa alors la couronne et l'attacha autour de sa poitrine, là où elle s'adaptait le mieux. Siddhārta fut si touché par ce geste qu'il dit à la jeune femme :

— Reste ici, je reviens avec d'autres présents. Je suis sûr de t'en trouver de très beaux, dans ma forêt.

Il se promena au milieu des eucalyptus et ramassa tout ce qui poussait au sol et dans les arbres en pensant avec émoi à son retour auprès de cette magnifique jeune fille, et au bonheur qu'il lui procurerait en lui offrant tous ces présents de la nature : des glands, des racines et des baies rouges dont il couvrirait son corps. Le bois semblait en pleine effervescence ; on eût dit qu'il voulait servir son projet. Les quatre saisons se succédèrent pour offrir les fruits d'une année entière de récolte. Lorsque l'hiver arriva, un blanc et lumineux hiver de neige, Siddhārta était déjà sur le chemin du retour. Mais un détail l'inquiéta : la neige dans laquelle il s'enfonçait lui rappelait quelque chose. Ce manteau d'un blanc pur fondait sous ses pieds et pesait sur les branches des arbres comme de la véritable neige ; et pourtant il n'éprouvait pas de sensation de froid. Il ne lui était arrivé qu'une seule fois de vivre une expérience similaire, et le souvenir de ce jour se mit à lui peser.

Siddhārta retrouva la jeune femme qui l'attendait, toujours intimidée et gracieuse. Il mit ses présents de côté et s'adressa à elle.

– Nous nous sommes déjà connus, toi et moi. Nous n'avons plus rien à nous offrir. Éloigne-toi, fille de Māra, avant qu'il ne soit trop tard, lui dit-il.

– Tard? Je ne comprends pas.

– Tu es Désir et je suis l'Éveillé. Tu es fille de la peur et je suis mon propre fils. À présent, regarde s'il n'est pas trop tard.

L'étreinte de la couronne d'épines devint insupportable. Humiliée, Désir porta les mains à sa poitrine en un geste de douleur et vit ses seins ambrés tachés de sang.

– Siddhārta, je reconnais ta force et ma défaite. Tu n'as pas cédé à ma tentation, le royaume restera détruit et l'arbre continuera à t'écouter. Je m'en vais pleurer chez mon père.

C'est ainsi que Siddhārta passa la première nuit de tentation. Une autre nuit tomba et le prince revécut la scène qui s'était déroulée dans son esprit au cours de la deuxième nuit de bataille contre Māra.

Une seule respiration l'avait transporté sur les sommets du monde. Il dominait les hauteurs de la Terre et recevait le premier air du matin et le premier du soir. Il étendit les bras et sentit que ses mains touchaient l'extrémité de la Terre. Il leva la tête et s'aperçut qu'il arrivait à toucher le soleil de ses cils. C'était lui qui provoquait ce silence et cette paix. Mais alors, qui était-il? Qu'était devenu son corps? Pourquoi pouvait-il contempler le monde comme s'il le réfléchissait en lui-même? Siddhārta n'en savait rien. Il voulait jouir de cette sensation formidable qui le faisait se sentir plus léger qu'un oiseau.

La seconde tentation

C'est alors qu'un vieillard portant une longue barbe blanche et dont les yeux reflétaient toute la sagesse du monde lui apparut.

– Nous sommes bien ici! J'ai enfin trouvé ma maison. Rien n'est mieux qu'un glacier pour finir mes jours.

– Mon bon vieillard, tu as véritablement choisi le lieu idéal. Tous n'ont pas ta chance.

Mais le vieil homme continuait à soliloquer, et nulle autre voix ne lui parvenait que la sienne. Siddhārta se rendit compte que le vieillard ne le voyait pas et ne l'entendait pas. Lorsque ce dernier, devinant que son heure avait sonné, s'allongea sur la glace, Siddhārta sentit son poids sur une partie de son corps. Alors il comprit qu'il était lui-même ce magnifique glacier. Et tous les sages de la Terre furent attirés par sa lumière céleste. Chacun d'eux vint y déposer sa dépouille mortelle avant que son âme ne monte au ciel.

Ces visites remplirent de joie le cœur de Siddhārta. Le glacier était l'eau la plus pure, la lumière la plus pure. L'entre-deux de la Terre et du Ciel, l'escalier céleste pour les âmes pieuses. Le glacier que Siddhārta était devenu était la mère de tous les hommes. Aucune autre condition ne l'aurait rendu plus éternel. Mais pourquoi ce vieillard au manteau noir, qui marchait derrière les autres, ne voulait-il plus avancer ? Avait-il peur de ne pas réussir à marcher sur la glace ? La surface du glacier ne présentait pourtant pas la moindre crevasse et la montée avait été agréable pour tous ceux qui l'avaient précédé ; des hommes bien plus faibles que lui à en juger par son aspect. Siddhārta le regarda plus attentivement et sursauta. Il était bouleversé. C'était Arada ! Comment avait-il pu ne pas comprendre ?

— Maître ! Toi aussi tu es ici ! Mais pourquoi ne te presses-tu pas, comme les autres, je suis si impatient de te serrer dans mes bras. Regarde comme ta doctrine a su m'élever !

Arada ouvrit son manteau et libéra une famille de colombes qui s'envolèrent jusqu'au sommet du glacier et s'adressèrent à Siddhārta.

— Le maître Arada nous envoie te dire qu'il est venu pour faire de toi un aveugle.

Les colombes, virevoltant autour de Siddhārta, lui cachèrent peu à peu la vue de leurs ailes.

— Maintenant que tu es aveugle, tu peux voir avec tes vrais yeux, Siddhārta. Est-ce toujours un glacier que tu vois ?

— Non, mes amies les colombes. Dites à Arada que j'ai compris.

Siddhārta regarda le figuier, Mucalinda avait disparu. Le cobra s'était enfoui dans les entrailles de la Terre et tremblait de peur.

– Je t'ai reconnue, fille de Māra. Tu es Volupté, la cadette, et tu défais les voiles qui ont terrorisé Mucalinda.

C'est alors qu'un cri provenant des plus hautes branches de l'arbre se fit entendre.

– Qui crois-tu être, Siddhārta ? Je n'abandonne pas mon nid parce que tu en aurais décidé ainsi.

Siddhārta fit venir sur ses lèvres les vents du glacier qu'il avait été et souffla sur Volupté. Les mousselines qui couvraient le visage de la jeune fille assise au sommet de l'arbre se soulevèrent. Elle se retrouva entièrement nue et montra son vrai visage. Puis elle descendit de l'arbre, s'inclina devant Siddhārta et lui baisa les pieds en signe de dévotion.

– Siddhārta, je reconnais ta force et ma défaite. Tu n'as pas cédé à ma tentation, le royaume restera en ruine et l'arbre continuera à t'écouter. Je m'en vais pleurer chez mon père, le dieu Māra.

C'est ainsi que Siddhārta passa la deuxième nuit de tentation. Une autre nuit descendit et le prince revécut la scène qui s'était déroulée dans son esprit au cours de la troisième nuit de bataille contre Māra.

Lorsque la troisième fille de Māra se présenta à lui, Siddhārta dut abandonner l'arbre. Inquiétude était fort belle ; elle avait le visage de ses mille vies.

Les îles de Narayani

Narayani n'avait pas dit un mot. D'un signe de la tête, elle fit s'éloigner le prince de l'arbre de l'Éveil. Elle était encore plus belle dans la réalité que dans ses rêves, mais de quelle réalité s'agissait-il ? Devant elle, Siddhārta effaça toutes ses vies, y compris celle qu'il avait vécue jusqu'alors. Il avait remonté le cours du fleuve universel pour accoster une ère primitive. Il lui semblait assister à la naissance du monde.

Inquiétude était l'amante éternelle, on ne pouvait lui refuser ce qu'il était facile de refuser aux autres. L'ascète avait sombré dans l'oubli, ses vêtements étaient tombés et il s'était retrouvé dans la simplicité nue de l'homme.

Narayani, fille de Māra, aimait désespérément la vie, elle l'avait rencontrée pour la première fois dans les yeux et le sourire de Siddhārta.

— Je croyais être tombée amoureuse d'un homme mortel. Mais il m'a suffi de te voir cette première fois pour comprendre qu'il n'y a pas d'homme qui n'ait été un dieu.

Puis elle entonna une petite chanson, qu'elle répéta à plusieurs reprises. Sa voix vibrait comme la corde pincée d'un instrument, pareille à une douce obsession. Narayani chantait pour lui, pour Siddhārta, en ce jour de fête. La chaleur envahit le corps de l'ascète. Envoûtante, Narayani se mit à occuper chacune de ses pensées. Elle était habillée de rouge, telle une épouse, et son buste se gonflait à chaque éclat de rire, à chaque élan de joie. Que de sensualité chez cette mère, cette femme et cette reine ! De la main, elle lui indiqua l'autre rive du fleuve.

— Où me conduis-tu? demanda Siddhārta. Quel est ce coin désert que tu veux me montrer? Y sommes-nous déjà allés?

— Nous sommes allés partout ensemble, mais pas là-bas. Viens, tu seras surpris.

Maintenant qu'il était loin, l'arbre attendait en tremblant le retour de l'Éveillé. Ses jeunes feuilles commençaient à jaunir, les bourgeons avaient cessé de grossir, comme s'ils craignaient que le poison ne se remette à imprégner sa sève.

Siddhārta et Narayani empruntèrent le sentier qui conduisait hors du royaume, marchant au même rythme. Ils franchirent les limites d'Uruvela et se retrouvèrent complètement seuls. Ils regardèrent vers le ciel et virent que même les oiseaux ne les avaient pas accompagnés. Une immense plaine s'étendait devant eux. Ils avancèrent encore. Le paysage changea. Un littoral rocailleux chargé d'une brume marine apparut à l'horizon. Plus ils avançaient et plus la distance qui les séparait de la plage leur semblait infinie. Mais l'essentiel pour eux était de rester unis, tant le besoin qu'ils avaient l'un de l'autre était intense.

— Où nous rendons-nous? demandait Siddhārta.

Silence.

— Quelles vérités as-tu énoncées sous l'arbre? demandait Narayani.

Silence.

D'éternels moments d'amour s'écoulaient entre la question et le silence. Mais également de peur et de nausée. Sans en connaître la raison, Siddhārta changea de direction, il n'allait plus vers la mer. Narayani le suivit. Ils s'assirent dans le pré. Elle allongea les jambes et l'invita à sentir la tiédeur de sa peau. Siddhārta remarqua l'étrange dessin que formaient ses veines à l'endroit où son dos se courbait harmonieusement vers ses reins. On eût dit que les fines veinules bleues, sous sa peau ambrée, restaient suspendues et se brisaient avant de se rejoindre le long de son corps gracieux. La rencontre de leurs regards avait arrêté le temps. Siddhārta avait avancé sa main jusqu'à effleurer le pubis délicat de Narayani et elle avait longuement contemplé la nudité de son amant. Après ces longs moments, leurs corps s'éloignèrent. Narayani se rendit compte qu'ils s'étaient trop attardés.

— Nous allons être en retard. Nous devons arriver à temps, cette fois-ci.

Siddhārta se remit à la suivre tandis qu'elle continuait à indiquer l'horizon rocheux qui s'ouvrait sur l'immensité de la mer.

— Nous arriverons à temps. Mais pourquoi, Narayani ?

— Nous devons atteindre la plage avant que la barque ne parte sans nous.

Et les voilà arrivés, et voilà les vagues se brisant sur l'embarcadère, déposant sur les rochers des miroirs opaques de sel. Une barque solitaire était amarrée, ses rames relevées. Siddhārta et Narayani étaient prêts à partir, ils se sentaient comme deux parties indivisibles d'un tout. La fille de Māra parla la première.

— Lorsque nous sommes ensemble, toi et moi, nous formons comme un dieu unique.

Elle avait conduit Siddhārta sur cette plage où le vent hurlait à nouveau et où la mer commençait à se soulever, et ce n'était pas par hasard qu'elle avait attendu ce lieu pour prononcer ces mots. Un tremblement avait agité ses lèvres lorsqu'elle avait dit « dieu ». Siddhārta avait fait semblant de ne pas s'en apercevoir, bien que le créateur de cette plage, de ces terres émergeant des abîmes de la mer et de leurs charmantes habitantes vînt de se manifester. Et il l'avait cherché, ce faux dieu, hors de lui-même et en lui-même, le long de chaque sentier et du haut de sommets vertigineux ! Cependant, il ne fit pas part de la découverte de la vérité à son amante. Il ne voulait pas troubler son bonheur. Il évita de lui avouer qu'il avait compris, désormais, qui leur avait fait trouver cette barque amarrée à l'embarcadère. Siddhārta ne parla pas à Narayani du Magicien au manteau, il se contenta de dire :

— C'est un récif magnifique ! Et ces îles sont plus belles encore, et ces princesses charmantes.

— Tu les vois aussi, Siddhārta ? lui demanda-t-elle, incrédule.

— Que pourrait-on voir d'autre, d'ici, que ces îles et leurs princesses ?

— C'est précisément là-bas que je veux te conduire. Embarquons-nous tout de suite !

— J'ai hâte de m'y rendre, mentit Siddhārta.

Ils se prirent par la main, montèrent sur la barque et se mirent à ramer. La mer avait grossi. Ils avaient le vent en poupe. Un vent d'été soufflait et les embruns qui éclaboussaient la coque séchaient aussitôt, laissant des traînées blanches sur le bois sombre. Tout était si réel que Siddhārta, durant un instant, loua l'œuvre du Magicien. Puis il eut un doute et s'aperçut qu'aucun poisson ne peuplait cette mer. Il n'en souffla mot à Narayani, toute à l'histoire des îles et des princesses.

— Tu verras, lui expliquait-elle, elles nous accueilleront comme un roi et sa reine ! Nous vivrons heureux sur ces terres et personne ne viendra nous en chasser.

Narayani ne se lassait pas d'exalter la beauté de ces lieux et la tranquillité qu'ils y trouveraient. Elle promettait à son amant tous les délices et rêvait d'un amour qui ne connaîtrait jamais de fin. Siddhārta ne craignait pas le manque de sincérité de ses sentiments, mais quelque chose de bien plus sombre et triste.

Sa crainte se vérifia bien vite. Dès que la barque eut atteint la côte, la direction du vent changea brutalement. La marée se retira et les deux amants se retrouvèrent suspendus dans le vide. Puis, tout à coup, la quille se brisa contre un écueil. Les planches de bois, entraînées par le ressac, craquaient et flottaient à côté d'eux. Debout sur les récifs, Siddhārta et Narayani regardaient les restes de la barque et les rives rocheuses et arides sur lesquelles ils avaient accosté après leur longue traversée.

— Ce que nous voyons serait les îles ?

C'étaient de noirs écueils que même les algues désertaient. Il n'y avait pas âme qui vive sur ses cailloux durs et tranchants, et aucune trace des princesses. Dans ce paysage de mort, Narayani, la fille de Māra, ne pouvait plus continuer de faire semblant. Elle avait toujours haï ces terres maudites ! Elle détestait les mirages et les illusions qu'elles pouvaient susciter chez ceux qui les regardaient de loin. La vérité était affreuse et c'était pour cela qu'il fallait toujours la cacher. Le masque était tombé. Il ne lui restait plus qu'à s'incliner devant Siddhārta, devant son amant, et à implorer son pardon.

En proie au désespoir, elle s'abattit sur la terre nue, y cogna sa tête à plusieurs reprises et racla ses ongles contre la roche jusqu'au sang. Une fureur démoniaque s'était emparée d'elle, lui tourmentait la poitrine et la rendait folle.

— Je ne peux pas ! Je ne peux pas continuer à te trahir, Siddhārta. Tout ce qui nous entoure n'est qu'illusion : ce lieu devait devenir ta tombe et c'est moi qui devais te tuer. Mais j'ai échoué, je n'arriverai jamais à enfoncer ce poignard dans ton dos. Qui suis-je ? hurla-t-elle. Aide-moi, je t'en prie, fais que je reste la mère de Svasti, permets-moi de te donner tout mon amour ! Aide-moi, mon amour ! Brise l'enchantement de Māra, qui fait de moi sa fille et son esclave. Tu as sauvé l'âme de Svasti. Je t'en prie, sauve aussi la mienne !

La lame effleura le visage de Siddhārta, mais celui-ci attrapa le poignet de la jeune femme.

— Narayani, libère-toi de cette arme aussi vite que tu le pourras. Elle porte en elle une histoire tragique, une histoire de haine et de mort. La pauvre Clair de Lune pense encore qu'il s'agit d'un couteau à pain. C'est ainsi qu'elle l'appelle quand elle parle du triste soir où cette arme maudite lui prit son père et sa mère. Et tu le sais, puisque toi aussi tu étais présente. Combien ont cru et croient encore à l'histoire de Clair de Lune ! Seul Svasti, ton fils, n'y croit pas... Il n'a jamais cru au couteau à pain, il connaissait trop bien celui qui a forgé cette lame, celui qui a transformé la douleur en un grain de sable et qu'il a caché parmi les magnifiques perles du collier pour que les hommes puissent continuer de feindre de ne pas le voir. Svasti savait que les îles n'existaient pas, pas plus que les princesses, et qu'il n'y avait là que la pierre dure et tranchante. Mais il s'est trompé en me demandant de le tuer avec ce couteau, car ce n'est que lorsqu'on découvre la vérité que la nouvelle vie, une vie libérée des illusions de Māra, peut commencer.

On entendit alors le grondement d'un volcan en éruption, suivi d'un long silence. Puis la terre, de nouveau, se métamorphosa. L'arbre était revenu, Siddhārta y était assis dans sa position habituelle, recueilli et inondé de lumière. Son esprit avait obtenu l'Éveil.

L'arbre des Quatre Vérités

L'univers roula huit fois sur lui-même. C'étaient les huit cercles de l'octuple sentier, la voie par laquelle on rejoint le Nirvāna, la libération du triple feu de l'avidité, de la haine et de l'ignorance. Les hommes et les divinités, les titans et les animaux, les esprits et les enfers se mirent à tournoyer. C'était la roue qui brillait d'une lumière céleste sur le pied du Bouddha, l'Éveillé.

Les éclairs brillèrent durant quelques instants sur la lame du poignard que brandissait la fille de Māra, née du feu de l'illusion et des vents invisibles. Puis Narayani entra dans la grotte et se mit à respirer comme une bête furieuse. Son ombre, immense et effrayante, s'allongeait partout sur les parois humides de la roche. Mais plus terrible encore était le regard de flammes qui se posa sur elle.

— Tu es revenue, sale putain !

En allant à sa rencontre, Dronodana se souvint d'une ourse sanguinaire dont il avait capturé le petit durant le sombre hiver de la cité des Serpents. À côté du rajah, Lawanja sanglotait.

— Tu as échoué, tu t'es montrée incapable. Un maudit agneau qui essaie de dévorer un loup... Bah ! Quelle tristesse ! Quand je pense que nous avions placé en toi nos derniers espoirs, nous croyions que tu réussirais, toi, à éloigner à jamais Siddhārta de l'arbre de l'Éveil et des îles ensorcelées.

Lawanja hochait la tête en silence. Une force inconnue la retenait : il n'aurait servi à rien de conseiller au rajah de se taire et de l'avertir de la menace qui pesait sur lui. La lame du poignard qui aurait dû servir à égorger Svasti brillait dans la main de Narayani. Son ange, son petit Svasti, qui était devenu fort et beau à présent, et dont la seule faute avait été de vouloir se conformer à l'amer héritage qu'il sentait couler dans ses veines, avait compris ce qu'elle avait cherché à lui cacher à tout prix. Il savait qu'il était un enfant du mal, il savait qu'il porterait toujours ce fardeau en lui, comme les marques sur sa peau.

– Mais tout est fini à présent, mon petit ! Tu n'auras plus à avoir honte de moi. Tu n'auras pas à te punir parce que ta mère est une fille de Māra. D'ici peu, moi, Narayani, je ne serai plus ta mère.

Lawanja, terrorisée, écarquillait les yeux. Impuissante, elle assistait à la fin atroce et misérable du rajah Dronodana.

– Si je suis une sale putain, tu sais ce que tu es ?

– Dis-le-lui ! hurla Lawanja de sa voix étouffée.

Le rajah de la cité des Serpents et du nouveau royaume de l'arbre des Quatre Vérités ne disait mot. Une grimace de mépris tordait son visage. L'esprit ahuri, il refusait de reconnaître dans cette femme son assassin.

Narayani proféra sa condamnation de sa voix forte et claire.

– Dronodana, tu es un père maléfique !

Le corps gras et perlé de sueur du rajah était fatigué pour se soustraire à l'assaut. Narayani se concentra sur les pouvoirs émanant de cette part d'elle-même qui s'était consumée en enfer et porta à la nuque de son tortionnaire un coup sourd et mortel.

– Maudit serviteur de Māra ! Voici ta fin venue.

La lame traversa la tête de Dronodana en cinq points meurtriers, lui creva les yeux, lui trancha la langue et se couvrit de son sang ainsi que de ses humeurs visqueuses et répugnantes. Quel autre visage aurait pu avoir la mort d'un homme infâme, pourri jusqu'à l'os ?

Le poing de Narayani, serré sur l'arme, ne trembla pas un seul instant tant elle était convaincue de la justice de cet assassinat. Elle devait extirper à la racine ce venin qui, au cours des innombrables existences de soif et d'avidité, s'était niché dans les cellules et les entrailles de l'infernal rajah.

– Il est mort, Lawanja, dit-elle en levant les yeux vers la jeune fille qui la regardait de son visage couvert de larmes. Tu es libre. Moi aussi je suis libre, je ne suis plus la fille du dieu du Mal.

Une étrange sérénité colora les yeux de Lawanja. Devant le regard abasourdi de Narayani, la jeune femme entrouvrit les lèvres et laissa sa langue horrible et démesurée s'enrouler comme une corde écarlate autour de son cou. Narayani, triste, préféra lui tourner le dos : la fin de Lawanja était depuis longtemps inscrite dans la vie dévastée qu'elle avait menée. Elle la regarda une dernière fois. Lawanja agonisait déjà, étranglée par son instrument de mort.

Épuisée par la violence de tout ce qui s'était passé, Narayani retira ses vêtements ensanglantés et se coucha dans la niche glacée de la grotte. Elle avait conquis la seule identité qu'elle estimait digne d'être vécue : elle était la mère de Svasti et la femme qui aimait Siddhārta. Elle étendit son corps mince et nu sur le côté et s'endormit, dans l'attente de la saison nouvelle. Un jour, le vent chaud de l'été viendrait frapper à sa porte et la réveillerait.

La peau ambrée de Narayani gisait retenue dans la gorge de pierre comme une perle de nacre dans son coquillage. Personne ne la verrait, personne ne la toucherait. Pour que sa véritable beauté puisse réapparaître, il lui fallait longtemps protéger ce sommeil. Siddhārta, qui, à l'ombre du figuier, avait obtenu son ultime victoire sur Māra, parvenait à entendre la respiration délicate et lente de cette femme épuisée.

– Dors, Narayani. Prépare-toi à sortir de cette coquille, lorsque le temps sera venu.

Siddhārta avait pris la forme des parois de la grotte ; là, comme dans tout autre lieu de l'univers, résidait son esprit, protégeant quiconque désirait connaître la voie des Quatre Vérités. Le Bouddha sentait en lui les battements du cœur de cette femme. Il n'avait pas besoin de tendre la main pour effleurer son corps et ses cheveux défaits dans l'obscurité. Mais c'est parce qu'il était véritablement proche d'elle que Siddhārta vit le sang. Il reconnut la violence et l'angoisse de Māra qui coulaient encore en lui.

Pendant huit semaines, Siddhārta se purifia l'esprit des résidus du Mal. Il médita jour et nuit dans la lumière parfaite. Il pénétra la nature vide des choses, franchit toutes les barrières mentales et connut la pensée de chaque être. Il accepta la vie comme la mort, le Bien comme le Mal. Au terme de la huitième semaine, ses prières avaient traversé les océans et les déserts et rejoint les sphères des royaumes célestes. Le vide de son esprit s'éleva tel un chant et la Terre elle-même en fut bouleversée.

Alors, aussi légèrement qu'un bruissement dans l'herbe, l'air commença à se transformer. Siddhārta, assis dans la position du lotus, ses sept chakras parfaitement alignés, avec l'énergie qui meut les astres, étendit ses bras le long de son corps et enfonça ses mains dans l'argile pour y laisser leur empreinte, près des racines du figuier. Des nuages denses et chargés de pluie étaient descendus sur les collines et avaient obscurci l'horizon.

Le déluge éclata dans un tourbillon de vent et inonda la Terre, que Māra avait élue pour affronter l'Illuminé. Effrayés, les animaux s'enfuirent à la recherche d'un abri loin de la plaine, les oiseaux migrèrent par volées vers d'autres hémisphères et les poissons se réfugièrent dans les crevasses au fond des mers où ils se tinrent immobiles, attendant que les eaux se calment. La pluie s'infiltra jusqu'au centre de la Terre, jusqu'en enfer, au point que les monstres aux yeux de braise et les dragons hérissés de flammes furent contraints d'enfouir leurs carcasses dans les tréfonds de l'océan. La défaite de Māra était totale. Il plut pour éteindre le désir aveugle du Soi de ceux qui en étaient possédés, pour étancher la soif de ceux qui en étaient privés. Il continua de pleuvoir jusqu'à ce que la Terre fût entièrement lavée du sang de Dronodana.

La pluie fit rage durant sept longs jours. Siddhārta était le seul homme à ne pas posséder de cabane ou de toit sous lequel s'abriter. Les bourrasques de vent et le déluge tailladaient sa peau et exténuaient ce corps qui n'avait pas dormi. Mais lorsque la septième lune se montra, Siddhārta sut qu'il avait pénétré à jamais le mystère de la Connaissance. C'était sa dernière veillée.

La tête majestueuse et sacrée d'un cobra surgit du sol inondé, puis l'animal enroula ses sept anneaux autour du corps de l'Éveillé et déploya sa large collerette pour se protéger des intempéries. C'était Mucalinda. Une image magnifique et somptueuse. Une vision d'une beauté insoutenable qui, par chance, était refusée aux humains.

Je suis avec toi, cobra dans la forêt.
Mucalinda est ton nom et de ta sombre demeure
Tu connais seul le secret.
De sept volutes tu enrouleras dans tes anneaux
Le corps de l'Illuminé, mais le septième jour,
Lorsque la tempête se dissipera,
Tu relâcheras ton étreinte autour du Bouddha.

Le Mal avait capitulé et s'était changé en Bien. Depuis sa sombre demeure, Mucalinda avait entendu le grondement de la pluie, et il s'était dressé pour protéger Siddhārta, celui qui l'avait libéré d'un esclavage éternel. La tête du serpent abritait une paix suprême.

Un vent glacial, intempestif en cette saison, se mit à souffler. Siddhārta resta en état de méditation sept jours de plus, protégé par le corps démesuré de Mucalinda. Le septième jour, la tempête se dissipa. Le cobra défit ses anneaux et disparut soudain. À sa place, les mains jointes pour la prière, un noble enfant courba le front.

— Béni soit le Sauveur du monde ! salua le céleste adolescent, le premier être à recevoir la bénédiction du Bouddha et à voir son sourire.

DEUXIÈME LIVRE

La fureur de Māra

MERCURE : À qui appartiens-tu ?
SOSIE : À Amphitryon, je te dis : je
suis Sosie.

PLAUTE, *Amphitryon*

PREMIÈRE PARTIE

Dans les bras de Yama

Le noir abîme dans lequel Dronodana s'enfonçait n'avait rien de rassurant. Jamais il n'avait eu aussi peur. Il était mort, se voyait mort, voulait bouger les jambes et ne le pouvait pas, tourner la tête et ne le pouvait pas. On eût dit que son âme avait signé un pacte indissoluble avec le centre de la Terre vers lequel il plongeait. Et rien ne pouvait le soustraire à la chute. La gueule béante du dragon, logeant dans les enfers, occupait chacune des pensées du souverain, et c'est au fond de cette gorge qu'il disparaîtrait à jamais.

Quarante-six jours avaient passé depuis que Narayani, la putain, lui avait planté un poignard dans la poitrine et que le puissant rajah, qui s'était réfugié avec elle dans la grotte de Māra, s'était écroulé. Yama, le prince de la Mort, demanderait bientôt des comptes à ce vieux pécheur.

Mais combien de temps encore devait durer l'attente? Le grondement du tonnerre n'était-il pas déjà assez assourdissant? Le dragon de la mort ne crachait-il pas sans cesse son énorme langue écailleuse? Lui faudrait-il attendre encore avant que l'effrayante tempête ne s'empare de l'être de Dronodana? Sa nouvelle vie ne serait décidée qu'en cet instant : la prison future ouvrirait ses portes et il serait permis au souverain de prendre une nouvelle forme. Une forme qui, cette fois, ne serait certainement pas humaine.

Dronodana était en train de renaître en enfer.

Narayani était là. Le rajah la voyait aller et venir. Mais elle n'était pas là pour veiller sur lui. La dépouille de l'homme qu'elle avait assassiné et dont le visage immobile venait s'ajouter au décor macabre de la caverne n'était plus qu'une présence inutile pour elle. Le corps de cet homme qui l'avait violée, de ce bourreau, n'était qu'un amas de chair blanche et putride. Le regard d'acier et de sang qui l'avait si souvent menacée avait disparu, et ses yeux aveugles, devenus le nid douillet des vers, la laissaient indifférente.

Narayani ne pouvait pas savoir que tout cela n'était pas vrai. Elle ignorait le craquement des os et le souffle envahissant du karma et préférait continuer de croire que ce qui arrive aux morts ne concerne plus les vivants. Jamais elle ne se serait imaginé que Dronodana était encore là et pouvait l'observer. Or le défunt suivait chacun de ses déplacements et de ses gestes. Il la voyait serrer sa jupe sur ses flancs longilignes ou recouvrir ses cuisses nues d'un morceau de tissu raccommodé, et tout cela l'excitait. Mais il patientait comme patiente celui qui attend un nouveau corps.

Les compliments obscènes que le rajah adressait en hurlant à la traîtresse venaient buter contre les murs invisibles et immenses séparant le monde des vivants de celui des défunts au-dessus desquels tournoyaient les corbeaux, gardiens des morts. Narayani, dans toute sa beauté et dans sa grâce infinie, prêtait parfois l'oreille à un bruit étrange, un sinistre mouvement d'air, mais ce n'était certainement pas pour répondre aux invitations de Dronodana.

— Toi qui es vivante, criait Dronodana, si seulement tu avais prêté attention à ta véritable nature ! Si, au lieu de nier ton tempérament indompté et fier, en le soumettant à de vulgaires sentiments de femme, tu avais continué à révérer Māra ! Stupide Narayani ! Sois mille fois damnée ! Tourner le dos aux flammes du formidable incendie du Mal pour tomber amoureuse d'un beau visage ! Qu'est-ce que Siddhārta pourrait représenter pour toi, fille de Māra, si ce n'est un petit homme avec ses petites luttes de mortel, et qui, pour si peu, se croit plus fort qu'un dieu ?

Retenu sur le seuil de la mort, Dronodana se sentait infiniment bon face à celle qui avait été sa meurtrière, et il entendait le lui montrer. Il aurait voulu lui dire combien de folies et de douleurs l'attendaient dans le monde des morts. Suivre Siddhārta ne serait pas suffisant pour laver ce sang qu'elle avait souillé durant ses vies passées.

— Pauvre Narayani, pauvre enfant crédule ! Tu as choisi Siddhārta et tu m'as tué ! Le sang, femme, ne meurt pas avec le corps, tout comme l'air que contiennent tes poumons ! lui hurlait Dronodana, muet derrière ce mur infranchissable. Tu emmèneras dans ta tombe tout ce que tu as toujours détesté. La mort n'a rien d'un repos ! Mille portes s'ouvrent avec elle sous nos yeux, nos visages viennent se refléter dans des centaines de miroirs et les choix qui s'ouvrent alors à nous sont bien plus nombreux que ceux qui te sont offerts durant la vie. Et il est bien plus aisé de se tromper ! Ici, ma Narayani, toute erreur se paie.

Mais il était bien insensé et inutile de parler à cette gracieuse silhouette qui se dessinait sous la lumière du jour ! Combien d'yeux pour la voir sans être vus d'elle et d'oreilles pour entendre ses pleurs sans pouvoir la consoler...

C'est alors que la tête du dragon surgit des abîmes sombres et boueux. Sa gueule énorme craqua en s'ouvrant et Dronodana comprit que son dernier jour dans les limbes du Seigneur de la mort était venu. C'était le quarante-septième jour de sa passion.

Le complice de Sujata

Ils étaient deux, unis par les battements de leurs cœurs et par une obscurité qui semblait sans fin. Bien des jours auparavant, ils s'étaient glissés dans cette cachette absurde. Svasti et Sujata voulaient oublier, le souvenir de ce qu'ils avaient vu et enduré était insupportable. Le jeune homme, obsédé, n'en finissait pas de raconter à sa compagne les derniers événements auxquels il avait assisté : d'abord Lawanja, puis Siddhārta tenant un poignard dans sa main sous l'arbre des Quatre Vérités, enfin l'histoire des petits prêtres, ses frères d'infortune... Et les mots coulaient de la bouche de Svasti en un flot ininterrompu.

La peur de Sujata s'était lentement mise à croître. Le trou étroit par lequel ils s'étaient infiltrés leur avait semblé idéal pour se serrer dans les bras l'un de l'autre et souffler un peu. Mais une chose étrange s'était passée. Svasti ne s'était pas calmé, il avait continué à l'entraîner dans les profondeurs de cet interminable souterrain. Où étaient-ils arrivés ? Qui avait creusé cette galerie, puis cette autre, et cette autre encore ?

Avec sa façon de tout faire très vite, Svasti lui avait donné l'impression qu'il savait où commençaient et où finissaient les couloirs. Mais ils avaient fini par se trouver pris au piège, tout au fond. Seuls.

Lorsque la terre humide et la pluie battante qu'elle percevait encore la faisaient trembler, Sujata allait se réfugier dans les bras de Svasti et se laissait envelopper par la chaleur de son aimé. Elle l'aimait parce qu'elle n'avait que lui, et il l'aimait parce qu'elle était la seule par qui il se sentait accepté.

Au cours du premier jour, ils avaient dû s'habituer à l'obscurité, et Sujata s'était aperçue que Svasti montrait une adresse particulière pour se déplacer et pour lui procurer tout ce dont elle avait besoin. Mais la situation se détériora rapidement. Les jambes de Svasti se mirent à trembler et son corps se couvrit de sueurs étranges. Il commença à avoir de la fièvre et à délirer. La jeune fille ne savait plus quoi faire.

Elle s'occupa de lui pendant des jours et des jours, lui donnant un peu d'eau ou certaines mousses qu'il lui avait appris à reconnaître. De temps à autre, elle le déshabillait et le lavait soigneusement pour le libérer des bouffées de chaleur dont il se plaignait en permanence.

Mais on eût dit que Svasti avait perdu la raison. Plongé dans son délire, il semblait avoir pris une décision irrévocable. Il disait que le sourd et lent mouvement des rivières souterraines était sur le point de s'arrêter, que la chaude brise de la mort arriverait bientôt, qu'ils s'agripperaient alors aux parois de la crevasse et, avec une force nouvelle, remonteraient à la surface pour admirer les corps et les visages de leur nouvelle existence.

— Svasti, murmura Sujata, tu m'entends encore ? Je sens la chaleur de ton corps contre le mien, mais tu me sembles si loin...

Sujata ne pouvait croire que la mort allait venir. Svasti insistait.

— Ce n'est pas le moment de plaisanter, Sujata. Tends plutôt l'oreille, toi aussi. Tu n'entends pas ?

— Mais qu'est-ce que je devrais entendre ? Nous sommes sourds à présent.

— La pluie s'est arrêtée. C'est comme je te l'avais dit : une nouvelle vie nous attend.

— Alors, le moment est venu de sortir ! s'enthousiasma la jeune fille.

— Pas encore. La réalité n'est pas prête. Nos nouveaux yeux, nos mains et nos pieds n'ont pas encore rempli tout l'espace qui leur a été offert. Nous devons attendre le signal, mais je suis certain qu'il viendra bientôt.

— Svasti, tu ne peux pas croire à tout ça ! se lamenta Sujata.

Mais le jeune homme était certain de ne pas se tromper. Dans son délire, il était resté à l'affût du moindre bruit, et le plus petit changement, l'apparition du plus léger courant d'air ne lui auraient pas échappé. Puis ses forces commencèrent à s'amenuiser.

Alors Sujata le chargea sur ses épaules, plaça ses mains sur l'une des parois glissantes et, dans un effort surhumain, commença à remonter vers la surface en calant ses pieds contre les moindres aspérités. Mais, après avoir parcouru quelques mètres, ses chevilles ne la soutinrent plus. Elle chercha à s'aider de ses bras en s'agrippant à des mottes de terre qui finirent par lui tomber dans les yeux. Le corps de Svasti, à moitié nu, lui échappa à cinq reprises et à cinq reprises elle le remit sur son dos.

Sa tentative se révéla, hélas, sans espoir. Épuisée, Sujata finit par renoncer et s'endormit sur le sol en serrant son amour contre son cœur.

Lorsqu'elle se réveilla, écarquillant les yeux après plusieurs heures d'un lourd sommeil, elle s'aperçut que l'obscurité n'était plus totale : une faible lueur éclairait une partie du tunnel. La sortie ! C'était la sortie ! Sujata s'en était approchée pendant la nuit, c'est pour cette raison qu'elle ne l'avait pas vue. Mais elle la voyait, à présent, et ils pourraient sortir !

C'est alors qu'elle aperçut une forme qui se déplaçait, au loin, dans le contre-jour. Suivi d'un petit bruit, puis d'un autre. Des bruits de pas. Une silhouette se dessina dans la pénombre.

Une chienne au ventre gonflé, au museau humide et aux yeux brillants se tenait devant elle, ahurie. La bête était enceinte.

La caverne

Narayani vivait en présence de deux cadavres. Celui de Dronodana d'abord. Après lui avoir assené le coup de poignard mortel, elle avait soulevé le corps sans vie du rajah pour l'attacher à un licou qui pendait sur l'une des parois de la grotte. Lorsqu'elle regardait son visage blême, obscène et impuissant, il lui semblait voir l'étendard macabre d'un passé d'infamie. Mais la dépouille de Dronodana était également porteuse d'un sens plus profond : elle était le gage de l'amour qu'elle avait juré à Siddhārta. Narayani avait été rejetée comme amante et savait qu'elle ne reverrait jamais plus Siddhārta, si ce n'est le jour où ce dernier le désirerait.

Elle crut alors entendre un faible bruit. Elle se retourna, s'attendant à surprendre la course d'un rat curieux. Elle ne vit que les ombres immobiles des rochers.

Mais peu de temps s'écoula avant qu'un autre mouvement rapide, aérien, ne la fasse se raidir. Puis un autre souffle d'air l'atteignit, comme si elle s'était brusquement retrouvée sur le pont d'un navire. Effrayée, elle regarda devant elle, les yeux fixes : il n'y avait certes pas de bateau et aucun vent qui n'en gonflât les voiles.

Elle chercha à recouvrer son calme et décida d'aller explorer l'autre partie de la grotte. Elle se traîna jusqu'à l'entrée d'un étroit tunnel qui débouchait sur une seconde pièce dont la forme carrée était si parfaite que l'on eût pu croire, si elle ne s'était pas trouvée aussi éloignée du monde des hommes, qu'elle avait été taillée pour servir de temple.

C'était dans cette tombe improvisée que Narayani avait traîné le second cadavre, celui de Lawanja, la damnée, afin de tenir l'odeur de mort à l'écart. Les lèvres livides de la concubine rappelaient à Narayani son dernier râle. Un mystère se cachait dans ses paroles douloureuses que la mort avait interrompues.

« Siddhārta, prince des magiciens, et Narayani, reine de la douleur, attendez-le : il est sur le point d'arriver ! Il n'est plus père, à présent, mais fils. »

Qui était cet homme ? Et pourquoi Lawanja avait-elle suscité tant de peur chez Narayani qu'elle était allée cacher son corps en un lieu secret, plus enfoui que celui de Dronodana ?

Le souffle chaud qui avait soulevé ses vêtements un instant auparavant semblait provenir de la dépouille de Lawanja. Narayani s'en approcha prudemment pour s'assurer qu'elle se trompait. Elle passa une main sur le front glacial de la morte et croisa son regard vide et terrifié. Non, Lawanja n'avait plus rien à lui dire.

Narayani cherchait à se convaincre qu'elle était différente de Lawanja. Et elle l'était, puisqu'elle avait résisté, puisqu'elle avait réussi à vaincre sa nature de fille du dieu du Mal, puisqu'elle avait cru en Siddhārta.

Mais, si ce n'était Lawanja, qui avait émis ce souffle chaud et fort ? Que se passait-il autour d'elle ?

Narayani se glissa à l'intérieur de la galerie pour retourner dans la tombe de Dronodana. Elle eut l'impression de voir un sourire se dessiner sur la bouche du défunt, lorsqu'un rocher s'écroula en produisant le craquement sec d'un tronc qui s'abat.

Ce n'était pas Dronodana qui lui souriait, mais un étranger.

Prière pour le défunt

L'air avait été soulevé par le nouvel arrivant. Il s'appelait Ananda et prétendait pouvoir agir sur la matière par la seule force de son esprit, déplacer les objets d'une simple respiration et faire se mouvoir les vents. Ses facultés, expliqua-t-il encore à Narayani, s'étaient affinées au cours des ans, grâce à un long apprentissage des techniques de langage des morts.

— Un souffle... un simple souffle te permet de faire tant de choses?

— Un simple souffle, je t'assure, répéta Ananda. Ma respiration a provoqué la chute du rocher qui s'est écrasé tout près de toi. Mais, à présent, regarde là-haut. Admire le ciel opalescent qu'il t'est permis de voir. Il fait nuit, aucun nuage ne vient cacher les étoiles. L'aube est proche. Vois-tu aussi ces éclaircies de couleur mauve?

— C'est vraiment étrange! reconnut Narayani. J'aurais juré qu'au dehors la nuit était descendue pour toujours.

Ananda, contrairement à ce qu'elle s'imaginait d'un homme qui pratiquait le métier de serviteur des morts, était jeune, avait le teint hâlé et les épaules larges.

— Comment as-tu fait pour entrer? Personne ne s'enfoncerait dans un lieu comme celui-ci, dont le moindre recoin empeste la mort.

— J'imagine que pour toi, Narayani, c'est la première fois. Tu n'as pas d'expérience avec les morts, sans quoi tu aurais déjà compris qui je suis et quelle est ma fonction. Les personnes de mon genre sont reconnues de loin, lui avoua Ananda. Les gens fuient à la vue de ma tunique décolorée et de ma respiration profonde, pareille à celle d'un vieillard essoufflé. Je vis sur Terre et m'occupe des morts, et ce serait un tort que de m'attribuer des pouvoirs surnaturels. Quoi de plus naturel qu'un homme mort ? Voilà des jours que je t'observe. Dans ta solitude, tu veilles sur le cadavre de cet homme, tu ne dors presque jamais, tu prends soin de ton corps et tu te prépares à sortir d'ici.

— Tu ne sais pas de quoi tu parles. Cet homme allait me détruire. C'est le père de mon fils.

Ananda prit un caillou dans sa main et dessina une grande croix par terre. Il se baissa jusqu'à ce que son oreille touche le sol et écouta durant quelques instants le bouillonnement lointain d'une rivière souterraine.

— Maintenant que les villes, les campagnes et les prairies parsèment la Terre, ce qui coule sous nos pieds n'est pas plus grand qu'un quelconque affluent. Mais autrefois, au commencement de l'univers, ce fleuve de feu descendait de la montagne en défiant le soleil de sa lumière et de sa chaleur. C'est là-bas que nagent, durant un certain nombre de lunes, les esprits de ceux qui attendent leur réincarnation. Le mort, en voyant cette lumière, invoque et craint la langue du dragon qui gît dans les entrailles de la Terre.

Puis Ananda s'approcha de Dronodana. Lorsqu'il se trouva tout près de lui, il s'agenouilla et fit signe à Narayani de lui apporter la cruche d'eau claire et le morceau de toile qu'il avait déposés à côté de son sac de voyage.

Narayani, suivant les instructions du serviteur des morts, plongea à plusieurs reprises le tissu dans la cruche emplie d'eau. Ananda s'était mis à compter le nombre de fois où la main de Narayani s'enfonçait dans le récipient.

— Que comptes-tu ? lui demanda-t-elle.

— Quarante-neuf, annonça-t-il. Quarante-neuf jours se sont écoulés depuis sa mort. Tu peux maintenant commencer à le laver. Passe-lui le tissu mouillé sur les pieds et remonte le long de ses jambes jusqu'à sa poitrine. Mais prends soin d'éviter sa blessure ou ses orifices, son anus, ses parties génitales et son cœur ; et promets-moi de ne jamais lui toucher la tête.

Puis Ananda s'adressa à Dronodana.

— Voilà les huit portes d'où sortira le dernier souffle, l'énergie et la pensée qui annonceront ta prochaine existence, noble enfant.

Narayani détourna les yeux avec dégoût du vague sourire qu'elle continuait à entrevoir sur le visage blême du mort. Tandis qu'elle observait ses propres mains qui allaient et venaient sur le corps nu du vieux rajah, elle se demandait la raison de tels soins. Quels pouvaient être les mérites d'un tyran de son espèce, auquel on consacrait un rituel si compliqué ?

Narayani garda ses questions pour elle dans un mutisme rempli de haine. Mais elle s'apaisait lorsque les paroles d'Ananda lui parvenaient et qu'elle sentait sa chaude respiration sur elle. Le calme glacial qui accompagne le culte des morts, selon les anciennes croyances du jeune officiant, allait progressivement se transformer en un voyage lumineux et surprenant. Avec Ananda auprès d'elle, Narayani n'avait pas peur de s'embarquer dans cette aventure.

— Quarante-neuf lunes se sont couchées depuis la première fois que j'ai entendu tes lamentations, Dronodana. Nous n'avons plus beaucoup de temps. Ce sera même ta dernière chance.

Ananda répétait des phrases qu'il connaissait par cœur. Il les avait étudiées autrefois sur un manuscrit conservé dans un vieux sanctuaire et ne s'étonnait pas que certains passages convenant au défunt se présentent spontanément à son esprit.

— Même quelqu'un comme toi, Dronodana, qui n'as pas suffisamment médité sur la Vérité, a le droit de connaître les différentes routes. Je les illustrerai pour toi, et tu pourras choisir celle sur laquelle tu voudras être lancé.

Un terrible hurlement se fit soudain entendre et le cœur de Narayani bondit en voyant la jambe du mort se mettre à trembler. Le monde avait disparu. Elle eut l'impression de chuter sans fin, à toute allure, comme attirée par une force irrésistible.

Enfer

La chienne avait traversé la forêt à l'aube pour rejoindre Narayani dans sa grotte. Comme à son habitude, l'animal s'arrêta à l'entrée et attendit que l'ancienne courtisane lui apporte un peu de nourriture et lui parle. Et une fois de plus, comme chaque jour depuis que Dronodana avait été tué, celle-ci lui demanda de courir à travers la forêt sur les traces de son enfant perdu.

Puis Narayani retourna dans la caverne, où l'attendait Ananda. Lorsqu'elle fut suffisamment proche, il la regarda dans les yeux pour savoir si elle était véritablement prête à l'incroyable voyage qu'elle allait entreprendre. Elle accompagnerait Dronodana à travers les stades de l'existence intermédiaire jusqu'à arriver au seuil de la renaissance.

Ô fils de noble famille, écoute. La lumière et le chemin vont à présent t'apparaître.
Porte-nous avec toi et nous serons à tes côtés.

Dronodana entendit immédiatement l'invocation d'Ananda. L'accompagnateur citait les formules du vieux manuscrit pour le salut des morts.

Le rajah fut projeté à la vitesse d'un éclair au sein d'un espace de lumière qui flottait à l'horizon. Après sa longue attente, il se trouvait enfin devant une première porte. Elle lui semblait aussi lointaine et inatteignable que le pic d'une montagne. Ce qu'il voyait, lui dit-on, n'était plus une de ces visions délirantes et semi-conscientes : le passage de son Moi karmique d'un corps à un autre venait de commencer.

La distance se réduisit en un instant et tout ce qu'il vit lui sembla merveilleux. Il convint alors que d'autres volontés avaient dû s'associer à la sienne. Il avait été aidé, l'assistance d'Ananda avait été un présent inespéré. L'attente avait pris fin ! L'effrayante gueule du dragon ? Les terribles supplices de l'enfer ? Des contes pour enfants, se dit-il.

— Je te remercie, Ananda. Tu es le seul homme qui aies rendu justice et honneur à ma noble existence. Dis-moi, est-ce que tout ce que je vois est vrai ? La mort est donc un endroit aussi beau ?

Dronodana, au comble de la joie, regardait autour de lui. Il lui semblait impossible que la mort soit plus excitante que la vie. Il n'avait jamais vu autant de fastes et d'extravagances. Ses mains se mirent à bouger et il se vit capable de toucher cent objets à la fois. Ses doigts se risquèrent à cueillir des quantités de fruits juteux offerts dans des paniers ornés d'émeraudes. Puis Dronodana rencontra les couturières, belles et bavardes.

— Viens, souverain, lui dirent-elles langoureusement. Mets-toi à ton aise. Tu dois te reposer, maintenant, et te reposer seulement. Tout cela est pour toi.

Ananda, discret mais alerte, se tenait derrière le défunt. Seul son calme inné l'empêchait de le saisir par le bras pour l'arrêter. Il l'aurait retenu de toutes ses forces, en l'empêchant de commettre de grossières méprises, si son devoir n'avait pas été, pour le moment, d'être l'humble spectateur des mouvements du karma. Chacun, en faisant les premiers pas vers sa renaissance, est avant tout guidé par la somme de ses actions passées. Et c'était l'innommable karma de Dronodana, rongé par les péchés, qui avait ouvert la porte de bois étincelante de lumière. Voilà pourquoi il s'était précipité dans les chambres des couturières. Un très mauvais signe.

Dronodana, rassasié de belles femmes et de mousselines chatoyantes, fut assailli par une nausée insupportable. C'est pourquoi il ne prêta plus attention aux belles et insistantes couturières et désira quelque chose de nouveau. Un jardin où coulaient des rivières vermeilles lui apparut aussitôt. Il y pénétra en un clin d'œil et s'y trouva aussitôt à son aise.

— Que sont toutes ces rivières de rubis ? D'autres nectars à goûter ?

— Reviens sur tes pas, l'exhorta Ananda. Ce jardin n'est pas un jardin de joie et tu t'apercevras qu'il n'y a rien d'autre en ce lieu qu'un lac de larmes.

Mais Dronodana ne l'écoutait pas.

— Le pré qui t'entoure pullule d'ennemis. Ils se cachent pour te pousser à faire le mal et t'attirer en enfer.

— Mais quel enfer ? vociféra Dronodana. L'air raréfié, les parfums...

Invoquée par Ananda, l'image du glorieux Buddhaheruka apparut. Son aspect était terrifiant. De couleur noirâtre, il portait trois têtes, six bras et quatre jambes, qu'il tenait écartées ; son corps brûlait dans une tempête de lumière ; ses neuf yeux fixaient Dronodana avec une effrayante hostilité ; ses paupières battaient comme la foudre, ses cheveux étaient dressés et ses dents étincelantes pointaient en avant.

— Qu'est-ce que c'est que cette horreur ? Ananda, si tu veux encore me sauver, je t'en prie, chasse cette présence monstrueuse qui m'épouvante ! hurla le rajah.

— Ne crains rien, Dronodana. Tu as devant toi le Père et la Mère. Ne te laisse pas tromper par son aspect répugnant, sa parole est douce et amène le salut. Affronte tes peurs, Dronodana ! Telle est la loi de la mort ; si tu la respectes, tu seras sauvé. Ne sois pas aveugle comme tu l'as été de ton vivant.

La monstrueuse divinité tenait dans ses mains droites un disque, une hache et épée et, dans ses mains gauches, une clochette, un crâne et une araire. En hurlant, elle s'approcha toujours plus près de Dronodana.

— Fais-la partir, ou je la chasserai moi-même de mes griffes !

— Je te dis de ne pas le faire. Ne le fais pas, Dronodana ! Pour la dernière fois...

« Dronodana !

« Dronodana !

« Dronodana !

La voix de Māra

Je suis Māra, je suis le divin. J'ai donné vie à l'esclave Dronodana. Mes esclaves l'ont dévoré.

J'ai permis à Narayani et à l'esclave Dronodana de s'accoupler. J'ai vu naître Svasti. Mes filles Désir, Volupté et Inquiétude ont tenté le héros Siddhārta assis sous son arbre ridicule.

Kama Māra est mon nom. Je suis le tentateur, le démon dont le règne s'étend dans les cieux, sur la Terre et dans ses entrailles. Je suis le dieu de l'amour et de la mort.

Je n'ai pas de forme. Je n'ai pas de fin. Je n'ai pas d'âge. Je suis habitué à ces trois réalités comme la Terre est habituée au changement des saisons. Tout advient et s'enchaîne.

Il m'arrive, durant le passage d'une ère à une autre, comme c'est aujourd'hui le cas, de me lever de bonne heure et de vouloir me regarder dans les eaux claires. Je découvre alors non pas un, mais deux visages : le passage du masque de la Naissance au masque de la Mort a lieu sans cesse, et moi-même je ne parviens pas à l'arrêter. Mon esprit est un labyrinthe complexe que je suis le seul à pouvoir visiter. Je n'ai besoin de rien d'autre, car mon seul nom suffit lorsque je désire me manifester aux hommes et à mes créatures.

Je suis Māra. Le divin.

Ma dernière apparition, celle qui me force à la retraite, remonte à un temps d'infamie. Depuis, j'habite cette île aux récifs escarpés, au sable fin et aux parois de mousse. Et j'aime cette île de Magie, j'aime cet instant éternel dans lequel je me suis réfugié, aucun asile ne convient mieux à un dieu. Lorsque je scrute l'horizon de là-haut, du point le plus élevé de l'île, avec des continents de mer qui me séparent des rivages sur lesquels vivent les hommes, je vois passer les images des enfants que j'ai abandonnés. Mes souvenirs de guerre sont lointains. Trop lointains.

Mais je sens aujourd'hui que j'ai joui de l'exil bien plus qu'il n'en faut. Cette solitude de roches, de soleil et de magie a commencé à m'ennuyer. Je préfère la solitude entre les hommes.

Du haut de mon pic venteux, je porte le regard vers l'est. Le soleil éclaire les vagues et rend plus sombre encore l'ombre de mon manteau.

Les baleines gardent le cap. Ombre, tu as recommencé à voyager! Les ennemis nous ont sous-évalués. Le moment est venu de mettre en œuvre le dessein de ton maître. Conduis-moi donc où toi seule sais.

Les baleines ne vont pas plus loin. Toi, mon ombre, continue et tu es déjà arrivée. Les voilà! J'entends leurs voix. Elles n'ont pas changé, la même intonation résonne contre les parois de la grotte. Le misérable Dronodana et l'imprudente Narayani, que j'ai abandonnés à leur épouvante de fer et de sang, n'ont pas changé.

Il est mort, il ne crie plus. Elle est vivante.

Je la vois, là, dans la grotte, près d'un garçon évanoui et d'une chienne maudite. Et je vois, plus loin, deux pauvres enfants, ils sont terrorisés. Pauvre Sujata. Pauvre Svasti...

Je vois le corps de Lawanja qui pourrit, à quelques pas de Narayani, caché dans une anfractuosité de cette caverne miraculeuse. Lawanja, ma fille! Ils t'ont tuée, mais tu seras encore utile à ton maître.

Attends-moi. Je viens te chercher.

La préparation

Dans la caverne où Ananda avait trouvé Narayani, la chienne était devenue de plus en plus exigeante envers sa nouvelle maîtresse, et ce qui semblait être des marques d'affection et de fidélité pour cette dernière s'était transformé en une demande incessante. Elle s'était également mise à solliciter Ananda en mordant sa jambe ou en le fixant de ses yeux éloquents. Narayani ne comprenait pas son agitation, le mouvement frénétique de sa queue, ses gémissements permanents, sa façon de fouiller la terre de ses pattes et de la renifler.

— Quel comportement étrange, cette chienne... Elle n'a jamais fait ça, du moins pas depuis que nous sommes devenus amies. Je m'en remets à toi, Ananda.

— Son langage est très clair, Narayani. La chienne veut que nous la suivions. Elle a quelque chose à nous montrer.

Narayani sentit son cœur se glacer. S'il s'agissait du signal qu'elle attendait depuis si longtemps, elle ne pourrait s'y rendre seule. La déception de ne pas être conduite jusqu'à son Svasti aurait été insoutenable.

— Tu viendras avec nous, n'est-ce pas, Ananda ? demanda Narayani, taisant au jeune homme le but de la mission qu'elle avait confiée, entre illusion et espoir, à l'animal.

Le premier pas que Narayani et Ananda firent hors de la grotte fut fêté par une série de bonds et d'aboiements. Puis la chienne se lança ventre à terre dans la direction que lui suggérait son instinct.

La caverne avait été abandonnée, et l'occasion fut aussitôt saisie par Māra.

Le dieu s'avança dans l'antre. Son pas était lent et sa marche régulière. Il s'approcha de Lawanja et se tint immobile sur ses jambes aux couleurs d'herbe brûlée. Puis, de ses mains osseuses, il ferma les yeux vitreux de sa fille. Il tapa trois fois du doigt sur le cou entouré par la monstrueuse langue et emporta le corps avec lui.

Maintenant que les importuns étaient éloignés, plus rien ne pouvait empêcher le succès de la première étape du dessein audacieux de Māra. Alors, puisque tout allait pour le mieux, l'homme osseux s'accorda une halte nostalgique, une prière sacrée avant de reprendre la direction de l'océan.

La terre qu'il traversait en portant le cher corps de Lawanja avait été son royaume. Māra ne l'oubliait pas. Il n'oubliait pas la ville d'Uruvela, qui se dressait tout près du fleuve Naranjana. Il n'oubliait pas Mucalinda, le serpent, son serviteur. Il n'oubliait pas tout ce qui avait à présent disparu. Il regarda cette terre aride, autrefois séchée par les vents, et n'y trouva plus le désert. Ces étendues couvraient son ancien théâtre de bataille. Quelle paix, sur la terre des hommes...

Loin, dans une autre plaine que des milliers de fleurs venaient colorer en jaune, Narayani appelait la chienne à tue-tête, et Ananda, pour une raison inconnue, craignait à son tour d'avoir perdu l'animal à jamais.

— Où est la chienne, Ananda?

— Elle n'est plus là.

En chemin

Māra entendit le désespoir de Narayani. Elle ne parvenait pas à retrouver l'animal qui devait la conduire jusqu'à Svasti. Mais il ne s'en soucia pas. Il était si merveilleux de regarder la plaine.

Les environs d'Uruvela, après toutes ces années passées loin d'ici, étaient presque méconnaissables. Contemplant les plantations et les pâturages, l'homme sans visage ressentit à quel point son absence, qui avait duré un peu plus de quarante-neuf lunes, avait permis aux humains d'introduire la vie là où elle n'avait jamais existé. Et ils l'avaient distribuée selon un ordre précis et identifiable. Les bêtes sauvages avaient été les premières à s'en apercevoir. Elles avaient migré ailleurs et se garderaient bien de revenir. Māra soupira.

Le vent s'était levé et effaçait les traces de ses pas. Il savait qu'il parcourait le même sentier qu'avaient emprunté Ananda et Narayani. Mais le risque d'une rencontre était devenu le cadet de ses soucis. Quel plaisir de sentir sur son dos le poids du corps sans vie de la pauvre Lawanja !

Après avoir marché un moment, il entendit des voix résonner dans le lointain. Il vit alors quatre hommes qui criaient après une mule. Un petit animal se traînait derrière le groupe. À la vue de son pelage court et dru, il reconnut immédiatement la chienne gravide qui avait aboyé devant la caverne. Il valait mieux s'en tenir éloigné.

Le cortège semblait plongé dans la bonne humeur. Mais la chienne se mit tout à coup à grogner. L'alerte interrompit les rires. Les hommes s'arrêtèrent et scrutèrent les alentours. Rien n'attira leur attention. Il n'y avait ici que les champs ensoleillés et ce sentier qui louvoyait entre de gigantesques fougères.

Le corps gonflé de Lawanja formait une tache livide aux allures obscènes, perdue au milieu des tendres buissons de feuilles sur lesquels Māra venait à peine de le déposer. Les autres fougères, avec leur ombre, offraient un endroit abrité et idéal pour attendre que les voyageurs s'éloignent. Seule cette maudite chienne, qui reniflait partout, représentait un véritable obstacle pour le magicien sans visage. Elle finirait tôt ou tard par venir ici. Il fallait à tout prix détourner son attention du corps de Lawanja.

Mais, avant même qu'il puisse trouver une solution, la chienne se remit à aboyer et abandonna ses patrons. Les quatre hommes la cherchèrent un moment entre les plantes, puis finirent par admettre qu'ils l'avaient bel et bien perdue.

Ils reprirent leur route en direction du marché le plus proche. La mule portait un bât de jarres emplies de grain prêtes à être vendues. Aucun des voyageurs ne remarqua celui qui, caché à leur vue, s'était félicité de leur décision. Mais, un instant plus tard, l'apparition de la chienne entre les fougères fit de nouveau basculer la situation. Un morceau de langue de la longueur d'une main pendait de ses babines humides.

Surgissant des arbustes, deux yeux magnétiques et foudroyants la paralysèrent, comme si elle s'était trouvée au bord d'un ravin. La chienne cessa aussitôt de gronder.

— Maudite chienne qui trame contre moi! pesta Māra, le magicien sans visage. Qui t'envoie?

— Vous avez entendu? dit l'un des hommes qui tournait encore sur les lieux.

— Quoi?

— Un bruit. On aurait dit un grincement.

— Ça devait être le vent.

Mais l'homme n'en crut rien et voulut aller jeter un coup d'œil.

Le mur de fougères était dense et impénétrable. Un filet serré de forces et de pouvoirs mystérieux, capable de repousser l'œil humain, était descendu autour de l'obscur spectacle. Un travail digne d'un grand magicien. Le voyageur se ravisa et se tourna vers ses compagnons.

— Je crois qu'il n'y a rien d'intéressant. Le vent a dû rompre une branche.

Les hommes s'éloignèrent et le magicien n'y pensa plus. Il n'avait qu'une chose en tête : récupérer le morceau de langue de Lawanja.

De la bave coulait en abondance de la gueule de la chienne, comme pour venir confirmer le droit incontestable qu'elle avait sur son butin. Elle se mit alors à creuser frénétiquement un trou dans le sol et y enfouit le bout de langue. Cet affront déchaîna la fureur du magicien.

La chienne reprit entre ses crocs l'objet disputé et se lança dans une course intrépide. Ce n'est qu'après avoir parcouru une longue distance qu'elle alla se tapir contre les robustes racines d'un arbre aux feuilles aussi larges que des têtes d'homme et dont la beauté et la noblesse contrastaient avec les autres plantes environnantes.

Māra observa l'arbre et le reconnut avec amertume : l'animal était venu recevoir la mort au pied de l'arbre des Quatre Vérités, l'arbre de Siddhārta. Cette chienne damnée aurait donc accompli sa mission de faire se retrouver Narayani et son enfant, cette famille ridicule. Ou peut-être pas. Sa mort, en tout cas, sonnerait comme une farce macabre dans le lieu sacré du Bouddha.

Une dernière violence, une violence inouïe, surgit des bras osseux de Māra. Dans le plus grand silence des champs ensoleillés, un massacre facile fut accompli.

Le ventre de l'animal, déchiré à mains nues, se vida de tout son sang et les racines de l'arbre qui s'enfonçaient dans le sol en furent imprégnées. Il ne resta des sept fœtus de la chienne qu'un amas de matière informe. Māra enfonça d'un geste brusque la main dans la gueule du cadavre et en retira le morceau manquant de la langue de Lawanja. Cette chair noire était bien plus qu'un trophée : elle était la clé lui ouvrant la porte d'un projet grandiose qui serait accompli d'ici peu.

Un dernier regard porté à l'arbre tant aimé fit renaître en Māra des images du passé. Les images d'une défaite et d'un prince glorieux. Le déshonneur pesait encore sur son cœur et il lui était inutile de se le cacher. L'arbre de l'illumination, qui, en cette fameuse nuit, s'était converti au sourire du prince, n'avait jamais été aussi beau.

Et le contempler n'avait jamais été aussi douloureux.

Trop d'émotions

Un sentiment d'épouvante avait saisi les deux jeunes gens. Trop d'émotions, trop de besoins, trop de solitude dans leur amour exclusif. Même la chienne les avait abandonnés à présent. Qui sait, se demanda Sujata, pourquoi Svasti avait vu dans cet animal un ami, un signe ?

— Qu'allons-nous faire à présent ?

— Je ne sais pas, répondit Svasti.

— Accepte notre destin. Siddhārta n'est plus, tu l'as vu de tes yeux !

— Oui. Enfin, non ! Je ne sais pas. Je ne t'ai jamais raconté ce qu'il a fait pour moi ? Je serais mort s'il n'avait pas été là.

« Des idées folles me traversent l'esprit. Dronodana, mon méchant père du Temple des prêtres, m'avait appris un tour de magie. Il disait qu'en disposant des fleurs rouges dans une clairière de la forêt selon un étrange dessin j'arrêterais le temps et je mourrais sans souffrir. J'étais un garçon nu et innocent, au milieu de toutes ces fleurs rouges. Mon esprit était troublé. C'est alors que j'ai vu Siddhārta s'approcher de moi, c'était mon prince et il venait me chercher. Il ramassa une à une les fleurs de laurier-rose que j'avais disposées en riant un peu et en pleurant aussi.

— Il était aussi beau que lorsque je l'ai vu, Svasti ?

— Siddhārta était parfait, il était fort et courageux. Je ne l'ai jamais dit à personne, Sujata, mais il n'a pas hésité à me prendre dans ses bras et à me sourire. Puis, comme dans un rêve, il m'a dit : « Quel dommage, j'ai détruit ton beau dessin dans l'herbe. Mais nous n'avons plus le temps de le refaire. J'ai envie de t'apprendre tout ce que je sais. Tu aimerais bien, juste en fermant les yeux, te retrouver assis sous un arbre et, en même temps, au sommet d'une montagne ? Tu aimerais entendre le tigre avant qu'il n'approche et t'amuser de lui ? Tu aimerais rencontrer une belle jeune fille et courir avec elle jusqu'à en perdre haleine ? »

— Il s'agissait de moi ? demanda Sujata en rougissant.

— Tu es bien plus que ça.

Svasti s'approcha de Sujata pour l'embrasser. Mais elle baissa la tête et les lèvres du garçon vinrent lui mouiller le bout du nez. Il resta interdit. Ce fut alors au tour de Sujata de rire. Svasti reprit courage, et sa seconde tentative lui offrit un long et inoubliable baiser. Sujata s'était mise à trembler sous l'émotion. Svasti, lui, se sentait fort, terriblement fort.

Le soir s'était installé et les deux enfants préparèrent un grand feu pour tenir les bêtes à distance et faire cuire la couleuvre que Svasti avait dénichée dans un trou. La journée avait été si belle qu'il finit, épuisé, par s'endormir dans les bras de Sujata.

Mais quelques instant plus tard, alors qu'elle était encore éveillée, la jeune fille entendit un bruit près du feu. Une femme et un homme grand et robuste s'avançaient en silence. Une certaine intimité semblait exister entre eux, mais ils ne semblaient pas être mari et femme. L'inconnue s'arrêta à quelques pas de la jeune fille et lui fit signe d'approcher. Sujata la rejoignit. Ces yeux noirs, cette peau ambrée... Mais oui, c'était bien elle !

— Tu es vraiment... ?

Un moment qui semblait ne plus finir passa. Svasti, loin d'eux, bougea un peu et changea de position, mais il continuait à dormir profondément.

Sujata s'apprêtait à aller le réveiller lorsque Narayani l'arrêta.

— N'y va pas ! Laisse-le dormir. Je me contenterai de le regarder. Je ne suis pas prête..., nous ne le sommes pas. Ni moi ni lui.

Sujata, dubitative, ne savait que faire.

— Narayani, ça ne va pas être possible. Comment pourrais-je encore soutenir son regard si je ne peux pas lui dire que je viens de rencontrer sa mère ?

— Le moment n'est pas encore venu. Et le lieu non plus n'est pas adéquat. Svasti et moi nous rencontrerons sous l'arbre des Quatre Vérités. Il le sait, et il est en train de te conduire là-bas, où je ne vais pas tarder à me rendre aussi.

— Quel est l'homme qui t'accompagne ? demanda Sujata, intriguée.

— C'est une personne digne de confiance. Il s'appelle Ananda.

— Comment fais-tu pour savoir que Svasti veut retourner sous l'arbre ? Et comment fais-tu pour savoir qu'il veut venir te chercher ?

— Je ne sais pas, je l'ai simplement imaginé. Mais je t'ai rencontrée, à présent, Sujata, et tu peux faire en sorte que mon désir se réalise. Je t'ai dit où je me rendais et vous vous trouvez également sur le sentier qui conduit à l'arbre. Je t'en prie, Sujata, conduis-le à moi.

— Je le ferai.

Lorsque Svasti se réveilla après un long sommeil, il trouva Sujata déjà debout, près de lui, prête à reprendre la route. Il lui confirma que la direction qu'ils devaient suivre était toujours celle qu'il avait choisie. Ils ne changeraient pas de chemin.

— Bien entendu, continuons jusqu'à la ville d'Uruvela, lui dit Sujata.

Devant la faute

Narayani s'était révélée un excellent guide, et Ananda fut surpris de découvrir qu'elle savait s'orienter dans cette région bien mieux que lui.

Lorsqu'ils atteignirent l'endroit qu'ils s'étaient fixé pour faire une halte, Ananda éprouva tout d'abord un peu de déception. Cet espace ne lui semblait pas différent de ce qu'il avait vu jusqu'à présent : des champs à perte de vue, de petites maisons au loin et de sporadiques bosquets. Et il leur avait fallu deux jours pour arriver dans un lieu aussi anonyme...

Narayani lui fit alors un signe du doigt, et Ananda regarda la cime de l'arbre terriblement majestueux qu'elle lui indiquait. Il se rendit alors compte que le paysage était tel qu'elle le lui avait décrit durant le voyage.

Aux dernières lueurs du soir, le ciel se couvrit de nuages et un vent violent commença à souffler sur les champs de blé. La terre devint une mer tumultueuse et les hauts épis rougeâtres en étaient les vagues. Seul le grand arbre, dont le tronc aurait pu accueillir le dos d'un éléphant, ne pliait pas. Ses branches vertes de feuilles s'étendaient en hauteur comme des bras tendus vers le ciel. Narayani l'avait expliqué à Ananda : le figuier était plus imposant qu'un temple creusé dans la roche et inspirait autant de respect qu'un monument voué à la méditation et au silence.

Un groupe de gens s'était réuni autour du tronc. C'était une heure bien inhabituelle pour une réunion de paysans, ceux-ci avaient coutume de rentrer chez eux quand la nuit tombait. Ils n'avaient pourtant pas l'air de vouloir s'en aller. Ananda jeta un regard en direction de Narayani et, pour la première fois depuis leur départ, vit le trouble dans ses yeux. Sans doute avait-elle pensé qu'il n'y aurait personne auprès de cet arbre. L'inquiétude du jeune homme se mit à croître.

Il avança vers l'arbre en se tenant derrière Narayani. Aucun de ceux qui se trouvaient autour du tronc majestueux ne s'était tourné vers eux, personne ne les avait entendus approcher. Leur attention semblait tournée vers le sol, vers quelque chose qui gisait à leurs pieds.

— Regardez! Ils lui ont brisé le cou et arraché les dents une à une. Pauvre chienne!

— Elle a dû essayer de dévorer quelqu'un et mériter sa mort.

— Non. Ce crime est l'œuvre d'un esprit malin.

Narayani se faufila entre deux hommes, gagna le centre de l'attroupement et s'approcha du cadavre de la chienne. Incrédules, les spectateurs observèrent ce visage de femme qui venait se détacher sur le tronc sombre de l'arbre. Ananda était habitué à ce que ce soit lui qui suscite l'étonnement des gens ordinaires, mais il fut frappé, cette fois-ci, tout comme les autres, par les paroles de Narayani.

— Ce n'est pas la chienne qui a été offensée, mais la vie même de cet arbre.

Narayani, les yeux emplis de larmes, s'était mise à parler lentement. Elle ressentait le besoin d'avouer des vérités concernant Uruvela que la plupart des gens devaient ignorer. Les témoins de l'événement grandiose qui avait changé le destin du ciel avaient été peu nombreux. Qui plus qu'elle aurait été prêt à jurer que même l'affreuse fin de cette chienne n'avait rien d'un accident?

— Je ne saurais vous dire au cours de quelle période cela s'est passé, la région a tellement changé qu'il me semble que des siècles se sont écoulés depuis, mais je vous dis que cet arbre, il y peut-être aussi moins d'une lune, participa à une immense et terrible lutte entre le Bien et le Mal. Savez-vous ce que cela signifie? Non, vous ne pouvez pas le savoir. Les armées les plus aguerries de tous les temps se sont affrontées en ce lieu. Les combattants n'étaient pas des hommes, mais des êtres doués de forces surnaturelles. Le Mal parvint à convertir le Bien en l'attirant de son côté, et tous les créatures s'armèrent et s'associèrent pour triompher du courage d'un homme...

« Et il arriva seul, cet homme de chair et d'os, avec son allure princière. Il annonça qu'il ne croyait pas en des pouvoirs absolus existants hors de lui. Il croyait en lui-même et je savais déjà que son nom était Siddhārta. "Tout homme, dit-il, peut atteindre l'état de perfection auquel j'aspire. Tout homme a en lui la force de vaincre la douleur : en changeant non pas ce qui se trouve hors de lui, mais ce qui se tient ici, en nous, dans notre esprit." Il franchit tous les obstacles qu'oppose le voile de Maya, ceux de la réalité apparente, et, de prince qu'il était, il devint Bouddha, l'Éveillé.

Narayani s'aperçut que tous l'observaient, mais personne ne semblait comprendre le moindre mot de ce qu'elle disait.

– La nuit descendit tout à coup, une interminable et éternelle nuit de pluie. Le Bien et le Mal s'inclinèrent devant lui et reconnurent la supériorité de sa doctrine. Les dieux le fêtèrent en faisant pleuvoir des pétales. N'entendez-vous pas, à présent, la paix de ces feuilles immobiles dans le vent? Ici, sous ces racines, ont été semées les graines des Quatre Vérités.

Des morceaux de phrases prononcés du bout des lèvres rendaient le malaise des auditeurs palpable. Narayani, fière d'avoir glorifié Siddhārta, ne se préoccupa pas des commentaires qu'elle entendait et des visages blêmes qui la regardaient dans la lumière du soir. Elle se baissa pour examiner le pelage et la langue de l'animal en donnant à ses gestes le plus de naturel possible. Aucune des personnes présentes n'aurait jamais osé toucher cette chienne. Elle prononça alors la phrase qu'Ananda, depuis le début de son discours, craignait de l'entendre dire.

– Le Mal est revenu sur ses pas, dit Narayani dans le silence général. Le meurtre de cette chienne est le signe de son passage. Hommes, je vous l'implore, faites ce que je vous dis. Vénérez ce lieu sacré, mais prenez soin qu'aucun sacrifice n'y soit célébré. Jamais. Siddhārta vous en sera reconnaissant. Il reviendra et vous montrera le chemin.

Feignant l'assurance, Narayani continua à examiner la charogne et rassembla savamment tous les morceaux de ses viscères éparpillés sur le sol. Leur laisser croire qu'elle connaissait le rituel de sépulture lui permettrait de gagner du temps. Elle était sur le point de s'avouer vaincue. Que faisait-elle, penchée sur cette chienne? Elle n'avait aucune preuve à leur fournir, mais elle savait qu'elle avait raison : le dieu Māra était passé par là.

Les yeux dégoûtés des hommes autour d'elle suivaient chacun de ses gestes, observaient ces mains de femme qui n'avaient pas l'assurance de celles d'un moine mais montraient bien plutôt les hésitations d'une mère perdue. Seul Ananda aurait pu l'aider. Il comprit le projet qu'elle poursuivait et se mit à réciter à voix haute un verset de la prière des morts.

— Fille de noble famille, arrête ta course désordonnée dans le fleuve de feu et écoute mes paroles, si tu désires abandonner ton vieux karma...

Sa voix rassura les gens et les murmures prirent fin. Narayani cherchait, à la lueur des flambeaux, les visages qui lui étaient chers. Il lui restait peu de temps pour faire se dissiper les soupçons des paysans. Elle craignait de se faire chasser, ainsi que le pauvre Ananda, qui semblait de plus en plus troublé. Il feignait lui aussi de prier, mais il ne pouvait comprendre, à la différence de Narayani, quel était le véritable but qui se cachait derrière l'étrange rituel.

La voix d'un homme s'éleva.

— Eh! toi! Serviteur des morts! Tu nous montreras aussi l'âme de la chienne qui fonce droit en enfer?

— La réincarnation de cette malheureuse chienne ne connaît pas d'enfer.

Après cette réponse sèche, Narayani s'approcha de ceux qui tenaient les flambeaux et leur en demanda un dont elle se servit pour attiser le feu. Elle s'apprêtait alors à s'adresser à l'assemblée, mais elle se figea soudain : le regard de Svasti sur elle était insoutenable.

Le jeune homme était arrivé avec Sujata comme le font les animaux, sans faire le moindre bruit. Personne ne s'en était aperçu. Le feu éclairait à présent son visage et l'arbre des Quatre Vérités.

— Hommes, dit Narayani en cherchant à dominer son émotion, laissez nos deux nouveaux arrivants entendre aussi l'histoire que je vais vous raconter. Elle est de celles que même vos mères n'oseraient pas vous raconter.

Les retrouvailles

Le rougeoiement du feu près du grand arbre, l'obscurité de la nuit et la présence de Svasti donnaient aux paroles de Narayani une puissance extraordinaire. Les faits dont elle avait été la protagoniste sidéraient ses auditeurs, car l'émotion pure qui émanait de son histoire n'avait ni temps ni âge. Tous le comprirent et en furent troublés.

Narayani tournait le dos à son fils. Une pudeur inconnue l'empêchait de croiser son regard. Son cœur était sur le point d'éclater, mais elle ne cèderait pas à la tentation : même incidemment, elle ne se serait pas arrêtée un instant pour admirer les traits parfaits et le visage carré, presque adulte, du jeune Svasti.

La chienne, oubliée de tous, gisait auprès du feu. Son pelage rugueux, rendu plus sombre encore par les grumeaux de sang coagulés qui étaient venus s'y coller, et sa gueule entrouverte n'éveillaient plus d'épouvante.

D'un geste inattendu, Narayani empoigna un bâton comme s'il s'agissait d'un poignard. Une angoisse soudaine prit les spectateurs à la gorge.

— ... Et je ne pus faire autre chose que de le lui remettre. Les instants qui suivirent furent des plus atroces. Je cherchais à me convaincre que Siddhārta ne l'aurait pas permis. Dix longues et insupportables années s'étaient écoulées depuis que mon enfant avait été enlevé, des années de peur et de folie. Cachée à sa vue par un sentiment de culpabilité que je ne parvenais pas à dépasser, il me fallait rester ainsi, totalement impuissante, à assister à ce qui allait devenir la tragédie de toute mon existence. Mon fils n'avait d'autre désir que de se retirer la vie. Avec cette lame pointée sur sa gorge, il voulait tout effacer : son passé, moi, lui-même.

La main de Svasti serra encore plus fort celle de Sujata. Narayani s'était tournée vers lui, et ce fut lui alors qui détourna les yeux.

— Svasti, la malheureuse chair de ma chair, était parti. Et je ne sus alors le retenir, je ne trouvai pas le courage de lui avouer qui j'étais, tant était grande la douleur que j'avais causée en lui. Mais lorsque je me trouvai devant le vrai coupable, face à l'horrible visage du serviteur du Mal, je contemplai sa poitrine vieille et croulante et, sans hésiter, y enfonçai la lame, celle que j'avais prise des mains de mon fils. Maudit Dronodana ! Sois mille fois maudit !

Ananda frissonna. L'image vive du coup de poignard qui avait coûté la vie à Dronodana se présenta à lui, et il reconnut la main assassine. Il croisa le regard des deux jeunes gens qui, exténués, se serraient l'un contre l'autre. Svasti lâcha alors le bras de Sujata et, à petits pas, se dirigea discrètement vers Ananda. Ce dernier, comprenant ses intentions, ne chercha pas à s'y soustraire. Derrière les inconnus formant un cercle autour de Narayani, les visages des deux jeunes gens s'effleuraient presque.

— C'est ma mère. Ne l'oublie pas.

Puis il retourna auprès de Sujata et se remit à écouter sa mère, dont le récit était loin de s'achever.

Ananda ne l'aurait jamais oublié : Svasti protégeait Narayani. Il était son guerrier. Il en écoutait les confessions courageuses, mais il lui avait déjà pardonné. Rien ne ressemble plus à ce qu'attend le défunt désireux de trouver le salut dans les royaumes de l'au-delà que l'amour d'un fils pour sa mère.

— Il a dû se demander mille fois où je me trouvais, ce que je faisais et pourquoi je n'avais pas couru derrière lui, poursuivit Narayani. Mais je pensais alors qu'il en était mieux ainsi. Il était préférable que Svasti oublie sa mère. Seul Siddhārta, l'homme qui lui a si souvent sauvé la vie, celui qui n'a jamais cessé de lutter contre le désir inné de mort qui touchait mon enfant, était digne d'être rappelé et aimé.

« Lorsque je vis mon fils s'éloigner du grand arbre en courant et en entraînant avec lui sa jeune amie, je compris qu'il partait enterrer sa tristesse. J'éprouvai alors une violente joie : je le retrouverais dans sa nouvelle vie ! Mais je m'aperçus aussitôt combien j'avais été vile, moi qui ne l'avais même pas salué.

« Ananda, tu auras compris à présent ce que j'ai éprouvé en ces jours. La voix de Māra, le dieu destructeur, rugissait en moi et hors de moi. Où que j'aille, cette voix me rattrapait. J'étais folle de douleur, et le seul effort qu'il me semblait possible de faire était celui de me renier moi-même, de renier la double nature qui me liait à son pouvoir. Māra était le plus fort.

Un homme s'était séparé des autres et pouvait avoir une vision d'ensemble de la scène qui se déroulait dans la clairière, autour du feu. Les flammes avaient repris de la vigueur, un fait inexplicable dont personne d'autre que lui ne semblait s'être rendu compte. Ce détail ne détourna cependant pas son attention de la voix de Narayani. Son récit allait vers sa conclusion, et il la laisserait finir.

— Chaque fois que je cherchais à fuir de cette caverne maudite, et ainsi à me tourner vers mon Svasti, les pouvoirs de Māra me tenaient enchaînée. Que voulait-il encore de moi ? La souffrance qu'il m'avait causée ne lui avait-elle pas suffi ?

Une voix rompit le silence que le récit de Narayani avait imposé.

— C'est toi qui n'arrêtes pas de nous tromper ! s'exclama l'homme qui avait observé la façon étrange dont le feu s'était ranimé. Tu crois que je n'ai pas remarqué la gêne que tu as provoquée chez cet homme avec qui tu es venue, celui que tu nommes Ananda ? Narayani, tu es un assassin et un imposteur ! Tu veux nous impressionner avec tes mots, mais qui nous dit que tu n'es pas une magicienne... une magicienne du Mal ? Montre-nous voir si tu n'as pas le couteau avec lequel tu as massacré ta victime !

Le visage de l'homme était devenu rouge et les veines de son cou s'étaient mises à gonfler. Il fondit alors sur elle, la saisit par les cheveux et, de sa main aussi large qu'une patte d'ours, lui serra la gorge.

— Tu veux nous en faire avaler encore ? D'abord cette histoire absurde de l'arbre, puis ces rituels des défunts et ces larmes

261

pour un enfant imaginaire. Regardez! Vous ne voyez pas que la charogne de cet animal ne brûle pas? De quoi est-elle faite? Dis-le-nous! C'est encore un tour de Māra! Mais peut-être est-ce toi qui viens empoisonner notre ville d'Uruvela avec tes sortilèges?

L'assaillant, emporté par ses accusations, ne s'était pas rendu compte que quelqu'un le tenait à l'œil depuis un bon moment. Quelqu'un qui avait étudié sa stature et évalué la force de ses muscles, quelqu'un qui connaissait le volume exact de sa cage thoracique. Comme le tigre examine ses proies avec son regard froid de prédateur.

Svasti bondit au cou de l'homme et l'obligea à lâcher prise. Les années passées dans la forêt rugissaient en lui, le sang des fauves bouillait dans ses veines. Il plaqua sauvagement l'agresseur contre le sol et lui immobilisa la mâchoire. La tête de l'homme se trouvait presque au milieu des flammes. Svasti était sur le point de le brûler vif. Tous, autour, étaient paralysés par la peur.

Mais, tout à coup, Svasti s'arrêta. Il détourna les yeux de l'homme qui se tordait de douleur pour les diriger vers sa mère. Il ne put retenir ses larmes. Non, il ne le tuerait pas, ça n'en valait pas la peine. Il pleurait pour la première fois de sa vie.

Il relâcha l'homme et s'adressa à l'assistance.

— Cette femme vous a dit la vérité. C'était mon histoire. Je suis son fils.

Narayani, auprès de laquelle Sujata et Ananda avaient accouru, se serra contre eux, cherchant follement leur chaleur humaine.

La nuit déclinait et l'aube colorait de rose les feuillages du grand arbre.

— Sujata, dit Narayani.

Elle lui fit un sourire et son visage s'illumina de cette beauté mystérieuse que la jeune amie de Svasti avait appris à reconnaître.

— C'est toi qui vas sécher les larmes de mon fils. Je n'ai pas encore le courage de m'approcher de lui.

Je suis Sosie

Des éclaircies, au large, indiquaient sa route au vieux voilier. Il prenait le chemin du retour, et le vent lui était favorable. Ressuscité par les pouvoirs de Māra, le corps de Lawanja se redressa sur le pont avant et plaça la langue infernale dans sa bouche démesurée. Frissonnant de plaisir, le palais, chaud de salive, savoura de nouveau les pulsations de ce morceau de chair hors du commun.

Lawanja venait de renaître.

Dans un ciel de feu et une mer blanche d'écume, Lawanja reconnut la volonté de Māra. Le dieu lui avait pardonné son geste suicidaire en échange d'une dernière faveur.

– Je suis prête, dit-elle en se mirant dans les éléments de la nature.

Les éclairs fuirent à l'horizon. Les tempêtes et les typhons s'éloignèrent à une distance infinie pour laisser place à de nouveaux et incompréhensibles phénomènes. La mer, pareille à une plaque d'or fin, s'était mise à tourner sur elle-même. Au centre de ce mouvement grandiose, le mât du vieux navire se redressa solennellement. Des torrents d'eau aux dimensions surnaturelles, absorbant en un instant la lumière dorée du soleil, surgirent des quatre coins de l'horizon. Les ténèbres et un silence complet descendirent sur le voilier.

Le bond que fit Lawanja hors du navire lança des lueurs rouges dans l'obscurité. Les planches explosèrent sous la violence imprimée par son élan. Pas un fragment de la noble embarcation ne resta. Des siècles d'oubli en effaceraient l'existence. Mais un tout autre destin était réservé à Lawanja. Après que les vagues l'eurent engloutie, les éléments semblèrent tout à coup se calmer. Les remous de la masse d'eau la dispensaient de tout effort. Des jours et des mois passèrent sans que son corps vieillisse dans sa descente vers le plus profond des abîmes.

Ce qu'elle avait fait était déjà plus que suffisant : elle avait offert son corps au grand projet. Māra la soulagea de toute charge, de toute souffrance à venir. C'était dans la langue de Lawanja, enfin reconquise, que le dieu avait censuré le mystère de la naissance et de la multiplication de la vie. Ce précieux instrument était à présent retourné à son créateur et il lui permettrait de toucher son but.

Lawanja vint appuyer son ventre et étendre ses membres sur le fond glacial de l'océan. Des étendues de roche spongieuse accueillirent son poids, à présent très léger. Alors elle desserra lentement les lèvres, comme à son habitude, et les souples anneaux de muscle en sortirent. Sa langue s'enroula sur elle-même tel un serpent puis sortit tout entière de sa bouche, et le monstrueux reptile se sépara pour toujours de la cavité qui l'avait contenue.

Libérée de cet assujettissement, Lawanja hurla sa joie, se livra aux eaux et fut témoin du plus ambitieux projet que Māra eût jamais conçu.

Deux années s'étaient écoulées dans le monde des hommes. Aucun grand événement n'était venu bouleverser le destin des États, les rois et les reines gouvernaient et les sujets leur obéissaient. De monotones campagnes s'étendaient sous les yeux des voyageurs et s'offraient comme autant de terres de culture pour les agriculteurs. Personne n'aurait pu imaginer ce qui se tramait dans les fonds marins.

Loin des regards et des imaginations les plus audacieuses, la forge silencieuse travaillait sans relâche. Rien ni personne ne pouvait se soustraire à l'activité incessante ordonnée par Māra. La reconstruction et le façonnement concernaient avant tout l'eau et la terre dans lesquels s'était dissous le fin tissu de la langue de Lawanja. Le corps de l'homme parfait ne devait manquer de rien.

— Comment s'appellera-t-il ? demanda Lawanja.

Māra ne répondit pas. Son œil, qui gouvernait chaque espace, étudiait les rapides processions des tourbillons qui se formaient peu à peu autour des adorables membres humains de sa nouvelle créature. Mais la stupeur de la fille de Māra ne tarda pas. Après que les dernières poudres d'or et tous les métaux rares et les pierres précieuses que l'océan et la terre étaient capables de fournir furent utilisés, la raison qui poussait le dieu à garder secret le nom de cet homme apparut clairement à Lawanja. Elle vit son visage et le reconnut aussitôt.

Une cascade de lumière emplit son regard dès qu'il entrouvrit les yeux. La forme allongée de ses paupières et le dessin de ses pupilles avaient la perfection de ceux d'un dieu. Ses veines cuivrées ornaient sa musculature sculptée dans le marbre. Mais son sang était chaud et battait dans un cœur tendre et serein, et ces battements étaient comme le son d'une harpe. Il semblait bien que cette musique recherchée soit la source naturelle des mouvements gracieux que ce corps viril à peine né exécutait. Les épaules larges et le dos fort se mirent à fendre les flots à travers l'abîme. La créature de Māra, suivie par des tourbillons d'eau s'agitant autour de ses membres comme pour fêter sa naissance, dilata ses bronches et prit sa première respiration. Les saveurs de la vie y pénétrèrent et y trouvèrent un accueil exquis tant son intériorité était spacieuse. Mais quelle route choisirait cette merveilleuse créature qui avait une apparence humaine et qui, pourtant, n'était pas encore pourvue d'un esprit ?

Cette dernière curiosité de Lawanja, qui était bien incapable de suivre le merveilleux corps, ne fut pas satisfaite. Elle ne put que le regarder s'éloigner.

— Adieu Lawanja, lui dit-il. L'esprit m'est venu et la parole aussi. Je suis né et je me suis mis à vivre comme vit le reflet d'un miroir.

L'obscure formule cachait tout le mystère de cette naissance. Māra comprit le sens de ces mots murmurés dans les profondeurs de l'océan. Sa créature était dotée de l'intelligence la plus subtile.

— Le miroir !

Le dieu lui-même n'aurait pu choisir pareille image avec autant de justesse et de clarté.

– Sais-tu déjà pourquoi tu es né ? lui demanda Māra. Ton âme et ton esprit sont-ils à ce point conscients ?

L'homme abandonna les ombres des grands fonds et nagea vers la surface, s'orientant grâce aux rayons de lumière du soleil que lui seul pouvait deviner. Alors il répondit au dieu.

– Je suis comme tu m'as voulu. Tu as peut-être peur pour moi, à présent ? Tu veux peut-être te retirer, dieu Māra ? Mais c'est impossible : même une mère passe des heures d'angoisse et d'appréhension en voyant grandir son fils... Et le dieu qui a créé se comporte pareillement.

– Tu es plus fort et plus beau que je ne l'avais espéré. Māra est ton serviteur, prince.

La créature avait dépassé toutes les prévisions de son créateur. Les poissons et autres habitants de l'océan vinrent lui apporter leur bénédiction. La baleine arriva la dernière. Chevauchant son énorme tête, le nouvel homme traversa d'immenses distances avant d'approcher l'endroit désiré. La surface de la mer n'était plus très loin et l'on voyait les vagues se plisser comme des drapeaux dans le vent. La vue de la créature se fit de plus en plus distincte. Alors, pour la première fois et avec émotion, il entrevit le ciel.

– Le monde est une création merveilleuse. Rien d'aussi beau n'a jamais été imaginé par mon esprit. Je suis prêt à me vouer à cette beauté.

« Adieu, Māra. Je suis le miroir où l'âme a été déposée. Cette perfection est due à celui qui a longuement observé et étudié. Mon intelligence est la copie exacte de la sienne. Et mon nom aussi sera le sien.

« Moi aussi je suis celui qui a atteint son but.

« Moi aussi je suis Siddhārta.

« Je suis le Sosie parfait !

Au moment même où il prononçait ces mots, le nouveau prince fut projeté jusqu'à la surface par le puissant jet de la baleine. Sur ce colosse aussi haut que les quatre tours d'eau qui l'attendaient sous la lumière dorée du soleil se dressa le corps du double de Siddhārta.

Le Sosie contempla son palais au milieu de l'océan et comprit qu'il l'abandonnerait très vite.

DEUXIÈME PARTIE

Sur la terre

La naissance du Sosie parfait n'avait pas été différente du couronnement d'un prince.

Les vertus et les avantages de Sosie, qui restait cependant un homme parmi les hommes, s'offraient à l'évidence. Sa beauté, la ferveur de son esprit et la force de son caractère étaient extraordinaires. Il était le Parfait en puissance, l'Inégalable. Il avait été forgé à l'image exacte de l'Éveillé, du prince Siddhārta, de ce jumeau qui avait combattu et vaincu la mort, la douleur et la haine.

Mais Siddhārta le Sosie était-il véritablement identique à Siddhārta l'Éveillé? La réponse était oui. N'y avait-il rien qui les distinguât? Les prendrait-on l'un pour l'autre, étaient-ils aussi semblables que deux gouttes d'eau? La réponse, là encore, était oui.

Il devait pourtant bien y avoir quelque chose qui les différenciait : l'un avait déjà fait du chemin; l'autre, en revanche, n'avait pas fait ses premiers pas. Mais non, cela était encore insuffisant pour les distinguer.

Māra avait été le témoin de chaque pas que Siddhārta avait entrepris de faire sur le chemin de vérité et il en avait imprimé le souvenir dans l'âme de Sosie. Rien n'empêchait ce dernier de suivre la même lumière, de marcher sur les traces de son jumeau, de reconnaître les mêmes ennemis, de charmer les mêmes amis.

À l'instant où il ouvrit les yeux sur le monde et vit à quel point la vie du fleuve pouvait être tranquille et silencieuse, légère la brise qui lui caressait les cheveux, pénétrante et amère l'odeur de la terre qu'il serrait dans son poing et qu'il portait instinctivement à sa bouche comme s'il voulait s'en nourrir, en cet instant, Sosie ne pouvait pas savoir s'il mènerait à bien sa tâche. Il ne pouvait pas imaginer, même de façon lointaine, combien de jours le séparaient encore de la rencontre. Ni l'endroit ni les circonstances où elle se passerait, ni quel chemin, entre tous ceux qui s'ouvraient devant ses yeux, le conduirait jusqu'à Siddhārta. Car c'était bien à sa rencontre qu'il devait aller.

Il savait néanmoins que c'était là un secret qu'il ne faudrait jamais révéler. Ce n'est qu'au moment où ils se trouveraient l'un en face de l'autre, désorientés comme deux images identiques réfléchies dans un miroir unique, fragiles comme des jumeaux qui ne savent s'ils doivent s'aimer ou se haïr, que tout prendrait son sens.

Cette rencontre absurde et nécessaire, la grande épreuve annoncée par le divin Māra, devait encore advenir. Sosie n'avait devant les yeux qu'une étendue de fleurs jaunes sur lesquelles se posaient de minuscules insectes, aussi légers que l'air, des poissons frétillants et de grands oiseaux aux ailes déployées. Mais il ne se trouvait pas seul dans ce paysage inconnu et insupportablement nouveau. Une femme qui portait un panier d'orties sur la tête le regarda d'un air incrédule.

– Qui es-tu ? Qui t'envoie ? Qu'as-tu à m'offrir ? demanda Sosie.

Il n'eut pas le temps de finir sa phrase que la jeune femme, apeurée par ces yeux qui s'étaient posés sur elle, se retourna et, laissant tomber son panier, prit la fuite.

Voilà qui est bien incompréhensible, se dit Sosie sans savoir comment réagir. Puis il regarda l'endroit où la jeune femme avait disparu. Pour une première approche de ses semblables, il n'avait pas de quoi se réjouir !

Māra avait voulu que Sosie sache qu'il était un homme comme les autres, capable d'avoir des émotions, des moments de joie et de tristesse, et de les exprimer. Māra avait aussi voulu qu'il connaisse leur langue. Mais il n'avait pas voulu qu'il connaisse leurs habitudes.

Sosie se remit sur ses pieds, confus, incapable de faire le moindre pas. Des voix lui parvinrent d'un lieu éloigné et il

savait qu'elles étaient celles des hommes. Les bavardages semblaient se rapprocher, mais personne ne se montrait. Finalement, un vieillard s'approcha de lui et lui parla. Sosie lui en fut
extrêmement reconnaissant.

Le vieil homme portait une barbe blanche et épaisse. Il le
fixait de ses yeux pénétrants.

— Elles rient de toi, mais tu as tort de te vexer. Toutes les
femmes sont prêtes à te sauter dessus. Depuis que tu es étendu
là, dans le pré, elles n'ont eu de cesse que de parler de ta beauté
et de tes attraits. Je veux bien y croire aussi. Tu es nu comme
un ver et tu n'as certes rien de repoussant. Mais peu importe, tu
peux rester ainsi devant moi. C'est devant elles que tu aurais
dû...

Sosie retira la main de son sexe, qu'il avait instinctivement
caché au regard du vieil homme. Il cherchait à comprendre ce
qui n'allait pas.

— Mais de quoi parles-tu ? Quelles femmes ? Je n'ai vu personne, si ce n'est cette folle qui est partie en courant.

Le vieillard se mit à sourire.

— On voit bien que tu as la tête dans les nuages ! Dommage,
un homme jeune et beau comme toi... Moi aussi, autrefois, je ne
savais pas m'y prendre avec les femmes. Je voulais tout et tout
de suite. Tiens, je t'ai apporté les habits de mon patron. Je suis
certain qu'ils t'iront à merveille. Il a malheureusement quitté sa
maison de marchand depuis bien des mois et il n'est jamais
devenu. Sa femme se désespère, mais la vie continue et il ne
nous reste qu'à profiter de ce qui était à lui. Regarde comme ce
tissu de soie est beau !

Sosie passa le reste de la journée en compagnie de cet
étrange vieillard, qui lui avoua ne s'être approché de lui
qu'après l'avoir observé durant des heures, tandis qu'il dormait
près du fleuve et que les femmes qui ramassaient les orties n'en
finissaient plus de comploter à son sujet. Lorsque le soir arriva,
il avait déjà appris par la bouche du vieil homme tout ce qui lui
semblait essentiel concernant la façon de se comporter avec les
femmes et compris combien cela pouvait être utile pour un
homme qui voulait vivre dans le monde.

Parmi tous ses conseils et ses recommandations, le vieillard
avait expliqué à Sosie que la région dans laquelle il se trouvait

était la meilleure où vivre. C'était le royaume du Magadha. Son roi était un homme éclairé et plein de bonté. Ses sujets lui étaient dévoués comme s'il s'agissait de leur père et de leur meilleur conseiller, et aucun d'eux n'osait transgresser ses lois, qui leur semblaient très sages et très justes.

Ce roi s'appelait Bimbisāra et il était éperdument amoureux de son épouse, la reine Sakuntala.

Le soleil des amoureux

Le roi Bimbisāra aimait Sakuntala, sa reine. Sakuntala aimait et respectait Bimbisāra, son roi. Le royaume du Magadha était imprégné de cet amour, qui n'avait rien de commun avec ce qui lie généralement deux souverains.

On disait que leur rencontre avait eu lieu au ciel bien avant qu'elle ne se passe sur Terre. Le dieu Brahmā était assis sur son trône et se plaisait à voir que les âmes des habitants du ciel qu'il avait créé savaient rester seules. Dans les jardins où poussaient les arbres éternels, les Bienheureux étaient comme les astres d'une même constellation. Brillant chacun d'une lumière différente, ils gardaient leurs distances. La perfection était là.

Un jour, les yeux de Brahmā tombèrent sur Bimbisāra et sur son étoile proche, qui s'appelait Sakuntala. Le dieu comprit alors qu'il avait donné naissance à quelque chose qui ne pourrait jamais être détruit, l'amour.

Ému par sa propre création, il descendit de son trône et proposa à Sakuntala et à Bimbisāra de vivre un amour terrestre afin de servir d'exemple aux hommes. L'amour, selon lui, devant être partagé par deux êtres vivant l'un près de l'autre, Brahmā ne regretta pas de dire adieu à leurs âmes. Le ciel n'était pas un endroit pour un sentiment aussi puissant.

Bimbisāra connaissait cette légende, que le peuple aimait raconter avec orgueil. Pourtant, depuis qu'il avait rencontré sa Sakuntala et qu'il avait commencé à l'aimer, il n'avait jamais éprouvé le besoin de la lui rappeler.

Leur amour ne laissait pas place au souvenir des temps dorés et des paradis lointains. Ils avaient tout. Aucune légende n'aurait pu leur offrir autant. Et Sakuntala était belle à couper le souffle. Ses cheveux noirs encadraient son visage et descendaient le long de son dos dans une cascade de reflets pareille à une source d'eau vive à la tombée de la nuit. Lorsqu'elle était près de lui, le roi, à chaque geste qu'elle faisait, sentait les parfums de son corps pareils à ceux de la nuit. Alors son cœur se serrait. L'intensité de la nuit et sa beauté ne sont pas toujours faciles à soutenir. Mais Sakuntala le savait. Afin que son aimé ne s'éloigne pas d'elle, elle posait sur lui ses deux yeux de perle. Et, lorsqu'il admirait la lumière de son regard, elle lui disait que cette lumière le protégerait et le rassurerait toujours.

Quelques mots suffisaient à Bimbisāra et à Sakuntala pour se comprendre. Les jours passaient sans que rien ne vienne assombrir leur amour. Il semblait même, depuis leur première rencontre, que le temps s'était arrêté.

— Voilà le secret de ta grandeur, mon roi. Viens, viens voir.

Sakuntala avait couru pieds nus jusqu'à la fenêtre du haut de la tour et s'était penchée au-dehors. L'étreinte qui les avait retenus l'un à l'autre pendant des heures venait de s'achever. La reine ne se lassait pas des bras vigoureux, de la poitrine chaude et des mouvements agiles et savants de son époux. Elle avait encore envie de lui.

On pouvait voir, par-delà les murs du palais, les innombrables collines s'étendre à perte de vue et, au loin, les hauts plateaux d'orient se dressant dans toute leur majesté. C'était vers eux que le regard de tous les habitants du royaume, en quelque endroit qu'ils se trouvent, se tournait pour voir le soleil se lever.

— Cette aube est fort étrange, Bimbisāra. Est-ce toi qui gouvernes le temps ?

— Si tu parles de cette boule de feu qu'aujourd'hui tu ne vois pas surgir des hauts plateaux, cela signifie que tu as compris. Je n'ai plus de secrets pour toi, à présent, Sakuntala. Celui-ci était le dernier. Les nuits comme celle-ci, durant lesquelles tu viens taper à ma porte et où je te laisse entrer, le soleil et moi sommes liés par un pacte ancien, le pacte que tu as découvert aujourd'hui.

— Es-tu sérieux ? Tu voudrais dire que...

— Je veux dire que nous pouvons recommencer. Le soleil ne se lèvera pas tant que je ne le lui aurai pas ordonné. Et nous ne sommes pas encore fatigués, Sakuntala, n'est-ce pas ?

Il n'eut pas fini de parler que leurs deux corps s'étaient déjà retrouvés pour s'enlacer au milieu des coussins, tandis que les draps de soie blanche s'enroulaient et se plissaient autour d'eux.

Pendant la journée, les conseillers venaient consulter le souverain au sujet de la promulgation de lois ou lui poser des questions sur la politique et la construction des temples, l'approvisionnement des milices et le soutien des régions les plus pauvres. Et Bimbisāra, viril dans son commandement et fin stratège dans les relations diplomatiques, prenait toujours de sages résolutions.

Lui seul pouvait savoir que sa lucidité et son assurance n'étaient pas aussi mystérieuses qu'on le prétendait. Il savait que sa force n'aurait pas été telle sans la présence de son épouse, la reine Sakuntala, toujours active, adorable et fidèle.

Et lorsque, au beau milieu du jour, les difficultés du gouvernement venaient défier le souverain, le souvenir des reflets noirs comme la nuit des cheveux de Sakuntala se faisait plus brûlant et plus irremplaçable.

Siddhārta regarde le palais

Depuis les hauts plateaux, le prince Siddhārta regarda vers l'orient et admira durant quelques instant le soleil des amoureux. Que l'aube était paresseuse !

Il ajouta à sa méditation qui saluait le jour nouveau un hymne à l'amour des hommes : aux baisers qui semblent ne jamais finir, à l'attendrissement du cœur, à la poésie des paroles chuchotées à l'aimé.

Puis il se rendit à la source, s'y baigna et, laissant le vent du nord sécher son corps lavé et purifié, but à la cruche qu'il venait de remplir.

Il ne manquait plus grand-chose, maintenant, à la formulation complète de la doctrine dans son esprit. On débattrait longtemps autour d'elle au cours des siècles à venir. Chacun y trouverait sa voie, son credo.

Siddhārta, le Bouddha, l'Éveillé, savait qu'il ne laisserait pas de traces écrites. Les témoignages se transmettraient de génération en génération au moyen du seul transport du cœur. Siddhārta avait compris que les élans du cœur, pour chaque civilisation future, dureraient plus longtemps qu'une tablette de pierre ou qu'une feuille de palmier, et plus longtemps encore que les langues parlées par les hommes.

La méditation et l'écoute continuaient à constituer ses méthodes privilégiées.

Il arrangea les braises du feu qui était resté allumé durant la nuit, mit de côté un nouveau tas de bois qui lui servirait pour la nuit suivante et plaça des pierres, en cercle, autour du foyer. Le prince ascète savait qu'il était temps de se remettre en chemin. Chaque geste rituel qu'il exécutait dans la solitude le préparait à ce voyage. Maintenant qu'il avait préparé tout ce qui lui était utile pour la journée, il pouvait aller méditer.

Il étudiait depuis longtemps les formes des collines boisées et des buttes qui plissaient les hauts plateaux comme des vagues. Mais, cette fois-ci, il les ignora. C'était une journée spéciale. Il se mit à regarder le palais.

Cet édifice singulier, avec ses tours et ses grands pavillons, occupait toute son attention. Le bloc de marbre blanc, haut comme une montagne et s'étendant jusqu'aux rives des quatre fleuves, proposait, dans sa monumentalité, de nombreuses questions à méditer.

Le palais du roi Bimbisāra et de la reine Sakuntala avait été construit bien avant leur naissance. Il n'y avait au départ qu'un étang de lotus blancs, encore visible sur la droite des maçonneries. Puis on avait creusé un fossé, parallèle à la frontière méridionale du royaume, où vint s'enfoncer la muraille entourant le palais. Le terrain, défriché et aplani, n'avait opposé aucun obstacle à l'édification de ces murs de marbre blanc.

Le bâtiment privé, en revanche, avait nécessité des années et des années d'efforts. Il semblait une œuvre d'art conçue d'un jet par le génie d'un seul artiste. Mais, pour obtenir cet équilibre parfait des arcades qui faisaient de l'ombre dans les cours et l'harmonie des escaliers qui montaient jusqu'au sommet des tours, le travail de nombreux charpentiers et maçons avait été nécessaire.

La tour centrale était la plus haute. Les deux autres surgissaient à l'écart de la porte principale, à laquelle on n'accédait qu'après avoir été sévèrement contrôlé par des gardes.

Le soir commençait à tomber lorsque Siddhārta se rendit compte qu'il avait examiné tous les marbres et les fers forgés, les ors et les éclats des diamants qui encadraient les ogives, les revêtements d'argent au sommet des flèches, ainsi que tous les autres matériaux employés pour faire de l'édifice le plus important du royaume un joyau. Il se baissa pour allumer le petit feu. La lueur de la flamme éclaira son visage.

Avant que les ombres de la nuit ne viennent envelopper une à une les murs de marbre blanc que le soleil avait éclairés durant la journée, Siddhārta fixa son attention sur les quatre grandes portes du palais. Chacune d'entre elles correspondait à l'un des points cardinaux. Il conclut alors sa méditation en estimant que le palais représentait l'idée même de force. Derrière ses remparts, on ne connaissait pas la peur.

Puis, juste avant de se coucher, il remarqua un détail sur lequel son œil ne s'était pas encore arrêté. La quatrième porte, décorée de statues équestres en ivoire, était la plus imposante de toutes. Le même ivoire avait été employé, en son temps, pour achever la modénature qui couvrait les gonds de la porte de la première tour. Il provenait des défenses d'un éléphant mort d'une longue maladie. Ces os, qui avaient perdu leur robustesse, avaient un point faible. Et ce furent eux qui, par erreur, avaient servi à recouvrir une fissure.

Cette fissure s'étendait à présent jusqu'à la deuxième colonne de gauche, qui soutenait la structure tout entière de la porte. Par chance, elle ne l'avait pas encore atteinte. Les autres colonnes étant fort stables, le poids du marbre se répartissait de façon équilibrée. Mais il aurait suffi que la fissure se prolonge un peu, jusqu'à la colonne adjacente au mur, pour que la porte s'écroule.

Cette brèche dans cette forteresse imprenable était destinée à rester inconnue jusqu'à la mort de Bimbisāra. Quatre dynasties se succéderaient après lui, et elles seraient si puissantes qu'elles tiendraient leurs ennemis à l'écart. Mais lors de l'avènement de la cinquième, dans un futur lointain, quelqu'un enfoncerait une épée entre les feuilles d'ivoire. La fin du royaume de Magadha était écrite dans ce précieux matériau.

Siddhārta s'assoupit. Sa dernière pensée, avant qu'il s'endorme tout à fait, touchait aux conseils qu'il offrirait à Bimbisāra. Le roi, sans le savoir, était déjà tourmenté par une question amère. Sensible comme il l'était, il présageait une brèche : une imperfection aussi invisible qu'inacceptable, cachée dans l'histoire de la muraille comme dans celle de son amour pour Sakuntala.

Le passage secret

Une fois la réunion terminée, Bimbisāra quitta rapidement la salle des audiences. Lorsque le roi sortit, l'homme à la clepsydre recueillit la coupe de cuivre qui avait été posée sur le fond du récipient au moment exact où l'heure avait été sonnée et frappa sur le tambour pour indiquer qu'il était huit heures du matin. La règle qui voulait qu'à chaque déplacement du souverain corresponde une heure précise de la journée était ainsi respectée.

Le roi, qui rejoignait l'autre aile du palais, traversant chaque pièce, imprimait sa cadence au temps. Il était le seigneur du Temps. La perfection de ses actes, en harmonie avec le rythme de la vie, était incontestée, tant et si bien que le ciel et le mouvement des planètes eux-mêmes semblaient aussi attendre le signal de son passage.

Bimbisāra s'engagea dans un long couloir qui conduisait à l'extérieur. Il n'entendit pas le grondement des tambours. Ou peut-être le perçut-il dans un coin perdu de son esprit qu'il avait libéré de ses pensées en marchant.

Tandis qu'il traversait le couloir, Bimbisāra était comme absent. Des corps d'oiseaux aux visages à moitié humains, des doubles têtes de béliers et de taureaux apparaissaient le long de tapisseries aux motifs complexes. Mais le roi ne se demandait pas ce qu'étaient ces animaux et pourquoi leurs muscles paraissaient véritables, tout autant que leurs plumages et leurs pelages. Bimbisāra était né et avait vécu au milieu de ces symboles et s'y était miré durant des années, apprenant par cœur leurs plus délicates nuances. Il connaissait la géométrie du palais comme s'il s'agissait des os de son propre squelette, des veines de son propre sang, et tout lui apparaissait clairement.

Pourtant, le roi se retrouva tout à coup dans un lieu qu'il lui semblait ne pas connaître.

Il avait buté contre quelque chose et entendu un déclic. C'est tout ce dont il se souvenait. Étrangement, les losanges de lumière que ses pas avaient découpés le long des murs du couloir s'étaient évanouis, comme si le soleil, dont ils tiraient leur lumière, s'était éclipsé.

Bimbisāra remarqua bien vite que les fenêtres géminées et le couloir lui-même avaient disparu. Et le voici qui descendait, laissant courir sa main le long d'un mur de pierre. Mais vers où descendait-il? Quel était ce lieu? se demanda-t-il, maintenant certain de ne l'avoir jamais vu.

Un passage secret, une niche tournante, un invisible trou d'homme ou Dieu sait quoi l'avait conduit jusqu'à ces marches humides qui semblaient s'effriter sous ses pieds.

L'escalier prit fin et la lumière se mit alors à croître. Non pas une clarté de plein jour, mais une relative pénombre. Bimbisāra s'avança dans le souterrain puis, à mi-chemin, s'arrêta. Le bruit d'une souris le laissa penser qu'il se trouvait au niveau des caves. Mais les ouvertures à hauteur d'homme qui donnaient sur l'extérieur le plongèrent dans un doute vertigineux. Le roi crut tout à coup qu'il s'était trompé : l'escalier qu'il avait emprunté avait monté, et non descendu, comme il l'avait cru. Ou peut-être pas. Le sol pouvait aussi avoir changé de niveau.

Ce que laissaient entrevoir les ouvertures était inimaginable et absurde. Bimbisāra remarqua deux, trois, quatre, six, dix pièces dont il reconnut les bibelots et le mobilier. Il avait devant les yeux les appartements des courtisans, de ses gardes armés et de ses ministres. Il en resta abasourdi. Le passage secret l'avait conduit au sein d'un vaste observatoire, soigneusement architecturé, d'où il était possible d'épier, à l'abri des regards, la vie privée des membres de la cour.

Le roi, n'osant s'avancer, puisqu'il ne savait pas si les étroites meurtrières le protégeaient des regards de ceux qui se trouvaient derrière, se posta dans l'angle le plus sombre et se tint là, paralysé par la curiosité, respirant la forte odeur d'humidité.

Puis il lorgna les appartements. À cette heure, ils étaient déserts. Dans l'un d'entre eux, il vit une table, des tabourets renversés et une modeste cheminée qui semblait n'avoir pas servi depuis longtemps. Le sol était sale et des vêtements presque neufs avaient été jetés près des balais. À voir le désordre, on devinait qu'il s'agissait de la chambre d'un serviteur.

Bimbisāra laissa courir ses yeux sur cet intérieur dépouillé et négligé. Et, après avoir attendu un peu, il vit s'ouvrir une petite porte de bois.

Deux hommes entrèrent. Le premier redressa les tabourets et fit s'asseoir l'autre à la table. Ce dernier, un homme gras, portait autour du cou un pendentif qui se balançait à chacune de ses respirations, qu'il semblait prendre à grand-peine.

Bimbisāra ne pouvait voir que son profil anguleux. Il dirigea alors ses yeux vers les deux mains de l'individu posées sur la table. Les cals que ce dernier avait aux doigts semblaient résulter non pas d'années de travail manuel, mais du martyre que ses ongles leur avaient fait subir.

Les mots échangés par les deux comparses furent bien loin de laisser le roi indifférent. Bimbisāra y prêta l'oreille avec une avidité qui était plus qu'étrange pour un homme si digne et si savant.

Le pari

— Patron, on ne peut faire autrement.

— Cela coûterait trop d'argent, je te l'ai déjà dit. Nous ne sommes pas en train de construire un palais mais une modeste maison de campagne. J'ai déjà décidé de satisfaire une fois de plus les caprices de ma famille avec l'argent accumulé pendant ma vie entière, et c'est suffisant. Tu me connais depuis des années, Chandasinha, et tu sais que je ne suis pas avare.

— Personne ne dira jamais cela de toi, patron. Et certainement pas moi, qui suis ton serviteur fidèle et ton conseiller secret en affaires.

Ce serviteur et son patron discutaient de faits concrets. Pour la première fois de sa vie, le roi eut l'impression d'entendre la voix même de son peuple.

— Le bois d'importation est bien plus résistant que le nôtre, et celui que nous avons déjà acheté ne suffira même pas pour achever le toit. Cette maison devra être résistante. C'est toi qui me l'as appris : lorsqu'on fait quelque chose, autant le faire bien. Et « bien », ça veut dire « parfait » !

Tout en s'excoriant nerveusement les doigts, Chandasinha continuait à chercher à convaincre son patron de dépenser plus d'argent pour la construction de sa villa de campagne. Bimbisāra, qui se tenait caché pour pouvoir continuer à les espionner depuis son observatoire secret, était curieux de savoir comment tout cela allait se terminer. Mais il ne savait pas que cette négociation n'était pas la première. Comme beaucoup de serviteurs rusés, Chandasinha avait pris pour patron un riche courtisan, stupide et bon à plumer.

« Quel entêté, songea le serviteur, avec tout ce qu'il a déjà dépensé pour la villa, sans même être allé contrôler l'avancée des travaux, qu'est-ce que ca lui coûterait d'ajouter la somme que je lui demande ? »

Il n'en pouvait plus. Cet argent lui faisait terriblement envie, et puis, avec cet idiot de patron, c'était devenu une question d'honneur. Il lui sucerait toute sa fortune une bonne fois pour toutes, à commencer par ce précieux pendentif qui gênait sa respiration.

Bimbisāra ne pouvait pas savoir tout cela. Il ne pouvait pas lire dans les pensées de ce serviteur infidèle.

– « Parfait », « parfait »... Sottises que l'on invente pour faire travailler durement les serviteurs. C'est moi le patron, ne l'oublie pas. Tu me répètes toujours les mêmes mots. Mais qu'est-ce qui peut être parfait ? Et qu'est-ce que cela signifie ? Acheter toutes les forêts de santal peut-être, et les plus belles faïences ? Pourquoi ne me demandes-tu pas de mettre en branle toute une armée, de déclarer une guerre et de conquérir tous les royaumes d'Orient pour construire ma demeure dans une lande immense ? Au moins, il n'y aurait pas de voisins pour me harceler comme tu le fais ! Cette maison est déjà parfaite comme elle est, je ne veux pas y ajouter le moindre clou.

L'argument du serviteur semblait avoir été définitivement proscrit, le verdict prononcé. Bimbisāra était sur le point de croire que cette affaire était classée lorsque la réplique de Chandasinha arriva à ses oreilles, retenant toute son attention.

– Tu dis que la maison est parfaite.

– Oui, absolument parfaite, confirma le patron.

– Parfaite comme tu la voulais, comme tu l'as toujours voulue.

– Oui.

– Une maison qui durera et qui sera la demeure de tes enfants et des enfants de tes enfants. Un lieu harmonieux pour rassembler toute la famille, qui rappellera à jamais ton nom, le nom de son fondateur.

– C'est bien ça.

– Pour cela, nous avons fait confiance aux corps de métier les plus avisés, nous avons fait venir dans la capitale les charpentiers les plus adroits et les plus coûteux, qui ont conçu un nouvel alliage pour ériger les piliers.

– Tout à fait.

– Et ces piliers te semblent-ils parfaits?

– Ce sont les meilleurs et les plus solides que l'on ait jamais inventés.

– Donc, ils te plaisent.

– Et comment!

– Si tu y découvrais une fissure, tu serais très déçu?

– Que veux-tu insinuer? Bien sûr que je serais déçu, mais ce n'est pas le cas. Je les ai examinés personnellement et minutieusement avant qu'ils ne soient dressés.

– C'est bien là le problème, patron. J'attendais que tu y viennes. Tu les as regardés et touchés, martelés et contrôlés. Alors tu as décrété que ces piliers étaient sains et parfaits, et tu t'es fié à eux, pour toujours, comme s'ils étaient tes enfants. Mais je dois hélas t'avouer que l'acquisition d'un dépôt entier de ces piliers ne suffirait pas pour que tu aies la certitude que la maison que tu convoites ne s'effondrera pas un jour ou l'autre. Et cela même si tu faisais bâtir sept maisons semblables à celle-ci, pour être certain que tes petits-enfants se souviendront du dur labeur de leurs grands-pères et de leur nom glorieux.

« Ce que je veux dire par là, patron, c'est que la véritable perfection n'existe pas. Minimiser les risques d'imperfection de ce que nous possédons est une tâche qui peut durer indéfiniment. Néanmoins, une fois que nous en sommes conscients, nous devons mettre en œuvre tous les moyens qui nous sont offerts pour réaliser cette tâche. Ce n'est pas par hasard que je t'ai parlé de ce teck si prisé qui vient des mers du Sud. Avec lui tu pourras dormir en paix et mieux que tous ces inconscients qui nous entourent. »

Bimbisāra vit passer une ombre sur le visage du patron. Tandis que ce dernier écoutait son serviteur, il avait pris peu à peu un air plus sérieux, presque méfiant.

– Tu me diras encore, poursuivit Chandasinha, que ce ne sont là que de belles paroles et qu'il te faut des faits concrets. Tu ne veux pas te convaincre que quelque chose que tu avais jugé parfait et définitivement achevé puisse, en réalité, poser problème.

– Une chose parfaite l'est une fois pour toutes. C'est du moins ce que je crois...

– Alors dis-moi, patron, ce qui te semble parfait. Quelque chose dont nous ne pourrions jamais douter. Quelque chose de si harmonieux et de si achevé que nous considérerions qu'elle ne pourrait jamais tomber en miettes. Dis-moi à quoi tu penses et je te démontrerai que sa ruine est déjà annoncée.

Le patron se mit à réfléchir. Une seule réponse pouvait lui venir à l'esprit.

– L'amour de la reine Sakuntala pour le roi. Un sentiment aussi pur et vertueux durera éternellement. Crois-tu qu'on puisse faire la preuve du contraire ?

Bimbisāra se glaça en entendant ces mots. Il ne savait ni comment ni quand il avait commencé à croire en la sagesse contenue dans la dissertation du serviteur. Mais, à présent, le seul fait d'imaginer qu'il pouvait y avoir dans ses propos une quelconque vérité lui dessécha la gorge, et l'angoisse l'assaillit.

– La reine Sakuntala, dis-tu...

Chandasinha réfléchit longuement. Il cessa de se tordre les doigts et posa une main sur l'épaule de son patron.

– L'amour de Sakuntala, né comme une étincelle du ciel... Je n'aurais jamais voulu te causer un tel déplaisir, mais c'est toi, patron, qui me forces à le faire. Nous croyons à cette légende parce que nous préférons voir le bon côté des choses, et parce que nous honorons notre roi. Mais la réalité n'est pas toujours telle que les yeux la voient. L'autre jour, j'ai remarqué que quelque chose avait changé chez notre reine. Et cela concerne, je crois pouvoir l'affirmer, son amour pour Bimbisāra.

– Que veux-tu dire ? lui demanda son patron.

Chandasinha eut l'impression que le soupçon commençait déjà à germer dans l'esprit de son maître.

– Le roi et la reine se promenaient ensemble dans le parc des cygnes, comme Bimbisāra aime toujours à le faire. La lourde suite des nobles de la cour se tenait sous la pergola, pour l'accueillir à l'occasion de la fête d'inauguration du nouveau sanctuaire. Et nous nous trouvions parmi eux, si je me souviens bien. Toi, patron, tu avais été convié ; et moi et les autres serviteurs attendions que les invités finissent de déjeuner. Mais, de l'endroit où je me trouvais, je pouvais assister à toute la scène, et j'ai constaté, je peux te l'assurer, que la reine Sakuntala était profondément absorbée. Je ne l'avais jamais vue ainsi. Elle mangeait peu. Ses yeux de perle, qui n'avaient jamais perdu un seul sourire du roi, regardaient dans le vide, loin de lui.

« Ce soir-là, je suis allé me coucher très tard et... peut-être ne devrais-je pas le dire, car ce n'est pas convenable pour un serviteur de parler ainsi, mais je suis allé fureter sous sa fenêtre, du côté est de la tour. Les lumières sont restées éclairées jusque tard dans la nuit. Dieu sait à quoi elle était en train de penser, seule dans sa chambre...

— Tu es complètement fou ! Serviteur présomptueux, jamais pareilles infamies n'ont été prononcées !

— Moi non plus je ne voulais pas y croire, patron. Mais d'autres événements sont venus confirmer ce fait. Je n'ose pas imaginer ce qui se passera lorsque la reine Sakuntala, belle et jeune comme elle est, s'apercevra de ce qui lui arrive. Son cœur deviendra mélancolique par peur de ne plus aimer éperdument le roi.

— Je ne crois pas un mot de ce que tu dis. Et je suis même tellement persuadé du contraire que je suis prêt à te concéder tout l'argent que tu veux pour la construction de la villa ou pour ce que tu veux d'autre, si tu arrives à me fournir la preuve de ce que tu avances.

— Donne-moi ton pendentif avec ton médaillon de famille. Ce sera la rançon : tu le récupéreras quand je serai en mesure de te donner la preuve à laquelle je suis déjà en train de penser.

Le patron retira son pendentif, le remit à son serviteur, et tous deux sortirent de la pièce sans ajouter un mot.

Bimbisāra aurait voulu s'enterrer vivant.

Au matin, le roi avait traversé le couloir ensoleillé et était passé devant les larges fenêtres géminées avec assurance. Mais il y avait maintenant une partie du mur de ce couloir, cachée derrière les tapisseries, qu'il voulait oublier à tout prix. Il s'y évertua tant qu'il put et finit par croire qu'il y était parvenu.

Le Grand Architecte

Le trône, au centre de la salle circulaire, resplendissait tel un soleil dans l'univers. Le roi Bimbisāra avait renoncé à certaines obligations qu'il devait honorer durant la journée et avait invité ses ministres à une cérémonie comme on n'en avait pas vue depuis longtemps. Il avait soudain ressenti le désir inexplicable de recevoir l'hommage des notables dans la grande salle du trône. C'est là que se déroulaient les plus importantes cérémonies. Les femmes n'y étaient jamais admises, sauf pour des occasions spéciales. Seule la reine pouvait y pénétrer, à côté du souverain. Mais elle n'était pas présente ce jour-là.

Cinquante pas séparaient le trône de l'hémicycle de pierre où, vêtus d'habits somptueux et coiffés d'un turban, les dignitaires du royaume étaient installés sur trois rangées, en fonction de leurs grades. Tous observaient un silence religieux en présence de leur souverain.

Ce n'est qu'au moment où il regarda ces hommes que Bimbisāra comprit pourquoi il les avait convoqués et pourquoi il avait ressenti ce besoin impérieux de siéger sur le grand trône.

La façon dont ils s'étaient répartis dans l'espace pour cet hommage au roi n'avait rien de naturel. Bien plus qu'à sa personne, c'était un hommage adressé à ce qu'il représentait : l'harmonie. Le roi Bimbisāra, assis au centre de la salle circulaire, personnifiait l'origine même de l'ordre. Ce n'était pas le souverain qui avait ressenti le premier ce besoin urgent d'harmonie, ni aucun de ses dignitaires, mais le génie secret et solitaire du Grand Architecte.

Si seulement il l'avait eu auprès de lui, songea le souverain, il l'aurait regardé droit dans les yeux, en signe de profond respect, et lui aurait avoué que la grandeur de son œuvre lui était restée mystérieuse jusqu'à ce moment précis. Bimbisāra voyait combien le travail des artistes et des savants pouvait faire descendre sur Terre la sainteté de l'ordre cosmique et éclairer les hommes de la lumière divine. Ce qu'il avait autour de lui semblait être l'œuvre d'un magicien. La tête légèrement penchée sur la poitrine, les mains jointes à hauteur du cœur, le souverain vécut sept minutes éternelles de triomphe absolu. Il frissonna. Juste au-dessus de lui, dans la courbe du plafond, comme s'il avait été construit selon la forme et la circonférence de son crâne, s'ouvrait un oculus qu'il n'avait jamais remarqué et que traversait un rayon du soleil à son apogée. Il était exactement midi. Seuls le trône et le roi qui y était assis recevaient cette lumière zénithale. Le reste de la salle, chacune des parties du large cercle et chaque homme qui s'y trouvait assis, était plongé dans l'ombre. Des dizaines de visages cachés l'observaient. Cependant ce n'était pas lui, son corps ou son visage penché sur sa poitrine qu'ils regardaient, mais cet unique point de lumière.

Voici ce qu'était le souverain : la lumière qui l'enveloppait durant sept minutes. Il n'était ni un homme ni un dieu, mais un trône au centre d'une salle et autour duquel l'univers tout entier semblait s'harmoniser.

Ces sept minutes de magie devaient avoir été très claires dans l'esprit et le dessin magistral de l'Architecte, tout comme les équations et les calculs interminables qui lui avaient été nécessaires pour concevoir le palais monumental.

Au terme des sept minutes, la lumière se mit à irradier toute la salle et le sacré devint profane. L'hommage des dignitaires était terminé et ils s'apprêtèrent à prendre congé. Une longue marche les conduisit en dehors de la salle. Le seul à rester fut Somika, le grand chambellan, vêtu de rouge.

Durant des années, Bimbisara se souviendrait de la voix du chambellan, résonnant dans la grande salle du trône.

— Sire, ton humeur me préoccupe. Quelque chose a changé dans ton regard.

Le roi ne répondit pas. Un silence insoutenable était descendu sur eux. En aucune circonstance Bimbisāra n'aurait avoué au chambellan les motifs qui assombrissaient son visage et retenaient les mots prisonniers dans sa gorge.

Dans le gigantesque projet de l'Architecte, qui avait calculé l'équilibre de chaque pierre soutenant le rempart du palais et créé à partir de rien cette harmonie du tout, il y avait une anomalie qu'on ne pouvait plus passer sous silence. Des images du lieu secret se mirent à tourbillonner dans l'esprit du roi. Dans le passage dissimulé dans les méandres du couloir, le roi avait compris la signification profonde d'une telle anomalie.

Le défaut de la construction, pensa-t-il, le passage secret, oblique par rapport à tout le reste de l'édifice, correspondait au drame qu'il était en train de vivre dans son cœur. Pourquoi l'Architecte avait-il voulu ce passage, cet observatoire vicieux qui lui avait permis d'entendre des paroles blasphématoires sur son amour? Pourquoi l'avait-il voulu, si ce n'est pour révéler une ultime et définitive vérité?

S'il était vrai que le palais représentait la perfection de sa condition de souverain, s'il était vrai que chaque colonne, chaque mosaïque le lui répétait, alors voici ce qui était encore plus vrai : cette perfection ne pouvait pas exister.

Dans son âme aussi, il y avait un passage qui conduisait à la sombre cellule de l'anomalie. C'était le lieu obscur et secret dans lequel le soupçon s'était immiscé.

Chandasinha l'avait vu de ses yeux de faucon. Il n'avait pas plaisanté. Ses paroles déchirantes avaient été claires : la trahison s'était nichée dans les yeux et le cœur de la reine. Le serviteur en donnerait la preuve à son patron, il l'avait juré.

Mais cette preuve de l'imperfection de leur amour, qu'on croyait éternel, Bimbisāra la voyait en lui-même. Sakuntala ne l'aimait plus. C'était la raison même pour laquelle il avait déjà commencé à être jaloux et à ne plus lui faire confiance. Et il songea avec dégoût au commencement de la haine.

Somika n'avait pas bougé. La plus opprimante confusion régnait dans l'esprit de Bimbisāra. Il n'avait pas la force de s'en libérer tout seul. Les tâches auxquelles il avait consacré sa vie, sa souveraineté elle-même et la gloire du royaume montraient à présent les signes d'une ruine prochaine, d'une fissure. Il voyait de lointaines zones d'ombre qu'aucune lumière ne réussirait jamais à atteindre. Pourquoi? Pourquoi? Il aurait voulu le hurler au monde entier. Pourquoi souffrait-il tant?

– Somika, je dois parler à quelqu'un. Trouve un médecin, un astrologue, un magicien, quelqu'un qui soit capable de soulager les pleurs d'un roi.

Lorsque Bimbisāra releva les yeux, ce n'était ni un médecin, ni un astrologue, ni un magicien qui avait pris la place du chambellan.

– Je suis Siddhārta, je suis là pour t'écouter.

Étranger !

Lorsqu'il arriva à Rajagaha, la capitale du Magadha, et qu'il se trouva devant la porte principale du rempart du palais, Sosie n'eut qu'une seule pensée.

Voilà ce qu'était la perfection !

Une joie ancestrale, un appel incontrôlable le poussèrent dans cette direction. Il échangea des salutations, sans être surpris de rencontrer des gens aimables. Mais il lui fallut peu de temps pour comprendre que leurs sourires ne s'adressaient pas à lui. La grande porte décorée de feuilles et de branches taillées dans l'ivoire se referma juste après l'homme à cheval qui le précédait. Plus personne ne pouvait entrer.

— Qui es-tu ? Que veux-tu ? lui demanda l'une des sentinelles.

Il y avait du retard dans la relève de la garde. Les deux hommes d'armes avaient passé de longues heures, immobiles sous la canicule. Le désir de rentrer à la caserne pour profiter de leur temps libre les rendait nerveux et ils avaient bien l'intention d'éviter de faire des histoires inutilement. Sosie n'était cependant pas préparé à percevoir ces nuances de l'esprit. Malheureusement pour lui, il ignorait encore bien des choses.

— Si je suis ici, c'est parce que je dois entrer. Dites-moi plutôt qui vous êtes !

Les gardes échangèrent un regard complice. Leur métier les avait habitués à ne pas trop prendre au sérieux les bizarreries de tous ceux qui passaient devant eux. Ils en avaient vu suffisamment pour ne pas aller se chamailler avec un misérable qui n'avait ni cheval ni bourse, et sans doute rien dans les poches.

– Nous ne donnons pas l'asile aux mendiants, ici. Va ailleurs.

– Il n'y a certainement pas d'autre endroit qui convienne à ma grandeur. Cette porte est digne de moi, et c'est par ici que je veux entrer.

– Ne nous oblige pas à utiliser la force, mendiant! Fais comme tous les humbles de ce royaume, ils savent se tenir à leur place.

– Que le nom de notre roi, Bimbisāra, soit loué, dit le second garde, en considérant que le problème auquel il avait déjà prêté trop d'attention était résolu.

Ignorant que, dans ce royaume, comme dans n'importe quel autre royaume du monde, un laissez-passer était nécessaire pour pouvoir entrer dans la demeure du souverain, Sosie, ne voulant écouter que lui-même et l'envie impérieuse qui criait en lui, fonça droit sur la porte, décidé à passer entre les deux hommes.

Son impertinence était à présent une offense manifeste.

Il n'avait pas fait trois pas que quatre bras se dressèrent, l'empoignèrent et l'immobilisèrent, tandis qu'un lame courbe vint se plaquer contre sa gorge. Il lui était impossible d'opposer une quelconque résistance. Il injuria les gardes, ce qui lui valut une série de coups de pied qui le firent rouler à terre. Il chercha à se relever, mais son corps lui faisait mal; les parties touchées, le dos et les hanches, étaient plus endolories qu'il ne l'avait cru. Il retomba, la tête en avant, et mordit la poussière.

– Va-t'en, maintenant! Tu as de la chance que nous ne te mettions pas en prison!

Sosie renonça à forcer l'entrée interdite. Il était sur le point de se retirer lorsqu'un jeune homme, au visage rond et souriant, grossièrement vêtu, l'aida à se relever. Déprimé, si ce n'est humilié, par les coups violents que lui avaient assénés des êtres appartenant à la race humaine, Sosie se laissa conduire à l'écart. Ils empruntèrent des ruelles qui traversaient la partie la plus bruyante et la plus peuplée de la ville, à l'extérieur de l'enceinte. Des marchands y étaient attroupés, des enfants y couraient pieds nus et des femmes se traînaient sous le poids de charges plus hautes qu'elles. Le jeune accompagnateur s'arrêta devant une taverne.

— Voilà, étranger. Ici, on peut manger, et tout ira mieux lorsque tu auras le ventre plein.

Ils entrèrent et s'installèrent à une table. On leur apporta deux coupes de vin, des tranches de pain et une grande soupière de haricots fumants dans laquelle ils se servirent abondamment. Lorsqu'ils eurent fini de manger, le jeune homme fouilla dans ses poches, en sortit un caillou et le tendit au patron de l'auberge.

— Et voilà qui font cinq, dit-il en passant la porte. Quand tu viendras je te donnerai les œufs.

— Je compte sur toi, lui répondit le patron.

— Tu peux être sûr que je te choisirai les meilleurs. Tes soupes valent le travail de mes poules aux œufs gros comme des miches de pain.

Il sortit, et l'aubergiste se mit à rire.

— Voyons un peu, dit-il en se tournant vers son second client. Et toi, qu'as-tu à m'offrir en échange de ce que tu as mangé ? Tu n'as pas l'air d'être quelqu'un qui sois en mesure de payer en argent sonnant et trébuchant.

— Je ne sais même pas de quoi vous parlez.

— De ça !

L'aubergiste lui bondit dessus en lui écrasant l'assiette vide contre le visage.

— Je t'ai servi, tu as mangé et maintenant tu dois payer. Pour manger, ceux de ta race vont chasser les rats et les araignées au lieu d'aller dans des auberges qui se respectent. Si je t'ai laissé entrer, ce n'est que parce que tu étais accompagné par ce fermier.

Encore des cris et des brimades, encore de la violence de la part des hommes. Māra, le dieu créateur, n'avait pas préparé Sosie à affronter tout cela, il ne lui avait pas dit que vivre signifiait aussi devoir supporter la brutalité de ses semblables. La colère lui tendit les muscles et lui chauffa les tempes. Il donna un coup de pied dans le tabouret. Puis, bien que son dos le fasse encore souffrir, il s'acharna contre l'aubergiste.

— On va te la faire payer, cette soupe !

La violence avec laquelle l'un des hommes le plaqua contre le mur faillit lui faire régurgiter son repas. L'épaule brisée, le visage gonflé sous les coups et le corps entièrement couvert de bleus, Sosie fit la seule chose qui lui restait à faire en cet instant, l'humiliante défaite : il prit la fuite vers la sortie.

– Laissez-le courir, il n'ira pas bien loin s'il continue comme ça. Ce monde devient un cauchemar pour ceux qui ne suivent pas les règles de la bienséance.

Mais la soudaine magnanimité de l'aubergiste, qui avait retenu les hommes pour qu'ils ne le poursuivent pas et ne le rouent de coups, ne vint pas atténuer le désespoir qui avait commencé à user les nerfs de Sosie.

Maudits gardes ! Maudit aubergiste ! Maudite vie sur cette terre ingrate, si différente et si éloignée de la profonde paix de l'océan. La raison de la haine que Māra vouait aux créatures du monde ne lui était jamais apparue aussi clairement qu'en cet instant.

Sosie se tordait sous la douleur de ses blessures, il avait encore faim. Une faim qui lui brûlait l'estomac. Et il n'y avait ici que des mouches et des rats courant à toute allure.

Déjà vu

Le lendemain, les deux gardes qui avaient violemment repoussé Sosie se trouvaient encore devant la porte d'ivoire, à veiller sur les biens et la tranquillité du roi Bimbisāra.

– Lorsque cette heure approche, je me demande toujours comment je fais pour tenir, dit le premier. Je dois être bien fou pour continuer à faire ce maudit métier. Je devrais tout quitter et partir vivre au milieu des chèvres comme feu mon grand-père.

– C'est bien vrai, répondit nonchalamment l'autre garde.

La situation n'avait pas beaucoup changé depuis la veille. Le même retard dans la relève, la même chaleur accablante, le vrombissement des mouches dans le silence...

– Nos choix sont plus que limités, ici, reprit le premier garde. Seuls les riches peuvent décider de leur vie, pas nous. Et tu te trompes si tu t'imagines que quatre chèvres à lait te permettront d'avoir la paye que te donne le roi. Les seigneurs de la campagne, eux, vivent confortablement, et sans chèvres! Mais nous, nous n'avons d'autre choix que de continuer à faire ce travail et de nous convaincre que tout va pour le mieux. Lorsque ton épouse t'accueillera à bras ouverts sur le pas de la porte, tu lui diras que tu veux partir vivre dans une cabane et traire les chèvres avec tes cinq enfants?

Ils rirent amèrement.

– À propos d'enfants, continua l'homme, comment va ta petite? J'ai appris qu'elle avait reçu la visite du médecin, et il ne se déplace que lorsque la chose est grave.

— Tu l'as dit. J'y pense sans arrêt.

— Tu te souviens de cette soirée à l'auberge ? poursuivit son compagnon, apparemment insensible au souci d'un père. La fille, celle que j'ai emmenée dans la chambre, sous le toit, et à qui j'ai fait l'amour... Elle était belle, n'est-ce pas ? Tu aurais pu aller faire un tour avec elle, toi aussi, je suis prêt à le parier. Mais ce n'est pas ce que je voulais te raconter. Elle m'a dit que, lorsque les malades cessent de manger, il est inutile de perdre du temps à les maintenir en vie. Au fond, lorsqu'on meurt, c'est parce que la renaissance nous appelle. Et le karma de ta petite de six ans ne peut être que bon.

— Qu'est-ce que tu veux que j'en ai à fiche, de la renaissance ? Ma petite a six ans, pourquoi devrait-elle mourir ?

— Excuse-moi, je ne voulais pas t'énerver.

Ils se mirent à marcher le long du mur. Le sabre à la ceinture et un morceau d'étoffe cramoisie pendant de leurs larges turbans, comme le voulait l'usage depuis que Bimbisāra avait accédé au trône, les deux hommes d'armes allaient et venaient chacun dans sa direction.

Mais, après quelques rondes, le père de l'enfant malade se mit à chercher le regard de son compagnon et ils s'arrêtèrent l'un à côté de l'autre.

— Ma petite fait ce que tu prédisais : elle refuse de se nourrir. On dirait qu'elle veut mourir. Et ce n'est pas que son corps qui dépérit. Sa peau livide, ses tremblements et ses yeux éprouvés par cette fièvre maudite qui l'assaille chaque nuit ne sont qu'une partie... horrible, bien sûr, pour ma femme et moi, mais seulement une petite partie de ce qui fait notre angoisse. Ce qui me terrorise, quand je la regarde, quand je vois la maladie qui la consume, c'est de comprendre que sa mère, son père, toute sa famille ne comptent plus pour elle. Elle mène un combat solitaire. Et je crois qu'elle a décidé de se laisser vaincre.

Ils se turent un instant, la gorge nouée, puis l'autre se remit à parler.

— Je t'ai vu, hier, quand tu as frappé ce type qui voulait entrer à tout prix. Il s'en est fallu de peu que nous ne mettions ce misérable culotté en prison ! Tu n'étais plus vraiment toi-même. Au départ, tu le plaignais presque, et puis tu t'es soudainement mis à le rouer de coups pour lui faire entendre raison. Et tu sais frapper, quand tu veux !

Il lui donna une bourrade sur l'épaule.

— C'était presque un plaisir que de le voir rouler par terre, répondit le malheureux père. Ce va-nu-pieds avait vraiment exagéré.

— Oui ! Il a de la chance que nous ne touchions pas de prime lorsque nous jetons les misérables comme lui en prison. C'est bien ce qui nous permet de faire de bonnes actions, de temps à autre. Pour cette fois, on a été indulgents, mais qu'il essaie seulement de revenir...

Des images passèrent comme un éclair dans le regard de l'autre. Ce qu'il avait voulu dire à son ami, la veille, au sujet de ce misérable, lui était soudainement revenu à l'esprit.

— Écoute un peu, Asha, et dis-moi si toi aussi tu t'en es rendu compte.

— Quoi donc ?

— Toujours à propos de cet individu en haillons, à qui il paraissait inconcevable que nous refusions de le laisser entrer. Tu n'as pas eu l'impression de l'avoir vu quelques heures aupa-ravant ?

— Comment ça ? demanda l'autre étonné. Je ne l'avais jamais vu, je m'en serais rendu compte, sinon.

— Pourtant, ce visage, je le connaissais. Son regard, péné-trant et fuyant à la fois. Son physique longiligne et fort. Ses mains, grandes et soignées comme celles d'un prince. Les veines saillantes de ses bras, qui sont un signe de noblesse ascétique. C'était certes un mendiant vêtu de haillons, mais il n'était pas comme les autres. Il n'est pas possible que tu ne t'en sois pas aperçu.

— Il avait quelque chose d'étrange, c'est vrai, maintenant que tu m'y fais songer. Dans sa manière de regarder fixement, dans le vide. Il ressemblait plus à un animal qu'à un homme. Un noble et bel animal, un... un éléphant, peut-être.

— Non, c'était bel et bien un homme. Un étranger, à coup sûr. Je me souviens de tout, à présent. Je me souviens même de l'heure à laquelle nous l'avons autorisé à entrer. Il a été telle-ment cordial et aimable avec nous que nous lui avons même indiqué sa route. Je te jure que c'était lui. Devant l'omniscience de Brahmā, je jure que les choses se sont passées comme je te le dis : cet homme est déjà entré dans le palais.

– Ça me semble vraiment impossible.

– Mais tu as compris de qui je parlais ?

L'autre faillit tomber à la renverse en se souvenant soudain.

– Malheur à moi ! Pour l'amour de tous les êtres ! Tu veux dire celui qui a dit s'appeler... Siddhārta ?

Bimbisāra jaloux

Bimbisāra regarda l'étranger qui venait d'entrer dans la grande salle du trône.

— Approche-toi de moi, étranger. J'ai une question à te poser.

Et il lui demanda, sans hésiter :

— Siddhārta, toi, peut-être, tu pourras me dire ce qu'est la jalousie.

— C'est une question dont tu obtiendras la réponse, roi Bimbisāra, si tu as la patience d'écouter l'histoire que je vais te conter.

Le roi acquiesça d'un signe de la tête et Siddhārta commença son récit.

— Il existait autrefois un roi du nom de Maitribala, « Celui dont la force est la courtoisie ».

« Ceux qui vivaient dans son royaume l'aimaient et le protégeaient, car il aimait et protégeait chacun d'entre eux tout autant. Ses actions justes, son honnêteté et sa sagesse étaient les seules choses dont Maitribala tirait son pouvoir. Un pouvoir immense qui, grâce à la vertu de la courtoisie, touchait toutes les créatures du royaume, les plaines et les collines, les lacs et les montagnes, et chaque grain de blé.

« Dans une autre région vivait Kubera, le seigneur des yakshas. Un jour, ce dernier en eut assez de la conduite de ses esclaves et les envoya en exil. On sait que les yakshas ont l'art de boire et de se nourrir de la puissance et de la force vitale des autres.

« Se retrouvant sans patrie, les cinq démons se rendirent dans le royaume du roi Maitribala. Ils y découvrirent une terre idyllique et un peuple sain et prospère. Tout ce dont ils pouvaient rêver pour apaiser leur soif ! Et ils ne poursuivaient qu'un seul but : vider la région de toute sa vitalité.

« "Je ne comprends pas, dit l'un des démons à ses comparses après avoir longtemps visité la luxuriante région gouvernée par Maitribala. Des mois ont passé, je ne sais combien nous avons bu et dévoré, et pourtant nous ne sommes pas parvenus à diminuer la force et la vitalité de ces gens."

« "Nous ne comprenons vraiment pas ! déclarèrent les cinq démons. La seule chose qui nous reste à faire, c'est d'aller voir de plus près."

« Les yakshas avaient essayé d'affaiblir chaque habitant : le vieil homme décrépit, la gouvernante qui n'avait jamais cessé de servir sa patronne, la patronne elle-même, l'agriculteur avec ses dix enfants, la femme de l'agriculteur, l'ascète et le disciple.

« Mais rien. Cette mystérieuse force vitale ne voulait pas s'amoindrir !

Sans interrompre son récit, Siddhārta tourna les yeux vers un angle de la salle. Son attention avait été attirée par les pas d'une femme, glissant silencieusement entre les ombres ténues. Sakuntala venait à peine d'entrer. Enveloppée dans des voiles qui couvraient son visage et ses cheveux noirs comme la nuit, elle s'était arrêtée pour écouter la fin de l'histoire, posant les yeux sur cet étranger qui parlait. Le roi ne pouvait pas s'en apercevoir.

« Pas même de ça ! dit Siddhārta en montrant le mince espace entre son pouce et son index qu'il tenait rapprochés.

« Déguisés en brahmanes, les cinq démons buveurs de sang se rendirent chez le mandarin solitaire qui vivait au fond de la forêt. Ils le trouvèrent allongé, à l'ombre d'un arbre, son bâton et sa cognée abandonnés à côté de lui.

« "Eh ! toi, l'ami ! Tu n'as pas peur, tout seul dans la forêt ?

« – De quoi devrais-je avoir peur ?

« – N'as-tu pas entendu parler des démons yakshas qui se nourrissent de la chair et du sang humains ? Personne n'échappe à ces êtres démoniaques qui sucent les fluides vitaux des hommes, la forêt est leur royaume. Comment fais-tu pour ne pas avoir peur ?"

« Le mandarin se mit à rire de bon cœur.

« "Dans ce pays, nous avons une amulette porte-bonheur. Elle est si puissante que même le Seigneur des dieux ne réussirait pas à la neutraliser.

« – De quelle sorte d'amulette s'agit-il ?"

« Le mandarin se remit à rire.

« "Il a des yeux de taureau et un torse aussi large que les parois dorées du mont Meru. Cette amulette extraordinaire, c'est notre roi !"

« Les cinq démons travestis en brahmanes ne voulurent pas le croire : un roi n'était jamais qu'un homme.

« "C'est bien étrange que tu n'en aies jamais entendu parler. La puissance de notre roi est des plus fameuses.

« – Nous ne comprenons pas. Il faut que nous en sachions plus", conclurent les démons.

« Ils se rendirent à la cour affublés en mendiants et demandèrent à voir Maitribala. Le roi, qui ignorait le plan diabolique que les cinq yakshas avaient élaboré pour le tromper et profiter de sa légendaire cordialité, les accueillit aussitôt. Ils lui demandèrent alors de leur offrir à manger.

« "Rien n'est plus facile, répondit le roi, je suis honoré de vous recevoir parmi mes hôtes, nobles brahmanes."

« Les cuisiniers leur préparèrent des mets délicats que les serviteurs leur amenèrent à table. Mais, assis à ce banquet, les yakshas le boudèrent.

« "Cette nourriture n'est pas faite pour nous.

« – Vous n'avez qu'à demander et l'on vous apportera ce qui vous fait plaisir."

« Mais le roi s'aperçut bien vite de leurs déguisements. Les démons reprirent alors leur véritable apparence et exigèrent leurs nourritures préférées.

« "Nous mangeons de la chair humaine, crue et fraîche, et nous buvons le sang humain encore chaud." Les yakshas ne sont jamais satisfaits, ils souffrent de terribles peines. Le roi le savait et avait pitié d'eux. Il devait assouvir leur faim. Comme la requête semblait impossible à satisfaire, il se leva et alla consulter ses ministres.

« "La seule solution, dirent les ministres, est d'offrir à ces démons de la viande d'animaux morts naturellement.

« – Ils ne la mangeront pas, c'est de la viande froide et exsangue. Ce que je dois faire saute aux yeux, dit le roi après avoir envisagé toutes les possibilités. Je donnerai ma propre chair et mon propre sang. À quoi peut servir mon corps, si ce n'est à accomplir une action exceptionnelle qui me rendra heureux de satisfaire ces démons ?

« – Ne le fais pas !" s'écrièrent les ministres.

Qui était cet homme qui connaissait aussi bien l'art du récit ? se demanda Sakuntala, cachée derrière ses voiles. Mais cette pensée lui fit honte et elle quitta aussitôt la salle du trône.

Le roi Bimbisāra fut le seul à ne pas s'en apercevoir. L'histoire de Siddhārta, au point où elle en était, l'avait ravi.

– Le roi Maitribala n'écouta pas les conseils de ses ministres et alla offrir son propre sang aux démons, reprit Siddhārta. Les yakshas ne voulaient pas y croire. Les médecins que le roi avait fait venir lui ouvraient les veines sous les hurlements des ministres, et les démons recueillaient son sang dans le creux de leurs mains pour l'avaler goulûment. Ils étaient en pleine extase. Le liquide rouge sombre, parfumé comme du bois de santal, coulait dans leurs gorges assoiffées. Pourtant, la vitalité du roi ne diminuait pas. À nouveau, les démons étaient obsédés par cette question insoluble : comment peut-il rester aussi fort et généreux ?

« "Entretenir de mon corps mes hôtes est une chance. Un acte qui aura de profondes conséquences pour tous les hommes. Et, maintenant que votre soif est apaisée, je vais satisfaire votre faim."

« Le roi brandit une épée et se mit à couper des lambeaux de sa chair sans trembler. Une joie intense illuminait son visage. La vision de ce bonheur et des horribles blessures du roi donna lieu à un miracle : les démons, bouleversés, se rendirent. Leur fureur avait disparu. La chair savoureuse, qui, en d'autres temps, leur aurait fait tellement envie, ne fut même pas goûtée. La bonté du geste du roi pulvérisa leurs cœurs pleins d'avidité et le feu de la haine devint pureté de la foi.

Ainsi se termina l'histoire.

– Qu'en fut-il de son corps déchiqueté ? s'empressa de demander Bimbisāra.

— Shakra, le Seigneur des dieux, descendit le voir. Il appliqua des herbes sur ses blessures et mit fin à sa douleur. Et il lui restitua un corps intact.

Bimbisāra était encore secoué par les émotions que le récit, la présence de Siddhārta et mille autres pensées inavouables avaient suscitées en lui.

— Cependant, Siddhārta, où est la réponse à la question que je t'ai posée? Tu n'as même pas fait allusion à la jalousie.

— Je n'ai fait que cela, Bimbisāra. Tout ce qui a été dit dans cette salle parlait de cette soif.

Siddhārta remarqua que le regard du roi inspectait les ombres de la salle.

— La reine est sortie, souverain. Elle n'est plus ici. Elle est venue écouter l'histoire un instant puis elle est repartie dans ses appartements.

— Je vois, répondit sèchement Bimbisāra.

La mort d'un vieil homme

Après avoir passé une misérable nuit durant laquelle il avait néanmoins réussi à voler quelques heures de sommeil, Sosie se réveilla au matin en sentant qu'il avait le monde et les hommes en haine. Mais l'énergie de cet être était immense. Sosie était une force pure, il lui suffisait de regarder une cellule vivante pour comprendre le fonctionnement de l'organisme tout entier, il lui suffisait d'entendre vibrer la première corde entre les tirants de bois d'un instrument pour connaître la durée de la chanson. Au premier jour de sa vie, il avait appris l'étonnement et la bienveillance des hommes, au deuxième, il avait été battu et humilié. Maintenant, il savait.

Sosie marcha dans une direction précise et, après avoir parcouru un grand nombre de ruelles, arriva devant une porte d'entrée petite et sombre. C'était l'un des nombreux lieux de rencontre de la ville. Bien qu'il ne s'y fût jamais rendu, il savait où il se trouvait et ce qu'il y cherchait. Il écarta le rideau et entra.

Il reconnut aussitôt le vieil homme et, sachant qu'il s'agissait du dernier ouvrier qui avait vu le Grand Architecte du palais, vint s'asseoir devant lui. Le pauvre charpentier n'était qu'un tas de loques en qui il était difficile de reconnaître le corps d'un homme. Ses yeux vitreux, cerclés de mille rides, se posèrent sur Sosie sans rien exprimer.

— Tu dois me dire une chose, dit Sosie de façon calme mais inflexible. J'ai fait beaucoup de chemin et je sais que tu ne me décevras pas.

Le patron de l'auberge s'approcha alors pour demander à Sosie s'il désirait du cidre ou du pain. Ce dernier le regarda calmement et lui fit signe de revenir plus tard.

— Je suis en train de parler avec le charpentier, tu ne le vois pas ?

— Parle, parle, étranger, grommela l'aubergiste en retournant vers sa chaise. Demande ce que tu veux au vieillard, tu n'auras qu'un peu de bave en retour.

Puis il s'adressa à une femme qui somnolait dans un châle.

— Encore un qui ne sait pas, grimaça l'aubergiste, qu'on a coupé la langue au vieux depuis bien des années.

Sosie regarda fixement le visage du charpentier.

— Vieillard, dis-moi où se trouve l'entrée secrète du palais. Je sais qu'elle existe.

Les yeux du vieil homme se mirent à briller, peut-être par nostalgie, peut-être par peur. Puis il se mit à pleurer, sans bruit, comme un enfant.

— Parle, il est inutile de nous émouvoir au souvenir du Grand Architecte. Tu sais toi aussi qu'il n'a pas construit cet édifice parfait pour les chouettes. Son obsession était ailleurs. Dis-moi où se trouve l'entrée du tunnel secret.

Le vieux charpentier ouvrit alors la bouche et Sosie put voir, entre ses lèvres bouffies, un grand creux qu'une chose noire, mêlant le sang à la salive, venait emplir. De loin, le patron de l'auberge se délectait du geste coutumier du vieillard. L'étranger avait reçu une réponse qui seyait à son manque d'éducation.

Sosie allongea son bras nu à la musculature extraordinaire vers le vieil homme, lui attrapa la nuque de ses doigts et la serra. Il fit se tordre le charpentier comme un jouet cassé et, peu à peu, le força à s'allonger sur la terre battue, jusqu'à ce que ses lèvres se couvrent de poussière.

Le patron se leva mais se rassit aussitôt. Il n'avait pas le courage d'intervenir. Quelle honte de maltraiter un vieil homme de la sorte ! Combien de fois avait-il entendu cette question... Toute la ville avait voulu connaître le secret du palais, mais, maintenant, plus personne ne croyait qu'il en eût un.

L'étreinte de Sosie devint terrible. Sa victime, comme une bête agonisante, sursauta deux fois. Puis elle sortit une main rabougrie de ses habits sales et, spasmodiquement, du bout de ses deux doigts ankylosés, commença à dessiner sur le sol une complexe et tremblante série de signes.

Sosie approcha son visage de celui du vieillard et suivit attentivement ses gestes. Lorsque le dessin fut achevé, il adressa au malheureux un étrange sourire et, d'un mouvement du poignet, lui brisa la nuque. Il leva alors les yeux vers le patron, qui, terrorisé, détourna brusquement son regard, feignant de ne pas avoir vu le dessin que la créature de Māra était en train d'effacer.

Alors Sosie se leva lentement et sortit en silence, comme il était entré.

— À l'aide! Au secours! cria l'aubergiste en courant vers le vieillard. Charpentier! Parle, je t'en prie! Que t'ont-ils fait? Oh! mon dieu, ne meurs pas!

Mais quelque chose dans la grimace du vieil homme lui disait qu'il était encore en vie. Et la main qui avait tracé en s'aidant de sa seule mémoire l'ancien labyrinthe de tunnels et de couloirs dissimulés sous le palais se mit à dessiner, dans une souffrance infinie, un petit arbre.

Un serviteur malicieux

Chandasinha n'avait pas encore compris le motif de sa soudaine convocation. Il suivait avec impatience le pas lent de l'officier. Et ces deux personnages, qui s'avançaient dans la lumière filtrant à travers les larges fenêtres ouvertes sur les cours, formaient un bien étrange couple : le premier avait l'air fier et des épaules larges ; le second, maigre et disgracieux, présentait un cou tordu qui pendait entre ses étroites clavicules, comme un fil trop long pour rester tendu.

La surprise du serviteur fut grande lorsqu'il se retrouva soudain devant son souverain, le roi Bimbisāra. C'était donc lui qui l'avait envoyé chercher. Chandasinha, feignant un dévouement complet, se répandit alors en révérences.

— Es-tu le serviteur nommé Chandasinha ? lui demanda Bimbisāra, dont le visage parfaitement rasé et la peau soigneusement nettoyée venaient contraster avec le teint foncé et l'allure négligée de son interlocuteur.

— À tes ordres, Majesté. Je suis ton sujet et ton serviteur.

— Mon désir de te parler ne doit pas te sembler si étrange. On m'a rapporté ton savoir-faire dans l'art de la construction. Il paraît même que tu t'investis beaucoup dans la construction de la maison de campagne de ton patron, qui fait partie de ma cour. Voilà qui est tout à fait exceptionnel pour un simple serviteur !

— Je dois tout à la confiance et à la générosité de mon maître, qui a décidé d'élever ma condition en m'offrant la possibilité de participer à l'organisation de ces travaux.

– Bien. Je voudrais à mon tour m'en remettre à ton patron. C'est pour cela que je t'ai fait appeler. J'ai besoin de ton aide, Chandasinha.

– C'est un honneur pour moi que de pouvoir servir le roi. En quoi pourrais-je t'être utile, Bimbisāra ?

Tandis que Chandasinha se prosternait devant son souverain, celui-ci put remarquer que quelque chose brillait dans la poche gauche de son pantalon : le pendentif avec le médaillon – ce ne pouvait être autre chose. Et Bimbisāra se persuada plus encore qu'il était sur la bonne voie.

– J'ai entendu vos pas provenir du deuxième vestibule. C'est par là que toi et le garde êtes entrés, il me semble.

– Oui, mon souverain.

– Alors, tu as dû voir sortir de cette pièce un jeune homme, avec un beau visage, qui portait une tunique d'ascète.

Après avoir réfléchi un instant, Chandasinha se souvint de cette étrange personne qui marchait d'un pas léger.

– Je dois avoir vu l'homme dont tu parles, dit le serviteur.

– Il se nomme Siddhārta. Il venait à peine de finir de me raconter une histoire digne d'un vrai sage. Je l'ai pris parmi mes plus fameux maîtres et j'ai l'intention de lui offrir une hospitalité qui lui fasse honneur. Ce sera donc toi, Chandasinha, qui préparera ses appartements et réserveras à cet homme l'accueil qu'il mérite.

– Je ferai de mon mieux pour te satisfaire, Sire, répondit promptement le serviteur.

Mais l'expression et le ton de la voix du souverain, en terminant sa phrase, avaient mis en alerte le serviteur rusé. Bimbisāra, presque imperceptiblement, avait mis l'accent sur les mots « cet homme » et « accueil ».

Se souvenant de la preuve absurde qu'il devait fournir à son patron, le serviteur recula lentement jusqu'à la sortie et, dans un silence révérencieux, prit congé du roi. Mais, arrivé sur le seuil, il s'arrêta avec une fausse spontanéité et s'adressa de nouveau à Bimbisāra.

– Sire, je te suis infiniment reconnaissant pour cette charge que tu m'as confiée, dit-il d'un air encore plus modeste.

Bimbisāra l'observa. Il ne pouvait plus voir le pendentif briller dans sa poche entrebâillée. Chandasinha avait joint ses mains noueuses à hauteur de la poitrine. Les cals de ses doigts, que le roi avait longuement observés depuis le passage secret, devenaient le symbole de la morne obsession qui l'envahissait. Il détourna les yeux. En prenant cet homme à son service, il s'était compromis.

— J'accueille ta gratitude avec plaisir. Mais, comme je te l'ai expliqué, j'ai simplement écouté les louanges qui m'ont été faites à ton sujet. Et tu n'es ici que pour tes mérites.

— Je ne le nie pas, seigneur. Mais mon sentiment de gratitude a, en vérité, un second motif, insista Chandasinha avec audace.

Bimbisāra ne lui refuserait certainement pas une dernière observation. Le serviteur avait trop de malice pour ne pas percevoir cette insécurité que le roi cachait à grand-peine et ne pas se rendre compte qu'elle lui brûlait les lèvres.

C'est alors qu'il lança son appât.

— Je sais que je contribue, en préparant les appartements de ce maître, au bonheur de mes souverains. Rien ne peut rendre un fidèle serviteur plus fier que de lire dans les yeux de la reine le plaisir qu'elle aura en recevant ce présent de son roi et époux.

Bimbisāra mordit à l'hameçon. Cette phrase contenait trop de sous-entendus. Leur perverse alliance n'était pas encore née, mais le roi découvrirait bientôt que la complicité de Chandasinha lui était indispensable.

— De quel présent devrait se réjouir la reine? Ou peut-être ton propos était-il plus abstrait?

— Absolument pas, Sire. Je faisais allusion à la grandeur de notre nouvel hôte. Avec ta permission, je m'expliquerai mieux.

— Parle, je t'écoute.

— Voilà... En suivant le garde qui m'a conduit jusqu'à toi, j'ai eu la chance d'entrevoir le merveilleux visage de la reine qui se hâtait vers ses appartements. Elle avançait dans la direction opposée à la mienne, comme si elle provenait, justement, de la salle d'audience. Maintenant que tu m'as fait part de tes intentions au sujet de ce sage, je peux comprendre la raison de ce que j'ai eu l'immense fortune de voir.

— Et qu'as-tu vu de si particulier? demanda Bimbasâra, sans même se rendre compte de la brutalité de sa question.

— Le visage angélique de la reine, Sire. Les voiles qui la cachent habituellement étaient soulevés et révélaient toute sa splendeur.

Oubliant à moitié qu'il avait devant lui un serviteur, le roi voulut en savoir plus.

— En retournant dans ses appartements, la reine Sakuntala avait soulevé ses voiles?

— C'est très certainement en raison de la joie qu'a provoquée en elle l'avantage que vous veniez de lui accorder : la possibilité de s'entretenir avec un nouveau maître durant ses heures d'étude. C'est la raison pour laquelle, roi Bimbisāra, je me permets de vous demander encore ceci : les appartements de Siddhārta l'ascète doivent-ils être installés dans la tour principale ou bien dans l'aile voisine des appartements de la reine?

Le roi éprouva un violent sentiment de dégoût face à ce serviteur. Il songea à le chasser brutalement pour son insolence, mais une autre préoccupation retint son geste et il finit par dire :

— Les appartements de Siddhārta devront se trouver près de ceux de la reine, Chandasinha.

Le petit arbre

Le vieil homme avait dit vrai. Le passage se trouvait à l'endroit indiqué : une sorte de trou, comme ceux qu'on trouve à la campagne, tous identiques. Ou presque.

D'un mouvement vif, Sosie se laissa tomber dans le tunnel. Il resta immobile quelques instants, les yeux fermés. Un art ancien l'aidait dans sa tâche difficile. Puis il ouvrit les yeux.

L'obscurité avait disparu. Une clarté diffuse, dont on ne pouvait comprendre l'origine, éclairait une grande galerie rectangulaire qui s'enfonçait dans les entrailles de la terre. Sosie se sentit aussitôt chez lui. Ce lieu était son palais. C'était la partie de la résidence royale où l'obsession du Grand Architecte était la plus visible, où ses peurs apparaissaient le plus, comme son désir de se distinguer du jugement que les trois générations de souverains avaient porté sur lui. Il n'y avait plus de sujet fidèle ici, plus de maître en géométrie. Il n'y avait pas de marbres, de délicates marches roses, de fenêtres géminées. La symétrie avait perdu toute valeur. Il n'y avait en ce lieu que sueur, misère et sang. Sur cent, deux cents, mille pas, des bas-reliefs d'une audace folle avaient été sculptés. Chacune des figures monstrueuses avait coûté la vie de centaines d'ouvriers, oubliés à jamais. Sosie pouvait presque voir le va-et-vient incessant de ces bêtes humaines, armées de ciseaux et transportant des pierres, les mains à vif, aveuglées par la poussière et l'obscurité, incapables d'échanger entre elles le moindre mot. Des hommes maudits. Des condamnés.

La créature de Māra sentit ses membres se contracter au fur et à mesure qu'il avançait dans ce long couloir qui, pareil à un temple, sanctifiait la douleur des pauvres, des petits hommes.

Il savait maintenant pourquoi le charpentier avait eu la langue coupée. Ce dernier ne devait pas témoigner, à supposer que son témoignage eût été crédible. Le souvenir du vieillard au visage rugueux le fit tressaillir. Il ne devait pas perdre de vue la raison de sa présence ici. Les indications du charpentier étaient précises.

Sosie marcha et marcha encore. Puis, au bout d'un certain temps, il eut la sensation de se trouver exactement sous le centre du palais. Malgré la masse gigantesque des fondations qui le séparaient de la surface, il sut qu'il se trouvait sous l'aile qui accueillait les appartements de la douce épouse de Bimbisāra. Le tunnel semblait se terminer ainsi. Sosie s'arrêta pour réfléchir.

Les sculptures qui envahissaient les murs étaient d'une violence absurde. On y voyait des hommes à trois têtes chevauchant des ânes en train de s'accoupler, des femmes sans visage dormant sur des lits de serpents. Les mots de doctrines antiques célébraient d'autres mondes, des univers inconnaissables. Sosie remarqua cependant, juste devant ses pieds, trois petits bas-reliefs sculptés dans la roche représentant une amphore, une cruche et un petit arbre. Un petit arbre aux proportions parfaites, aux branches et aux feuilles élégantes... mais Sosie sentit que quelque chose, dans ce bas-relief, lui échappait. Alors, dédaigneux, il lança un violent coup de pied dedans.

Un grincement déchira le silence et le sol s'ouvrit soudain sous les pieds de l'enfant de Māra. Sosie, chutant dans l'obscurité à une vitesse folle, se mit à agiter frénétiquement les bras en tous sens. Il entendit son poignet se briser contre quelque chose de froid et de pointu puis perçut l'éclair d'une lame qui s'enfonça dans sa cuisse et vint lui couper l'artère fémorale. Il continuait de tomber, toujours plus bas, jusqu'à ce qu'un relief de pierre tranchant interrompe sa chute libre, en le harponnant, comme le crochet du boucher embroche le bœuf, à la base de l'œsophage.

Sa surprise fut plus forte que la douleur. Les yeux exorbités, crucifié comme un pantin écartelé par un méchant enfant, Sosie scruta l'obscurité. Il ne distinguait presque rien dans cet horrible puits. L'unique lueur qui venait faiblement éclairer les parois était celle des os brisés et des squelettes de ses infortunés prédécesseurs.

Maudit soit encore une fois l'homme ! Maudits, le vieux charpentier et son petit arbre !

Puis un calme suprême vint envahir ses membres. La sueur semblait retourner dans les pores de son corps fabuleux qu'il maîtrisait à nouveau parfaitement. En un geste élégant de lévitation, ne se servant ni de ses mains ni de ses bras, sans forcer sur ses reins ou ses pectoraux, Sosie se dégagea de l'étreinte de cette horrible mort qui n'était pas faite pour lui.

Glissant entre les lames et les griffes placées par l'architecte fou, le jumeau de Siddhārta ressortit lentement du puits pour se retrouver de nouveau devant les trois bas-reliefs. Alors, de la pointe du pied, il appuya contre le deuxième. L'amphore.

Le jardin

L'habitude était née avec la belle saison. Il faisait chaud, très chaud, dans la chambre peu ventilée de Sakuntala, et elle aimait se promener dans les jardins extérieurs aux cours.

Ainsi, un matin, après s'être soigneusement maquillée et coiffée, la reine sortit de ses appartements et demanda à Siddhārta de l'accompagner. Le réseau de patios savamment agencés s'ouvrait sur un jardin, délimité par une grille. Ils s'y promenèrent jusqu'au soir. Ce fut une journée unique, merveilleuse !

Une autre journée semblable à celle-ci suivit, puis une autre. Tant et si bien que Sakuntala finit par se rendre chaque matin devant la grille, certaine que Siddhārta l'y attendait. Et c'était ce qu'il faisait. Il ne leur arrivait jamais de voir deux fois le même paysage ni de s'ennuyer lors de ces longues promenades silencieuses.

Lorsque les battants de la grille étaient ouverts, on comprenait sans mal que c'était l'harmonie de ce jardin bien plus que leur humeur qui expliquait l'absence totale de fatigue et d'ennui de Sakuntala et de Siddhārta. Et l'habileté de son créateur génial, le Grand Architecte, revenait en mémoire.

Ce jardin, de l'autre côté de la grille, avait été son grand secret et sa folie. L'Architecte n'avait pas voulu qu'il soit comme tous les jardins, il n'avait pas voulu qu'il soit un vrai jardin. Les meilleurs mathématiciens et astronomes s'étaient chargés de calculer les déplacements de la Lune et du Soleil, ainsi que de toutes les autres planètes en chaque point de sa surface. Et c'est à partir du mouvement des astres que les premiers croquis avaient été réalisés : des milliers de dessins incompréhensibles et changeants qui reproduisaient les ombres que le ciel venait dessiner sur la Terre.

La perfection géométrique des parterres, des pergolas et des rangées de mélèzes renvoyait, derrière l'arbitraire apparent, aux minutieux calculs représentés sur ces planches. Et, lorsque le jardin avait été achevé, il n'avait pas semblé curieux de le définir comme un univers miniature.

Mais à quoi pouvaient servir toutes ces correspondances entre les tracés et les ombres ?

Il aurait suffi de se diriger vers le versant nord-est pour obtenir un début de réponse. Un secret, inconcevable pour un esprit sain, y était caché. Le Grand Architecte avait aussi fait en sorte qu'il soit presque impossible de rejoindre le seul point du jardin où toutes les choses devenaient soudainement plus claires.

Presque impossible ne signifiait pourtant pas impossible, et l'Architecte le savait fort bien.

Le jeu trompeur des ombres

Le versant nord-est rassemblait tous les secrets de ce merveilleux jardin en un secret unique. Il suffisait, pour l'atteindre, de suivre un sentier qui s'élargissait puis se resserrait tous les vingt pas. Ce dernier, délimité par une forêt de pins, avait l'apparence d'un dos de dragon.

Un large espace, de cinq cents pas de long sur deux cents pas de large, s'ouvrait ensuite, tel un campement de soldats. En son sein se dressait un parallélépipède de plantes rampantes. Mille six cents poteaux de bois d'acacia de même longueur étaient fixés les uns aux autres pour former le treillis du sol, du toit et des quatre côtés. Sur l'un des côtés, on pouvait voir une ouverture triangulaire, à hauteur d'homme. Et il fallait s'y engager pour comprendre le secret du projet et saisir l'absurdité du jardin.

Bien des personnes, au cours des ans, y étaient entrées sans la perspicacité requise, et aucune d'entre elles ne s'était aperçue de rien.

L'étrange phénomène n'était pas observable tous les jours de l'année à qui venait se placer au centre du parallélépipède. Le Grand Architecte avait fixé, pour cette extraordinaire vision, la date du solstice d'été. C'est à cette date précise, et non la veille ou le lendemain, qu'il fallait se rendre à l'ombre des plantes grimpantes. Le triangle équilatéral de l'entrée était le premier d'une longue série qui s'enfonçait dans les différents espaces de la structure parallélépipédique. Ces formes géométriques allaient grandissant jusqu'à un point culminant, puis diminuaient, pour se terminer sur le côté opposé, à l'entrée. Et c'était sous le plus grand d'entre eux, sous ce centre absolu, qu'il fallait se rendre pour que l'étrange vision se dévoilât enfin.

L'étonnement de celui qui assistait à ce phénomène unique était si grand qu'il pouvait provoquer en lui un traumatisme dont il ne se remettait pas. Ce n'était pas par hasard qu'Asahaia, le contremaître et premier assistant, avait été découvert mort en ce point précis de l'étrange construction.

Asahaia franchit le seuil, fit un tour sur lui-même et regarda en direction de l'entrée. Le soleil formait un angle de quarante-deux degrés avec la surface de la Terre, et sa lumière pénétrait perpendiculairement à une ombre circulaire dessinée au pied des magnolias qui entouraient les quatre faces du parallélépipède. Chaque ombre singulière du jardin vint alors s'aligner sur l'ombre voisine jusqu'à former un ensemble de trames parallèles les unes aux autres, se recoupant encore et encore, indéfiniment.

Les épines des rosiers formaient sur le sol d'étroits cônes d'ombre, et ces ombres s'alignaient sur celles que les tiges des fleurs de lotus étendaient dans les reflets du lac. Toutes étaient parallèles aux formes rhomboïdales que projetaient sur le sol les haies et les rangées de lauriers.

Asahaia, seul témoin du prodige, était tourné vers le sud-est. Aucun obstacle ne gênait sa vue, et mille perspectives s'offraient à lui dans cette improbable mise en scène.

Le jardin n'était plus un véritable jardin. Aucune plante, aucune fleur, aucun arbre qui y poussait ne semblait encore exister. À travers la porte triangulaire, on pouvait voir une forêt de couleurs s'étendre comme un océan : un paysage pur et vierge qui allait devenir la scène de cet étrange théâtre et de l'autre représentation encore plus étrange qui s'ensuivit.

Tout à coup, les trames parallèles commencèrent à se croiser et à changer de taille, jusqu'à former des figures, personnages de cette mise en scène.

Asahaia reconnut le visage de sa mère et de ses neuf frères, et il se vit lui-même, enfant, cherchant à construire avec des branches mortes de petites maisons pour les fourmis. Mais ce n'était pas tout. L'assistant du Grand Architecte commença alors l'absurde voyage dans le temps qui le rendrait fou et le tuerait.

Les ombres s'enroulèrent pour former cent spirales et glissèrent vers la droite, puis vers la gauche. Asahaia vit un grand arbre autour duquel agonisait un cobra. C'était Mucalinda, le Nāga présent lors la création du monde. Puis un homme vint s'asseoir à l'ombre du grand arbre et Mucalinda eut la vie sauve.

Le Grand Architecte arriva soudain et surprit Asahaia en plein ravissement. Il comprit que ce dernier avait découvert le secret de son jardin, qui permettait de voyager dans le temps. Alors il s'avança vers lui pour lui crever les yeux ; mais Asahaia était déjà aveuglé par sa vision. Le Grand Architecte n'eut que le temps d'ouvrir les bras pour accueillir le corps chancelant de son contremaître, qui finit par s'écrouler par le sol. Alors, il sortit de la poche du mort ce qui lui avait été dérobé, lui ouvrit la bouche et le lui enfonça dans la gorge.

C'était le testament. Le Grand Architecte avait trouvé un endroit pour le cacher. Et l'enterrer. Voici ce qu'on pouvait y lire.

Le jardin qui s'étend derrière la grille n'est pas un vrai jardin. Un secret que je n'ai pas l'intention de révéler tant que je vivrai en fait le théâtre de notre passé : l'histoire de chaque homme qui a habité sur Terre y est contée.

Mais un tel secret serait misérable et insignifiant s'il ne m'avait pas permis de toucher à la dernière découverte de ma vie entièrement vouée à l'art : la possibilité de prévoir le futur.

Pour prouver que ce que je dis est vrai, j'écris ce qu'il m'a été donné de voir concernant le royaume qui accueille mes œuvres.

Dans un jour proche, le roi Bimbisāra recevra un étranger, un homme qui se fera appeler Siddhārta. Cet homme est en réalité le Bouddha. La reine Sakuntala sera ensorcelée par lui et l'écoutera. À compter de ce jour, le royaume vivra des temps tourmentés et coupables.

Quiconque lira ces quelques lignes tant que je serai en vie ira à la rencontre de sa mort.

Dessous, un dessin incompréhensible indiquait les initiales de l'auteur.

La torpeur aurait saisi le pauvre Asahaia s'il avait seulement vu, quelques années plus tard, ce qui se passerait dans le jardin.

Assis sur un banc, entourés par un champ de violettes, Siddhārta et Sakuntala se reposaient. Ils avaient parcouru la moitié du sentier et cela leur avait paru suffisant pour cette fois. Elle lui avait posé quelques questions et il lui répondait, sans empressement.

De l'autre côté du petit lac, où un arbuste semblait prendre la forme étrange d'un poisson de mer, leurs silhouettes semblaient se toucher.

Le roi Bimbisāra s'approcha du banc et s'assit à droite de son épouse.

— Siddhārta, dit-il, je suis là pour te remercier de tout ce que tu fais pour nous. Sakuntala et moi sommes heureux de ta compagnie.

Siddhārta regarda dans les yeux du roi et sut ce que celui-ci s'apprêtait à dire.

— Mais désormais cette grille restera fermée et plus personne ne pourra fréquenter ce jardin.

Un cadeau

Sosie avait appuyé de la pointe du pied sur le bas-relief représentant une amphore et s'était retrouvé dans un lieu moins sombre que le précédent. On pouvait voir, par les ouvertures latérales, brûler les flammes rouges des flambeaux.

Le jumeau de Siddhārta avait fait un autre saut dans le vide. Et, refermant le précédent, un autre monde s'était ouvert à lui. Une autre de ces folies architecturales auxquelles Sosie avait l'impression de s'habituer. Le mystère du symbole de l'amphore avait à présent pour lui un sens très clair. Une colonnade s'enfonçait de part et d'autre des parois du nouveau passage.

Sosie s'était élevé d'un niveau par rapport au souterrain que le vieux charpentier lui avait indiqué. Il le comprit en glissant son regard dans les longues et étroites meurtrières en forme d'amphore.

Il faisait nuit. Voilà pourquoi les flambeaux étaient allumés. Quel lieu étrange que ce couloir sinueux et asymétrique, avec ces étroites fenêtres donnant sur les appartements du palais. Une invention qui portait la même empreinte que ces souterrains maudits qu'il venait de quitter, pareille à un ver dans le cœur de l'harmonieuse construction. Sosie se trouvait dans le couloir qui avait déconcerté Bimbisāra quelques jours auparavant.

Tel un espion, il regarda à travers l'une des ouvertures donnant sur une pièce moins aménagée que les autres. Elle semblait également plus sombre. Et personne ne s'y trouvait.

Il décida qu'il entrerait par là, mais il s'aperçut aussitôt que le couloir ne lui offrait aucun accès aux pièces. Il regarda plus attentivement à l'intérieur et quelque chose retint son attention. C'était un objet brillant, un pendentif. Sosie pressentit qu'il s'agissait d'un objet de la plus haute importance, son instinct ne pouvait le tromper. Il devait entrer dans cette pièce, tout de suite !

Il avança jusqu'au bout du couloir : une porte d'entrée se trouvait peut-être là-bas, cachée. Il s'arrêta près du mur qui lui bloquait le passage et se mit à tâter la paroi de ses mains expertes. Il devait bien y avoir quelque mécanisme. Il sonda chaque pierre, chaque arête, chaque renfoncement. Préoccupé, il regarda à ses pieds. Pour entrer dans les souterrains, il avait appuyé contre le bas-relief représentant une amphore. Oui ! L'amphore était là ! Comment avait-il pu ne pas la voir tout de suite ? Le langage de l'Architecte était aussi simple que ses intentions étaient incompréhensibles et absconses. Il pressa la pierre et une violente bouffée d'air vint le bousculer.

La porte secrète s'était refermée derrière lui. Il n'y avait pas âme qui vive. Sosie se situa rapidement et suivit la colonnade qui conduisait au-dehors. Il rentrerait ensuite dans la pièce où il avait vu ce pendentif. Vite !

Arrivé dans la cour, il fit cinquante pas pour se retrouver à l'aplomb de la fenêtre, s'agrippa au mur et commença à grimper jusqu'à la balustrade. Une pierre se descella et chuta derrière lui. Mais il ne s'en soucia pas. Dans un dernier effort, profitant de chaque relief de la façade, il atteignit le rebord de la baie. Il se hissa et s'enfonça dans la cavité de la petite fenêtre. Il allongea prudemment un pied, puis l'autre, et se laissa glisser avec souplesse à l'intérieur. Il ne s'était pas trompé.

Le désordre régnait dans la pièce éclairée par la flamme mourante d'une lampe. Un tas de vêtements sales avait été abandonné dans un coin, et une table bancale, soutenant quatre tabourets renversés, en bloquait l'entrée.

Mais ce fut l'odeur de ce lieu qui frappa Sosie. Âcre et fétide, elle imprégnait les murs et les objets et envahissait ses narines. C'était insupportable. Dieu sait d'où elle pouvait s'échapper !

Sosie n'avait pas remarqué qu'un homme était étendu sur le lit. Chandasinha, que le bruit avait tiré du sommeil, ouvrit les yeux.

– Que fais-tu ici?

L'intrus ne répondit pas. Il resta, immobile, à observer le dormeur sortir de son lit. Lorsque ce dernier se retrouva à quelques centimètres de son visage, son estomac faillit se retourner. L'odeur putride venait de lui.

– Pourquoi es-tu entré dans ma chambre? Le roi t'a envoyé? demanda le serviteur qui avait reconnu le visage de celui qu'on appelait Siddhārta.

– Je ne te connais pas. Je ne sais pas qui tu es. Je me suis retrouvé ici par erreur et, pour te dire la vérité, je n'ai d'autre projet que de sortir au plus vite.

Sosie, l'air indifférent, regarda le pendentif puis le prit dans sa main et l'observa de plus près.

– Tu as raison, nous ne nous connaissons pas, finit par dire Chandasinha, désireux de trouver au plus vite un plan servant ses intentions.

La visite de Siddhārta était une opportunité à ne pas gâcher.

– Non, en effet, nous ne nous connaissons pas, répéta Sosie. Qu'est-ce que cet objet?

L'esprit de Chandasinha s'embrasa soudain. Une idée folle et audacieuse... Voilà ce qu'il fallait faire!

– Rien de très important, mon seigneur. Prends-le, s'il te plaît.

Sosie s'arrêta aussitôt de caresser l'objet, et ses yeux se tournèrent vers le serviteur, qui sentit son cœur se glacer.

Quel était donc ce regard? C'était la première fois que l'étranger le fixait de la sorte. Comme s'il était devenu un autre.

L'entrée

Le soleil était apparu sur le haut plateau et venait illuminer la première tour du palais de Bimbisāra. C'était un spectacle merveilleux.

« Nous sommes enfin arrivés », pensèrent Narayani et Svasti en se regardant amoureusement.

— Tu es mon guide, mon guerrier, lui dit Narayani en riant.

Et, Dieu, que son enfant avait grandi ! Svasti feignit de regarder avec une extrême attention cette ville qu'il n'avait jamais vue. Il aurait tant aimé que Sujata puisse l'admirer, elle aussi, mais elle était restée en arrière, avec Ananda.

— Tu sais quoi, Svasti ? Ce n'est pas la première fois que nous arrivons, toi et moi, dans une ville étrangère pour y chercher refuge.

— Ah bon ?

— C'est comme si c'était hier, se souvint Narayani. Tu étais encore tout petit et la vie était très difficile. Il y a bien des années, nous arrivions, comme aujourd'hui, aux portes d'un pauvre village et non d'un palais. Il s'appelait Kamandaki. Oh, bien sûr, tu n'étais qu'un oisillon sans défense, mais tu n'as pas idée du courage que tu me donnais. Il me suffisait de te regarder dans les yeux pour me sentir une force surhumaine. Nous ne pourrons réussir qu'ensemble et jamais, non, jamais nous ne nous séparerons, me disais-je.

— Pourquoi m'as-tu perdu, alors ?

Les images déchirantes qui tourmentaient depuis toujours la belle Narayani traversèrent son esprit. Elle avait bien trop souffert pour s'en remettre encore une fois à son destin. Mais son petit était avec elle, à présent.

Elle rit de bonheur. Et puis, dans ce palais, il y avait Siddhārta, avec son calme et sa beauté – le maître de Svasti, celui qui lui avait ramené son fils en songe... Le seul qui lui ait redonné l'espoir de retrouver son enfant, le seul qui l'ait défendue contre sa folie.

Main dans la main, comme deux enfants, la mère et son fils se mirent à marcher vers les portes de la ville de Rajagaha. Narayani n'avait jamais été aussi belle. Svasti, lui, sentit son cœur se gonfler d'orgueil en entrant dans la cité : les jeunes filles et les jeunes femmes le regardaient, lui et lui seul. Son âge l'empêchait de savoir que les femmes jugent un homme en fonction de celle qui l'accompagne. Narayani savait fort bien cela et elle en jouait, taquinant sans cesse son enfant.

– Elle t'a regardé, celle-là. Non? Et celle-là?

Ils parvinrent ainsi jusqu'aux portes du palais. Les sentinelles les arrêtèrent aussitôt.

– Halte! Qui va là?

– Nous sommes venus rencontrer Siddhārta, répondit Narayani d'un air décidé.

– Il n'y a pas de Siddhārta dans ce palais. Allez-vous-en! leur intima l'un des deux gardes.

– C'est impossible, répondit courageusement Svasti. Le maître a dit qu'il se rendrait ici.

– Il n'y a pas plus de maître ici qu'il n'y a de Siddhārta. Partez au plus vite et ne me le faites pas répéter.

– Vous ne pouvez pas l'avoir fait entrer sans vous rendre compte qu'il était le maître, dit Narayani avec calme en embrassant les épaules de son fils. Quelle sentinelle seriez-vous? Le visage de Siddhārta porte les signes du commandement. Sa pureté et sa force apparaissent aux yeux de tous, y compris des enfants.

Ces paroles outrageantes irritèrent la sentinelle qui, sans même y penser, posa la main sur son poignard. Un frisson parcourut l'échine de Narayani. Presque instinctivement, elle vint se placer devant Svasti afin de le protéger de son corps.

Devant un geste aussi instinctif, le second garde sentit sa gorge se serrer. Lui aussi était père, il pouvait comprendre.

Quelques heures auparavant, pleurant de désespoir, il avait donné un baiser d'adieu à sa fille infortunée. Et, quand la petite, le visage en sueur, lui avait demandé de faire quelque chose pour la sauver, il avait juré devant tous les dieux : la douleur d'un parent perdant son enfant ne devrait plus jamais se reproduire.

Il fit un pas en avant pour défendre cette mère face à son brutal compagnon. Puis, le regard enflammé, cherchant à contenir sa colère, il dit à ce dernier :

— Laisse-la parler, idiot ! C'est elle qui a raison ! Tu ne comprends pas ? La femme parle de l'étranger. Tu ne l'as pas vu, hier, se promener avec la reine dans le jardin ?

Puis il le frappa en plein visage d'une lourde claque.

— Viens, mère, je te conduirai chez le roi. Et emmène ton fils avec toi.

— Pourquoi tant de hâte ? demanda impérieusement le roi Bimbisāra à la sentinelle qui avait conduit devant lui la belle étrangère et son enfant.

Formant un cercle autour du souverain, les dignitaires observèrent avec curiosité cette scène insolite. Svasti, agenouillé, était ému. Il n'avait jamais vu de pièce aussi belle ni aussi grande.

— Ils disent connaître l'étranger, mon souverain.

Un éclair traversa les yeux de Bimbisāra.

— Vous connaissez le maître Siddhārta, notre hôte ?

Le léger hochement de tête de Narayani fut sans équivoque.

Oui, ils le connaissaient ! D'un geste rapide de la main, le roi congédia les courtisans et la sentinelle. Lorsqu'ils furent seuls, il fit se relever Narayani et Svasti et les observa durant de longues minutes.

— Parlez-moi de lui, je vous prie. Si ce que j'entends est la vérité, je vous le ferai rencontrer rapidement.

Un faux pas

De lourds rideaux cachaient les fenêtres de la chambre royale. Pas un rayon de soleil ne touchait le visage et les yeux clos de Bimbisāra, allongé sur des coussins. Il avait passé une grande partie de la matinée plongé dans un sommeil profond et agité qui ne l'avait pas reposé mais dont il ne parvenait pas à sortir.

Il ouvrit les yeux. Les bruits venant du dehors, des cours et des couloirs les plus proches de ses appartements, étaient ceux de personnes levées depuis plusieurs heures et participant à la fébrile activité matinale.

Qui sait si cet homme était déjà debout, lui aussi? La première pensée du roi toucha à Siddhārta. Cette obsession ne pouvait durer mais quelque chose en lui l'empêchait de la reconnaître comme telle.

Non! La jalousie était une réalité, une véritable et juste douleur.

Le souverain se leva et, sans même enfiler ses chaussons, se dirigea vers la fenêtre. Il tira les rideaux. Encore une cruelle et détestable journée ensoleillée! Et le poids d'une nuit qu'il ne pouvait chasser de son esprit.

Comment oublier les paroles de cet enfant, ce Svasti tellement sûr de lui-même dans l'adoration de son maître? Bimbisāra ne pouvait non plus effacer les soupirs de cette femme surprenante, Narayani, la mère de Svasti, à la beauté rare et à la grâce enchanteresse, qui lui avait avoué la folie de son amour passé pour Siddhārta.

Siddhārta n'avait cessé de hanter son esprit durant cette longue et anxieuse nuit. Si cet homme avait pu faire naître un amour aussi fort, il pourrait le faire encore.

Bimbisāra connaissait trop bien la fragilité et la pureté du cœur de son épouse pour ne pas comprendre qu'il était arrivé à un tournant. Sakuntala était tombée amoureuse de Siddhārta. Et le sang brûlant du souverain entrait en ébullition à l'idée que son épouse l'eût trompé.

Comment! Sa reine était éprise de Siddhārta? Elle ne l'aimait donc plus, lui qui depuis toujours était l'élu de son cœur?

Bimbisāra sentit la chaleur monter de sa poitrine à ses joues et lui enflammer le visage. Il se déshabilla, choisit rapidement une nouvelle tenue et la revêtit. Aucune suivante n'était là pour l'aider. Puis, d'un air décidé, il lança un ordre à ses serviteurs qui veillaient devant la porte de sa chambre. Il se prépara alors à entendre frapper, doucement, comme elle avait l'habitude de le faire. Le moment était venu d'aborder la question en privé.

Sakuntala frappa à sa porte puis entra.

— Tu m'as fait demander, mon époux?

— Ma reine, je t'ai fait venir pour savoir ce que tu penses de Siddhārta, dit Bimbisāra, sans préambule.

— Siddhārta est un grand maître et un ami. Pourquoi me le demandes-tu?

— Je le pense aussi. Je voulais simplement avoir ton opinion.

Mélancoliquement, le roi se mit à regarder vers la fenêtre. Sakuntala fit quelques pas pour se rendre à ses côtés.

Tu as l'air étrange. Il s'est passé quelque chose? demanda-t-elle innocemment.

Bimbisāra comprit en un instant que les intentions qu'il avait eues étaient différentes de celles qu'il s'était imaginées. Il avait estimé au départ qu'il était nécessaire d'interdire l'accès au jardin pour empêcher Siddhārta et Sakuntala de se rencontrer. Mais à présent, devant son épouse, Bimbisāra pensait qu'il avait eu tort. Chercher à les séparer était une erreur, il fallait aller plus loin. Non seulement la visite de la reine ne le consolait pas, mais elle avait précipité une décision qui mûrissait lentement en lui. Son allure angélique et sereine, qui l'apaisait autrefois, lui semblait une menace.

— Moi, étrange?

D'autres images vinrent aussitôt occuper son esprit, comme cette fable que lui avait racontée Siddhārta, celle des démons assoiffés de sang payant le prix de leur obsession. Quelle faute pouvait-il y avoir dans la volonté de comprendre le comportement de son épouse, d'en reconnaître les erreurs et de pardonner?

Bimbisāra oublia la fable.

— Si je te semble un peu troublé, Sakuntala, c'est que je voulais te demander pardon, mentit Bimbisāra. L'autre jour, devant la grille, j'ai été un peu brutal. Mon intention n'était pas de t'empêcher de te promener avec Siddhārta. Je me demandais, en revanche, pourquoi choisir un lieu aussi anonyme, alors que nous avons fait aménager un lieu adapté à la méditation et aux enseignements d'un maître.

— Que veux-tu dire? Oui, j'ai trouvé ton interdiction étrange, mais je ne comprends pas...

— Sakuntala, je te concède, ou je t'invite, même, à te rendre à partir d'aujourd'hui dans les appartements de Siddhārta lorsque vous voudrez vous rencontrer.

— Dans ses appartements privés? Mais c'est absurde! Qu'est-ce qu'il t'arrive, Bimbisāra? Tu ne voudrais pas que moi, ton épouse, j'entre dans les appartements d'un ascète? Et puis pour y faire quoi? Cela n'a pas de sens!

— Tu redoutes peut-être quelque chose que tu n'oses pas exprimer, Sakuntala?

— Je ne redoute rien me concernant. En revanche, j'ai peur pour toi.

— Alors réponds.

Sakuntala le regarda, embarrassée, trop humiliée pour s'indigner.

— Si tu ne redoutes rien, ajouta Bimbisāra, pourquoi n'acceptes-tu pas?

— Je ferai ce que tu me demandes, mon seigneur. J'estime qu'il est de mon devoir de suivre ta volonté.

Sakuntala sortit de la chambre le cœur et l'esprit en émoi. En abandonnant son époux, elle eut la sensation pressante qu'un immense ciel noir était sur le point de remplacer les belles journées ensoleillées, la joie et la fête du printemps.

L'appel des démons

Sosie sortit de la pièce imprégné de l'odeur des murs moisis par le temps. C'était d'autant plus étrange que ce Chandasinha, malgré son visage tordu et son cou de rapace, était l'image même de la bonne santé.

L'envie de pénétrer tout de suite dans le palais de Bimbisāra lui effleura l'esprit, mais il devait retourner dans les souterrains. Ce n'était que là-dessous qu'il aurait la possibilité de mettre ses idées au clair. L'origine de la Force se trouvait en ce lieu où reposaient les fondations.

Il traversa le couloir des dépendances, puis les cours des nobles, parcourant le même trajet qu'à l'allée. Personne ne l'avait reconnu, à l'exception de Svasti, qui ne dormait pas. Ce dernier s'était levé au milieu de la nuit et l'avait entraperçu en sortant de sa chambre. Il ne pouvait pas se tromper. Le cœur battant, il l'avait reconnu à son pas léger. « Voilà Siddhārta ! Voilà mon maître que le roi Bimbisāra tenait encore hors de ma vue et de celle de Narayani. »

Alors, Svasti suivit Sosie sur la pointe des pieds, sans faire de bruit. Il n'aurait jamais osé interrompre sa méditation. Mais où se rendait-il ? Poussé par la curiosité, le jeune homme continua à marcher derrière lui, tout en se cachant, le long des couloirs ténébreux du palais.

Sosie descendit, descendit encore, toujours plus bas, comme une ombre parmi les ombres. Il s'enfonça dans un étroit boyau, puis dans un deuxième, dans un troisième enfin. Les allées et venues des ouvriers, le dur labeur des esclaves dégoulinant de transpiration se poursuivaient sans interruption. Les peintures et les bas-reliefs délirants étaient encore là.

Svasti se laissa guider dans cette absurde dimension. Des souvenirs d'étouffement et de ténèbres l'envahirent. Si seulement Sujata se trouvait à ses côtés, elle qui l'avait aidé à remonter du fond de la grotte... Mais pourquoi Siddhārta, le maître du sourire et de la vie, visitait-il ces sombres lieux ? Il eut honte de douter ainsi de lui. Lorsqu'il l'avait fait, par le passé, tout avait commencé à aller mal.

Il profita des dernières marches pour se cacher. Il y avait comme une niche sur le côté, entre la cloison et le mur de soutènement, qui échappait à la vue du maître. Il s'y blottit.

C'est alors que Sosie, après s'être mis entièrement nu et avoir retiré le pendentif que lui avait cédé le serviteur, se mit à genoux et, lentement, avec autant de grâce qu'un danseur, appuya son front contre le sol et commença son invocation. Il allongea les bras dans un large mouvement, comme s'il déployait d'immenses ailes. Il était devenu un oiseau replié sur sa proie, basculant d'avant et d'arrière pour garder l'équilibre.

Le jumeau de Siddhārta n'avait pas eu besoin d'apprendre quoi que ce soit, les versets sacrés d'anciens rituels jalousement transmis par les prêtres jaillissaient spontanément de sa bouche.

— *Comme l'araignée sécrète et ravale son fil, comme l'herbe pousse sur la terre, comme les cheveux et les poils poussent sur le corps, ainsi, tout ce qui existe ici-bas provient de moi, qui suis l'Impérissable.*

« Ô démons qui vous tenez dans mes cordes vocales, cramponnez-vous à elle et sortez, faites-vous réalité !

En file, l'un après l'autre, comme des porteurs de pierres enchaînés par les chevilles, les princes des Enfers qui venaient d'être invoqués se matérialisèrent. Ils se mirent à sortir sous le corps nu de Sosie qui, sans s'interrompre, continuait à proférer ces obscures paroles.

Dès qu'il commença à voir cette horrible troupe s'amasser et se resserrer en cercle autour de Siddhārta, Svasti, étouffant ses pleurs, se refusa à regarder la scène. Sans hésiter, il se lança dans l'escalier et remonta les marches à toute allure, se tenant la tête entre les mains pour ne plus entendre la voix de son maître aimé.

L'invocation et le rituel se poursuivaient. Les princes des Enfers étaient tous arrivés. Le Boiteux, l'Aveugle, le Manchot et le démon aux cornes pointues saluèrent leur maître, le fils de Māra. Sosie leva la tête et vit leurs visages aux yeux de braise.

Puis il leur demanda de lui offrir une puissance qui n'avait jamais été concédée sur Terre.

— Je dois me remplir de la Force. J'ai trouvé la ville, j'ai trouvé le palais et j'ai trouvé l'entrée. Mais à présent, enfermé entre les murs du sérail, je me sens vulnérable. J'ai besoin de régénérer l'énergie de l'océan qui court dans mes veines.

— À toi, maître et seigneur : prends et bois, enfant des enfants, parfaite incarnation de Māra !

Et des coupes que lui tendaient les mains des démons, un sang chaud coula comme du lait dans la bouche de Sosie.

Yama, prince de la Mort et gardien des ténèbres, observait la scène de loin. Lorsqu'il estima que Sosie avait suffisamment bu, il rappela à lui les démons en rouvrant les gorges des Enfers. Il leur remit des cordes au cou et, un à un, les entraîna avec lui pour aller leur couper la tête, leur arracher le cœur et les entrailles, leur sucer le cerveau, se repaître de leur chair et ronger leurs os. Telle était la fin à laquelle les démons étaient habitués.

Exténué et couvert de sueur, Sosie s'enfonça dans un sommeil extatique pour digérer le sang ingurgité. À son réveil, il se sentirait un géant.

Pendant ce temps, à l'étage des dépendances, Svasti, en proie à la peur, essayait de s'orienter. Où diable était la chambre de sa mère ? Il avait réussi à s'échapper à temps. Sans savoir vraiment comment, il avait traversé le ténébreux labyrinthe de cachots, d'oubliettes et de couloirs qui n'en finissaient plus pour ressortir dans le palais.

— C'était lui, c'était Siddhārta, je te le jure ! répétait-il.

Encore endormie, Narayani cherchait en vain à le calmer. La déception de Svasti était amère et irrévocable. Sur chaque centimètre de peau, dans l'intonation de sa voix, dans la couleur de ses cheveux, dans les roues qu'il portait sur la plante des pieds, Svasti avait reconnu son maître. Siddhārta n'était plus le même, il n'était pas tel qu'ils se le rappelaient. Cette fois, il leur faudrait abandonner le prince.

— Pourquoi nous a-t-il trahis ? Pourquoi nous a-t-il menti ? J'ai peur...

Il se coucha contre sa mère en tremblant, cherchant sa chaleur, comme un chiot qui a froid.

— Mère, tu dois me croire !

Narayani ne savait plus comment le calmer.

— Dors, à présent. Nous y repenserons dans les jours qui viennent. Il est impossible qu'il veuille faire du mal. Siddhārta devait sans doute invoquer des pouvoirs dont nous ignorons le sens. Dans le royaume des morts, Svasti, j'ai appris qu'il n'est pas nécessaire de craindre ce qui effraie, mais ce qui semble beau.

— Mais c'est une peur différente, mère, je le sens. Là-bas, il y avait Lawanja avec son horrible langue.

Le rêve de la reine

La reine Sakuntala s'endormit et fit un rêve.

Un pré aussi vaste qu'une plaine s'étendait au pied du palais. Elle le voyait du haut de sa tour et désira aussitôt s'y rendre pour jouir du soleil. Mais, une fois dans le pré, elle s'aperçut qu'elle ne portait pas de voiles, sa robe était tombée en chemin.

Le pré était désert, le palais semblait inhabité et elle, Sakuntala, était nue.

Elle entendit alors un bourdonnement, puis un deuxième, et toutes les herbes se couvrirent peu à peu d'insectes. Ils grouillaient autour d'elle. Ils volaient et rampaient sur la terre humide et cherchaient à atteindre ses cuisses nues. Des moucherons, des guêpes, de petites larves et des papillons : toute une armée bruyante et insupportable.

Mais Sakuntala ne pouvait pas bouger. La chaleur du soleil avait rendu sa peau moite et il lui était impossible de s'extraire de la terre humide et collante.

Elle appela à l'aide. En vain. Personne ne l'entendit.

Un nuage vint tout à coup cacher le soleil. Le vent se leva et la température baissa. Puis une voix hurlant comme le vent parvint à ses oreilles.

– Sakuntala ! Me voilà, Sakuntala ! Tu m'as appelé ? Tu as besoin de mon aide ?

C'était l'étranger. Siddhārta, lui non plus, n'avait pas de vêtements. Il ne portait qu'une couronne, une guirlande de rameaux tressés dans ses cheveux. Sa présence chassa la myriade d'insectes. Alors les chenilles et les fourmis s'éloignèrent en suivant des parcours complexes ; les insectes volants s'enfuirent en tourbillonnant dans le vent comme des tornades après avoir semé la destruction. Chacune de ces petites vies avait obéi à un ordre et ouvert le passage à l'homme nu.

Sakuntala le prit dans ses bras et sentit son corps peser contre sa poitrine. Les membres forts et agiles de Siddhārta étaient ceux d'un guerrier, un descendant d'Ikshavaku, père des astres solaires. Et les grandes mains qui vinrent accueillir la courbe de ses hanches la firent se sentir belle parmi les belles. Durant cet instant, cet éternel instant, Sakuntala eut l'impression de mériter la couronne de souveraine.

Elle était devenue sa reine.

Elle voulait s'abandonner ainsi à jamais, se laisser aller aux soupirs et aux larmes qui couvraient leurs visages. L'odeur de leurs corps se mêlait, leurs mouvements s'accéléraient, et le plaisir grandissait.

Sakuntala était sans honte, sans pudeur et sans peur. Elle caressa Siddhārta selon son désir et le toucha en laissant glisser ses doigts où ils le voulaient.

— Siddhārta, je t'aime, dit-elle.

L'homme sourit et l'embrassa, et continua de l'embrasser en suivant la courbe de son épaule pour descendre vers son ventre. Cela aurait pu durer une éternité.

Leurs corps en sueur, chauds de leur passion, se défirent en un lent abandon, et ils s'étendirent dans l'herbe. Sakuntala sentait la main de Siddhārta, allongé à ses côtés, cherchant la sienne. Puis elle ne la sentit plus. Soudain, une pluie glaciale s'abattit sur eux. Au-dessus des hautes montagnes, que l'on voyait à peine, le tonnerre se mit à rugir, d'abord de façon imperceptible, puis de plus en plus fort.

Siddhārta, debout devant elle, se tourna vers les sommets, et un éclair vint le frapper en pleine poitrine. Le prince tomba à genoux, apparemment indemne. Mais en quelques instants, son corps se recouvrit d'insectes. Les chevilles, les mollets, les genoux, les cuisses, le ventre... Sans émettre le moindre gémissement, Siddhārta se coucha dans l'herbe, en proie à cette douleur immense que Sakuntala sentait aussi en elle.

Le ciel s'assombrit. Les nuages descendirent si bas qu'on eût dit qu'un brouillard s'était levé. Et cet horrible tonnerre qui martelait ses oreilles !

Était-ce bien le tonnerre?

Sakuntala eut, durant un instant, la force d'esprit et la lucidité d'y prêter une oreille plus attentive. Les coups de tonnerre étaient en réalité de tonitruants éclats de rire.

Le rire de son époux Bimbisāra.

Amoureuse

Narayani avait été troublée par le récit et les yeux brillants de Svasti. Son enfant dormait à présent. Mais il lui avait transmis son inquiétude. Narayani ne parvenait pas à se sortir de l'esprit les mots qu'il avait prononcés.

La journée avait passé et la nuit était descendue sur le palais. Narayani prit à la hâte un châle, s'y enveloppa et sortit pour se rendre chez Siddhārta. Les couloirs étaient plongés dans le noir. Quelle direction devait-elle prendre?

Ses yeux s'habituèrent rapidement à l'obscurité. Rassurée, elle commença à traverser un à un les interminables couloirs. Soudain, quelque chose retint son pas. Elle s'arrêta. Devant elle, la froide blancheur des marbres était coupée d'une ombre noire: un homme la fixait des yeux. Elle n'avait pas entendu le moindre pas ni senti le moindre courant d'air.

Malgré l'obscurité, Narayani ne douta pas un seul instant.

— Siddhārta, je t'ai reconnu, mon prince.

Sosie ne répondit pas. Il attendait de savoir qui était cette créature d'une extraordinaire beauté.

L'ancienne courtisane fit deux pas vers lui puis s'arrêta. Son instinct lui suggéra que l'étreinte dont elle avait rêvé toute sa vie n'aurait pas lieu maintenant. Le moment était mal choisi.

— Siddhārta, je t'ai enfin trouvé. C'est moi, Narayani, la mère de Svasti.

Sosie restait silencieux.

— Mon petit se porte au mieux, tu sais. Combien de mésaventures avons-nous endurées, et combien de dangers! Il me semble que c'était hier, ce jour où Māra le magicien est venu me prendre mon petit sans défense dans cette auberge maudite.

Les yeux de Narayani brillaient dans le noir.

— Je ne sais pas comment j'ai réussi à dépasser ces moments de folie, mais je t'y voyais en rêve. Quels pouvoirs avais-tu donc, déjà, pour m'offrir cette tranquillité qui m'a permis de survivre ? Je ne comprends qu'à présent les symboles que tu m'indiquais. Le bois dans le lointain, les couleurs lumineuses du pré et du ciel, et la force absolue de ton esprit, la maîtrise de tout ton être lorsque tu te tenais assis, à me regarder... Ton sourire de l'autre côté de la paroi de verre.

Sosie, stupéfait, écoutait avec avidité.

— Je comprends maintenant les efforts que tu as faits pour aider la pauvre étrangère que j'étais. Je sais maintenant quelle bataille tu préparais. Je croyais n'avoir survécu que parce que j'avais rencontré les envoyés du Mal, les esclaves de Māra. Toi, en revanche, tu combattais à chaque instant cette extraordinaire et funeste force. Qu'as-tu pensé, mon prince, lorsque, au cours de la dernière tentation que t'a envoyée Māra, sous l'arbre des Quatre Vérités, tu m'as vue, tu as reconnu mon visage et mon corps ? Je venais vers toi et je te disais des paroles fausses et séduisantes... Quelle épreuve tu as dû surmonter, maître !

Les yeux de Narayani étaient emplis de larmes. Sosie, lui, attendait patiemment.

— Mais, crois-moi, j'étais possédée par les démons, j'avais oublié jusqu'à mon rôle de mère. Une fièvre me consumait. Tu as certainement pensé que j'étais une mauvaise femme, une ingrate. Pardonne-moi, Siddhārta. J'ai compris à présent pourquoi j'étais destinée à posséder cette part infâme. J'étais la plus vulnérable de toutes parce que, sans le savoir, je t'aimais déjà. L'amour qui se glisse dans les pensées d'une femme ne le fait-il jamais qu'en se cachant ?

Narayani s'approcha de Sosie en tremblant et appuya son front sur sa poitrine. Ses ravissantes lèvres vinrent toucher, comme dans un baiser, le pendentif qu'il portait autour du cou.

D'un geste nerveux, Sosie attrapa la pierre, comme pour la protéger de toute cette écœurante bonté. Puis, lentement, mais avec assurance, il repoussa Narayani et se mit à lui parler.

– Narayani, je me souviens parfaitement de tout. Mais tu l'as dit toi-même : ma force tient dans ma vision différente, plus ample et plus complexe du monde. D'autres et de plus graves charges m'ont conduit ici-bas. Ma mission n'est pas encore terminée, et ce n'est qu'à présent, mentit Sosie, que j'ai commencé ma véritable lutte contre Māra. Tu dis que tu m'aimes ? Alors laisse-moi cultiver mes pratiques d'ascète, une bonne fois pour toutes, loin de toute torpeur, des larmes des femmes, des rêves des mères, de leurs responsabilités envers leurs enfants. Il est temps, Narayani, que je reste seul et que tu te détournes de moi à jamais et sans avoir de chagrin.

Sosie ne put voir l'abattement qu'exprimaient les yeux de cette femme. Il sentit cependant qu'un frisson lui parcourut l'échine et que son ébauche d'étreinte s'était soudainement figée.

Des moments douloureux s'écoulèrent.

Puis, affligée, Narayani se retourna et s'éloigna à pas lents.

Sosie savait à présent, il connaissait son ennemi. Et il sut tout à coup où le trouver. D'un pas rapide, il s'enfonça à travers les couloirs, dans une zone du palais qu'il n'avait jamais parcourue durant ses promenades nocturnes. Il éprouvait une angoisse inexplicable, mais il n'en tint pas compte.

Il ouvrit silencieusement la porte des appartements de Siddhārta.

Le prince dormait, à quelques pas de lui. Sosie, sans faire le moindre mouvement, glissa lentement jusqu'au lit et contempla son visage.

C'était son jumeau parfait.

Ce fut comme un coup de poing au visage. Soudain envahi par un sentiment de répulsion, Sosie partit se réfugier dans les souterrains, qui étaient devenus sa demeure.

Siddhārta, dans sa chambre, ouvrit soudain les yeux et sentit la présence de Māra à ses côtés.

Le complot de Chandasinha

Les yeux attentifs de Chandasinha avaient vu le faux Siddhārta sortir des appartements de l'ascète. Au cœur de la nuit, alors que tout le palais était endormi, l'étranger avait quitté sa chambre pour se poster dans le couloir menant à la chambre du maître. Car c'était bien lui, on ne pouvait le confondre, c'était bien le visage de celui qui s'était faufilé chez Chandasinha quelques nuits auparavant. Il ne s'était pas encore séparé du pendentif. Le serviteur avait reconnu l'objet pendant sous son vêtement.

Le fameux maître qui rendait Bimbisāra si jaloux... Chandasinha se sentit appelé.

Depuis qu'il s'était promis de trouver une preuve de l'infidélité de Sakuntala, le serviteur ne dormait presque plus, et cela n'avait fait qu'empirer lorsqu'il avait obtenu du roi la charge de s'occuper des quartiers de l'étranger. Le jour, mais surtout la nuit, il errait près de la tour de la reine, à la recherche d'indices.

Mais cette nuit avait été différente des autres. Cette promenade nocturne du maître l'avait cloué sur place.

C'était une découverte ahurissante. Le serviteur, de retour dans sa chambre, faisait les cent pas, comme possédé. Les callosités de ses doigts, qui semblaient vouloir disparaître, resurgirent plus grosses qu'autrefois tant il les martyrisait. Au cours de ses insomnies, Chandasinha ne cessait de réfléchir. Il envisageait tout un tas d'hypothèses avant de les écarter. Il ne savait pas quelle route suivre pour tourner les allées et venues de Siddhārta à son avantage. Quelque chose d'énigmatique se passait, mais quoi?

Ainsi, aux premières lueurs de l'aube, Chandasinha se trouva en tête de la longue file de personnes qui demandaient une audience au roi.

– Fais-le entrer, ordonna Bimbisāra.

Le serviteur fut conduit dans un silence absolu jusqu'au pied du trône royal et s'aperçut aussitôt des changements survenus chez le souverain bien-aimé. Sous sa chevelure chargée d'or et de bijoux, les traits de son visage semblaient alourdis, presque déformés par une angoisse qui rongeait tout son être. Son teint, autrefois frais et lumineux, avait cédé la place à une couleur terne et incertaine.

Bimbisāra semblait malade.

Devant cette expression abattue, pénible à voir chez un homme de pouvoir, Chandasinha éprouva un profond mépris. Cependant, l'idée que les choses changeraient bientôt lui redonna du courage. Et ce serait lui, avec quelques informations précises issues de ses longues élucubrations nocturnes, qui viendrait changer l'humeur du puissant souverain.

– Mon seigneur, je t'apporte des nouvelles qui peuvent t'être du plus grand intérêt, annonça le serviteur.

Le garde qui se tenait aux côtés de Bimbisāra fit une grimace devant le ton suggestif de ces paroles. Chandasinha le remarqua et, sans cesser de parler, baissa légèrement la voix pour se soustraire à ces oreilles indiscrètes.

– Il s'agit d'un sujet assez privé qui mériterait un lieu plus propice.

Le roi Bimbisāra se leva de son trône et s'éloigna des gardes.

– Suis-moi, Chandasinha.

Ils se rendirent dans une petite pièce sans fenêtres et sans meubles, qui ne contenait même pas de quoi s'asseoir. Chandasinha s'en émerveilla. Voilà qui était un lieu bien austère comparé au faste du palais.

– Que veux-tu me dire, serviteur ?

– Il s'agit d'une scène curieuse que j'ai estimé de mon devoir de te rapporter, répondit Chandasinha. J'y ai assisté cette nuit et je n'ai plus réussi à fermer l'œil. À dire la vérité, l'insomnie est un problème qui m'accable déjà depuis quelque temps. Au départ, j'ai pensé que c'était en raison des responsabilités excessives que j'ai assumées en acceptant la charge que tu m'as confiée malgré mon humble condition de serviteur. J'ai également pensé à la chaleur accablante de cette saison, à la terrible soif qui m'assaille et à cent autres motifs...

— Viens-en aux faits, serviteur ! Ne remplis pas ma tête de tes bavardages.

Chandasinha resta interdit un instant, puis il poursuivit :

— Bref, quand je suis éveillé, j'entends des bruits étranges, à partir d'une certaine heure de la nuit, qui proviennent d'une aile du palais. Toujours la même, toutes les nuits. Remarque bien, Sire, que ce sont des bruits très légers, presque imperceptibles, que je n'ai pu entendre qu'après avoir écouté attentivement et longuement. Il ne s'agit pas de grincements ni de courants d'air : on dirait bien plutôt le bruit d'une porte qui s'ouvre et se referme.

Le roi Bimbisāra fixait Chandasinha avec une attention avide, sans perdre un seul mot, une seule syllabe de ce qui lui était rapporté.

— Après m'être assuré que ces bruits provenaient bien de la tour où loge la reine, je n'ai pu vaincre mes angoisses. Je sais que cela n'est pas autorisé, mais peut-être est-ce mon zèle excessif qui m'a poussé au péché. J'ai immédiatement redouté que cette chambre, que je me suis évertué à accommoder, ne contînt quelque inconfort pour ton invité de marque. Une poutre qui serait en train de se détacher, une porte qui ne se fermerait pas ou Dieu sait quoi encore...

— Cesse donc tes bavardages ! Ne provoque pas ma colère, dit Bimbisāra entre ses dents.

— Pour aller au plus court, cette nuit, je me suis permis d'aller y regarder de plus près et je me suis arrêté devant la porte de l'étranger. Le bruit étrange, ce bruit que j'entendais chaque nuit, venait bien de là.

— Tu as espionné Siddhārta ?

— Vraiment, comme j'ai essayé de te l'expliquer, Majesté, mon intention n'était pas de l'espionner. Mais c'est bien ce que j'ai fait finalement. La porte s'est ouverte. Je me suis caché derrière le meuble de l'antichambre, l'un de ceux que j'ai installés moi-même, avec des reliefs si prononcés qu'ils recouvraient aussi mon ombre. Je suis certain de ne pas avoir été vu, Sire.

— Par qui ? Qui aurait pu te voir ? le pressa Bimbisāra.

— Mais comment ! Je viens de te dire que j'étais devant sa chambre. Celle de Siddhārta, le maître de la reine Sakuntala. J'ai entendu dire que tu avais mis fin à leurs promenades journalières. C'est pourquoi je me suis permis de te rapporter, dans l'urgence, les faits de cette nuit.

— Il s'agirait de faits si tu me disais où tu as vu Siddhārta se rendre. Où allait-il, Chandasinha ?

— Hélas, Sire, il m'est impossible de te le dire. J'ai jugé qu'il serait trop impertinent de pousser mon investigation plus loin. J'ai seulement remarqué qu'il se hâtait et qu'il portait autour du cou un magnifique pendentif.

« Peut-être identique à celui que t'a donné ton patron », pensa Bimbisāra à part soi, subodorant le mensonge du serviteur.

— Un pendentif, dis-tu ?

— Oui, Sire, un pendentif qui se détachait sur sa poitrine à moitié nue.

Bimbisāra serra les dents. Il sentit sa mâchoire se durcir au point de lui faire mal. « À moitié nue », avait dit ce serviteur mielleux qu'il appréciait de moins en moins. L'odieuse rivalité dans laquelle lui apparaissait Siddhārta dépassait les limites du supportable. Le roi se sentait sale et vil, et le vide d'amour que la reine laissait en lui le déchirait. Mais le roi, dévoré par la jalousie, n'avait d'autre choix que de forcer le serviteur à agir pour lui.

— Chandasinha, je t'ordonne de continuer ton enquête. Mais cette fois-ci, durant la nuit prochaine, je veux que tu suives Siddhārta pour savoir où il se rend. Je veux connaître le motif de ses pérégrinations. Maintenant, disparais, laisse-moi seul.

Le reste de la journée sembla n'en plus finir pour Chandasinha, excité comme il l'était d'avoir obtenu la permission d'épier Siddhārta.

La nuit arriva enfin. Le serviteur se glissa en catimini dans les couloirs et s'arrêta à un pas de la porte de l'invité. De longues minutes s'écoulèrent, se muant lentement en demi-heures, puis en heures. Le temps semblait suspendu.

Chandasinha passa la nuit entière à affûter ses yeux et ses oreilles dans l'espoir de voir ou d'entendre sortir quelqu'un.

Mais personne ne vint.

Le pacte

La reine Sakuntala n'aurait jamais pensé devoir suivre l'invitation de son époux à visiter les appartements du maître. Mais, ce matin-là, son réveil avait été si terrible et si funeste que, le visage défait et le front encore en sueur, elle courut demander de l'aide à Siddhārta. Les paroles de celui-ci pourraient peut-être l'éclairer au sujet de son rêve.

Elle trouva le maître debout, au centre de la pièce, la poitrine nue et le visage rayonnant. Elle éprouva un sentiment d'intimité presque incompréhensible pour une femme qui n'avait jamais regardé d'autre homme que son mari. Elle s'apprêtait à parler lorsqu'elle s'aperçut qu'elle avait interrompu quelque chose.

Siddhārta semblait immobile, mais il ne l'était pas. Solidement campé sur ses jambes, il tournait le torse vers la droite et vers la gauche en conservant son bassin immobile. Dans ce mouvement de rotation, le maître s'entretenait avec le cosmos. Et la pièce semblait entièrement repliée sur sa prière.

Lorsque, sans avoir remarqué l'arrivée de la reine, il commença à balancer les bras en suivant un mouvement souple et précis, le cœur de Sakuntala fit un bond. Comme celui qui échappe à un danger mortel ne se souvient parfois plus de certains détails puis, tout à coup, se voit assailli par des souvenirs précis, Sakuntala revit le dessin que les bras du maître avaient tracé autour de son corps.

Les yeux de la reine furent ensuite retenus par le profil parfait du visage du sage, son front et son nez, puis sa bouche, sur laquelle ils se posèrent. Une mélodie à peine murmurée entrouvrait les lèvres de Siddhārta. Et ces lèvres aussi lui revinrent en mémoire, rouges, collées aux siennes, avec une puissance qu'elle n'avait jamais connue ni imaginée.

La chose la plus naturelle plongea alors la reine dans une peur panique : Siddhārta se tourna vers elle, ouvrit les yeux et lui sourit.

La pièce redevint aussitôt une pièce, les murs de simples murs et le matin offrit de nouveau son lot de bruits familiers.

— Siddhārta, tu dois m'aider ! Je t'en prie.

Le maître, continuant de sourire, invita d'un geste lent Sakuntala à venir s'asseoir. Puis il enfila gracieusement sa tunique. Le visage de la reine commençait à se détendre, ses pensées sombres et ses angoisses, que Siddhārta, durant sa méditation, avait perçues dans toute leur vivacité, étaient en train de s'évanouir dans ses yeux.

— Maintenant que tu es plus calme, reine, tu peux me raconter ce qu'il t'est arrivé.

— Tu n'y croiras pas, maître. J'ai rêvé de toi, tu étais à mes côtés, puis tout est devenu horrible. Une tempête s'est abattue sur nous, elle m'a emportée, elle t'a emporté. Je suis troublée, je n'arrive pas à m'en souvenir clairement. J'ai eu peur...

— Je sais déjà tout cela. Cette nuit, un homme dont le nom ne peut être prononcé est entré dans le palais. Il a pour mission de semer le désordre dans le cœur des hommes. Ce moment précis où des millions d'insectes consumaient mon corps a été celui où cette créature est venue me voir. Elle s'est penchée sur ma couche et, une fois encore, elle m'a défié. Le défi a résonné jusqu'au sommet des tours, dans les pleurs soudains des enfants, dans le secret de ton rêve, et dans mon cœur. C'est moi qui ai mis fin au tonnerre et aux éclairs, Sakuntala, en ouvrant les yeux. Car toute réalité peut être dominée.

Sakuntala fut très impressionnée par le discours du maître, mais, prenant son courage à deux mains, elle entreprit de lui parler de ce qu'elle n'aurait jamais osé lui avouer.

— Siddhārta, nous étions très... proches, et je ne portais pas de vêtements, pas même mes voiles. Aide-moi, si tu le peux, maître, à ne plus venir dans cette chambre, aide-moi à ôter le soupçon du cœur de mon époux. C'est lui, tu sais, qui m'a proposé de ne plus te rencontrer dans le jardin, mais ici, près de ton lit, là où tu dors.

Ils se regardèrent. Avec une simplicité infinie, Siddhārta s'approcha de Sakuntala et lui caressa le visage. Puis, s'écartant un peu d'elle, il fit une sorte de révérence, déchira un morceau de sa tunique, s'approcha du lit et y déposa le bout d'étoffe en son milieu.

— Tu vois, reine, ce morceau de tissu ? Eh bien, ce sera notre pacte. Prends-le avec toi et, chaque soir, avant de te coucher, place-le au centre de ton lit, comme je viens de le faire. S'il t'arrivait d'éprouver encore de la peur ou du désespoir et d'avoir besoin d'un ami à tes côtés, reste calme. Je viendrai te parler, mais je ne me coucherai pas auprès de toi, parce que notre relation est pure, ce n'est pas une relation charnelle, et ce morceau de tissu te le rappellera toujours.

Le visage de Sakuntala s'adoucit. La reine, sans dire un mot, prit le morceau d'étoffe et quitta la chambre.

La peau de Sakuntala

Fasciné et obsédé par son jumeau, Sosie ne put s'empêcher de lui rendre visite chaque nuit. Il le regardait longuement, en silence, cherchant à découvrir le secret de la force que retenait son corps endormi.

Cette nuit encore, il avait passé des moments qui semblaient interminables à interroger, entre autres, son propre visage. L'aube était venue interrompre sa contemplation, et Sosie, comme un voleur, était ressorti de la chambre à tâtons.

« Le voilà ! se dit Chandasinha, blotti dans l'ombre. Nous y sommes enfin arrivés ! » Il était arrivé trop tard pour le voir entrer, mais à temps pour le surprendre tandis qu'il repartait.

— Maître étranger, arrête-toi, l'exhorta le serviteur avec une fausse humilité, convaincu de parler au véritable Siddhārta.

Sosie ne regarda qu'à peine le serviteur. C'était ce petit homme stupide à qui, quelques jours auparavant, il avait soutiré l'étrange pendentif qu'il gardait contre sa poitrine comme pour l'imprimer dans sa peau. Que lui voulait-il ? Reprendre le bijou ? Était-il bien prudent de s'arrêter pour parler avec lui ?

— Siddhārta, permets-moi de te conduire dans un lieu où tu ne t'es jamais rendu.

Une fois encore, Sosie ne répondit pas. Mais, à son attitude nonchalante, Chandasinha comprit qu'il lui suffirait d'insister un peu. Le plan qui avait semblé fou et irréalisable quelques heures auparavant avait peut-être une chance de réussir.

— Suis-moi, vite ! C'est elle qui m'a appelé, tu sais. Elle est fort agitée, elle est bizarre... Vite ! Nous devons nous hâter !

346

Ainsi, couloir après couloir, Chandasinha parvint à conduire l'homme qu'il croyait être Siddhārta jusqu'au seuil des appartements de Sakuntala.

Sosie, sans comprendre les sournoises intentions du serviteur, le regarda froidement puis pénétra dans la pièce. Chandasinha en fut paralysé. « Que ce maître est étrange », pensa-t-il. Durant la journée, à la lumière du soleil, il avait dans les yeux une lueur que le serviteur craignait plus que tout, tant et si bien qu'il n'avait jamais eu le courage d'échanger quelques mots avec lui. La nuit, en revanche, ses yeux étaient différents, ils semblaient vides, froids.

Chandasinha comprit qu'il devait s'en aller à présent. Il pourrait dire au roi qu'il avait vu Siddhārta entrer dans les appartements de Sakuntala aux premières lueurs du matin, et ce n'était pas une information sans importance pour cet époux obsédé par sa jalousie.

Sosie referma la porte derrière lui. Il ne savait pas où il venait d'entrer. Il s'avança à sa façon, sans faire de bruit, comme s'il glissait sur de la glace. Il vit alors, derrière l'un des rideaux du vaste appartement, un spectacle extraordinaire, et quelque chose ressemblant à un sentiment humain le saisit de façon inattendue. La reine était là, devant lui, étendue au milieu de draps immaculés. Elle dormait. L'impression que lui fit son visage parfait et ses cheveux éparpillés fut des plus fortes.

Alors Sosie, sans le savoir, se comporta comme un mâle avisé se serait comporté dans une telle situation. Il retira sa tunique et, à contrecœur, le pendentif. Puis, sans réveiller la reine, il vint s'allonger nu auprès d'elle, certain de ce qu'il devait faire. Il observa longuement, dans la clarté diffuse de la chambre, les yeux clos de Sakuntala, ses seins délicats qu'un léger voile blanc couvrait à peine. Une bande de tissu était étendue à côté d'elle, sans doute un morceau de vêtement. « Étrange, se dit Sosie, que je ne l'aie pas remarqué avant ». Puis il se mit à remuer un peu, en se caressant les cuisses avec plaisir, et allongea la main vers la poitrine de Sakuntala, qu'il imaginait déjà blanche et ferme, avec des mamelons pourpres comme deux fleurs sanglantes.

Mais une chose encore plus étrange était en train de lui arriver. Sa main n'avait pas obéi à sa volonté. Quelque chose ne fonctionnait pas. Il essaya de toucher les jambes de la reine, son visage et, une fois encore, ses seins, mais il n'y parvint pas. Il lui était impossible de se concentrer. À chaque mouvement qu'il cherchait à faire, il se retrouvait dans une position différente de celle attendue, et il n'avait pas touché Sakuntala.

Cette femme était inaccessible. Une force cachée la protégeait.

Alors il comprit. Il essaya de toucher le morceau de tissu. La pulpe de ses doigts sentit le gel, puis le feu. Il prit peur et retira sa main. Un cri étouffé s'échappa de sa gorge.

Sakuntala écarquilla brusquement les yeux. La jeune femme le regarda et comprit que le moment de la dernière épreuve était venu.

Allongé auprès d'elle, nu, se trouvait le prince Siddhārta.

Le piège

Après avoir vu l'étranger entrer dans les appartements de la reine, Chandasinha se trouva, pour la première fois de sa vie, dans une étrange situation.

Un doute lointain mais persistant s'était glissé dans son esprit. Il avait mauvaise conscience. Le moment était-il venu pour lui d'admettre qu'il avait fait une grosse erreur?

Le serviteur traversa un couloir couvert de tentures représentant des scènes de la création du royaume de Magadha, une succession extraordinaire de luttes entre les dieux et d'amours célestes qui avaient donné naissance à la prestigieuse dynastie du roi Bimbisāra, puis se dirigea d'un pas décidé vers sa chambre, convaincu d'être sur le bon chemin.

Or, dans sa hâte, Chandasinha avait emprunté l'escalier opposé à celui qu'il suivait d'ordinaire. Il s'en aperçut lorsque, comptant les portes qui précédaient la sienne, il dut faire face à une désagréable surprise. Quelqu'un, debout dans l'obscurité, observait les gestes nerveux qu'il était en train d'exécuter.

Narayani était en pleine confusion, elle ne savait si elle devait être déçue ou indignée. Elle ne se cachait pas la vérité : la paix qu'elle avait espéré trouver dans le palais de Bimbisāra s'était transformée en une impression ambiguë qui, au lieu de la tranquilliser, n'avait fait que la placer dans une situation encore plus pénible. Il lui fallait partir au plus vite. Et elle avait dit à Svasti que quelque chose risquait d'aller de travers. Mais devant les yeux brillants et pleins d'espoir de son fils, qui, au moins une fois encore, désirait rencontrer le maître, elle s'était laissé convaincre.

Et qui diable était ce lémure qui venait à sa rencontre à cette heure de la nuit? Que lui voulait-il, alors qu'elle s'apprêtait à partir? Malgré l'obscurité, Narayani vit qu'il s'agissait d'un visage masculin, un visage qui ne lui plaisait pas. Elle regarda autour d'elle, cherchant quelque objet pointu appuyé sur le mur afin de s'en servir comme d'une arme de défense, mais elle n'aperçut qu'un misérable seau métallique.

Le serviteur fit quelques pas dans sa direction et tressaillit en découvrant les courbes parfaites et harmonieuses de cette femme, de dos, courbée pour ramasser quelque chose. Le teint de perle de sa peau transparaissait sous le léger vêtement de coton. Si l'obscurité ne lui jouait pas un mauvais tour, il devait s'agir de la charmante mère venue demander l'hospitalité à Bimbisāra. Narayani rivalisait en beauté avec la reine Sakuntala.

Les mots sortirent naturellement de sa bouche. Étalant un compliment après l'autre comme il ne lui était jamais arrivé de le faire avec une femme, le serviteur s'adressa à Narayani.

— Merveilleuse créature, au visage si lumineux qu'il éclairerait les nuits d'un aveugle, pourquoi t'enfuis-tu? Je ne veux pas te faire peur. Je cherche seulement à retrouver ma chambre, je me suis perdu. Mais toi, tu vas peut-être rejoindre un amant bien chanceux? C'est la seule raison que je trouve pour expliquer ta hâte.

— Qui es-tu? répondit Narayani pour couper court.

— Je m'appelle Chandasinha, je suis un humble serviteur du roi. J'habite également dans ces quartiers.

— Eh bien, ils ne seront bientôt plus les miens. Je m'en vais, je ne supporte pas cet endroit. Mes nuits sont plus agitées que lorsque je dormais dans la forêt au milieu des loups et des chacals.

Chandasinha s'approcha d'elle prudemment, surveillant du coin de l'œil le seau qu'elle tenait entre ses bras nus.

— Tu n'as pas l'intention d'aller jusqu'au fleuve avec cet objet si lourd?

Narayani regarda le serviteur d'un air menaçant.

— Tu veux parler du seau? Non, ce n'est pas pour aller jusqu'au fleuve. C'est pour t'en ficher un coup sur la tête! Je ne suis pas une femme de bonnes manières, vois-tu.

— Je vois. Mais laisse-moi te parler de quelque chose qui t'intéressera peut-être.

« Pour une surprise... », pensa Chandasinha. Le hasard l'avait poussé dans une mauvaise direction, mais il faisait bien les choses! Cette rencontre rendait son plan plus intéressant.

— À ce qu'il paraît, dit le serviteur en regardant Narayani dans les yeux, tu n'as pas atteint l'objectif que tu t'étais fixé en venant à Rajagaha. J'ai appris que ton fils Svasti désirait rencontrer son maître, Siddhārta. Or peut-être que le souverain tergiverse encore... Tu sais, ça fait des années que j'ai le plaisir de travailler pour lui, et il a bien changé ces derniers temps. Il reporte presque toutes ses obligations... C'est vraiment triste de le voir dans une telle situation.

— Quelle situation? demanda Narayani.

— Les peines d'amour avec la reine Sakuntala, chuchota le serviteur. Mais parlons à voix basse, car il vaut mieux qu'on ne nous entende pas. On ne sait jamais qui traverse ces couloirs la nuit. Bimbisāra craint que Sakuntala ne soit amoureuse d'un autre homme, et il te sera sans doute utile de savoir de qui il s'agit. En somme, le roi tarde à provoquer votre rencontre avec le maître, toi et ton fils, parce que le seul fait de prononcer son nom l'irrite et lui fait perdre son contrôle.

Narayani souleva le seau et en donna un coup à Chandasinha.

— Va-t'en, imbécile! Qu'est-ce que tu peux savoir, toi, de Siddhārta? Il ne peut aimer les femmes. Sinon, c'est moi qu'il aurait aimée, et aucune autre!

Avec adresse, le serviteur évita le coup et attrapa le seau avant qu'il ne retombe, évitant ainsi un bruit inopportun. Un sourire sinistre vint se dessiner entre ses pommettes saillantes.

— Narayani, ma dame, tu aimes Siddhārta et ta colère le prouve. Mais ne t'en va pas. Hélas, tu dois encore apprendre les nouvelles les plus mauvaises. Permets-moi de te rendre une dernière faveur. Si tu dois partir le cœur brisé, que ce soit au moins pour une bonne raison. Viens avec moi, je te conduirai jusqu'à lui. Tu verras où dort ton Siddhārta.

Mission accomplie

Narayani suivit le serviteur, qui la conduisit dans les derniers étages de la tour où logeait la reine.

Une lumière rose pénétrait par les fenêtres aux rebords décorés et l'on pouvait voir l'aube se lever au-dessus des collines. Narayani, blottie dans un angle obscur du long couloir, se trouvait face à un passage dissimulé par de somptueuses draperies.

— Entre, va toi-même à sa rencontre, Narayani. Regarde où se cache ton Siddhārta. Je reste dehors, mentit Chandasinha.

Le serviteur se tint quelques instants devant les appartements de la reine, où tout avait à présent le goût acre et les couleurs mornes de la trahison. Puis, dès que Narayani eut disparu derrière la porte, victime de sa propre morbidité et d'une terreur qui se lisait dans ses yeux, il l'abandonna à son destin, se gardant bien de rester dans les parages une minute de plus.

Narayani sentit le carrelage glacial sous ses pieds nus. Son cœur fragile se serra. Elle s'avança à travers la première pièce blanche, en tendant l'oreille au moindre bruit. Elle imaginait des soupirs et des gémissements, la luxure et les positions nonchalantes des concubines, mais elle ne parvenait pas à insérer dans cette scène la douce image, sculptée dans son esprit et dans son cœur, des membres nus de Siddhārta. Il n'était pas possible qu'il se soit laissé séduire par les minauderies d'une jeune reine. Pas lui, pas le prince qui avait été capable de faire ses adieux à son épouse, la gracieuse Yasodhara, et était allé jusqu'à la refuser, elle, Narayani, qui s'était offerte à son étreinte.

Une lumière l'aveugla soudain. Durant un temps interminable, elle ne parvint pas à distinguer la moindre forme. Était-ce la réalité qui la repoussait ou bien était-ce elle qui se refusait à regarder ? Elle était entrée dans la chambre et l'avait vu, profondément endormi, comme dans un complet assouvissement des sens. Elle avait immédiatement reconnu le corps si souvent désiré, le profil délicat et gracieux du front.

C'était le prince Siddhārta. Son prince Siddhārta ! Posé sur un coussin, près de sa main, se trouvait l'étrange pendentif qu'il portait autour du cou quelques jours plus tôt. Il avait pris soin de le retirer avant d'aller s'allonger auprès de la reine !

Ils dormaient l'un à côté de l'autre. Leurs corps ne se touchaient pas, séparés par une bande de tissu placée au milieu du lit.

Narayani s'approcha de leur couche, pas à pas, chancelante. Comment Siddhārta avait-il osé lui laisser croire qu'il pouvait éviter les tentations de la chair ? La chair d'une reine était-elle plus pure que celle d'une autre femme ? Plus pure que la sienne ? Folle de jalousie, se haïssant, puis haïssant la reine, elle se dirigea de l'autre côté du lit. Elle voulait regarder Sakuntala de plus près, se rendre compte de sa beauté.

Quelque chose, sur sa gauche, se balança deux, trois fois avant de tomber et de se briser sur le sol. Sans doute avait-elle heurté un vase précieux.

Le bruit réveilla Sakuntala d'un bond. Était-elle en train de dormir ? Était-ce un rêve ? Non, cette crainte surnaturelle et cette oppression du cœur qui l'avaient endurcie, tout en la rendant plus fragile qu'une statue de verre, étaient bien réelles. Elle vit alors le maître, nu, couché à ses côtés, de l'autre côté de la bande de tissu comme le voulait leur pacte, et se remit à trembler. Sakuntala, sans même ouvrir la bouche, s'était blottie sous les draps blancs, cherchant de toutes ses forces à garder les yeux fermés. Mais il y avait une troisième personne dans la chambre. Lorsque les regards des deux femmes se croisèrent, un hurle‧ment s'échappa de leurs gorges.

Sosie sentit son cerveau se déchirer. Le jumeau de Siddhārta, qui s'était endormi depuis peu de l'autre côté de la bande de tissu, ignorant qu'il observait un pacte qu'il n'avait jamais scellé, regarda tour à tour Narayani et Sakuntala. Puis, rapide comme une ombre, il se jeta sur l'habit qu'il avait laissé choir au pied du lit, attrapa le maudit morceau d'étoffe qui l'avait ensorcelé et s'enfuit hors de la chambre.

Narayani serra dans son poing le pendentif oublié.

– Ça, c'est moi qui vais le lui rendre !

Sans rien ajouter de plus, elle tourna le dos à cette reine licencieuse et courut rejoindre l'homme qu'elle croyait être Siddhārta.

Sakuntala, terrorisée, glissa entre les draps, incapable de calmer ses pleurs.

Une fois de plus, tandis que la nuit s'évanouissait et laissait place à une morne journée, Sosie rejoignit l'entrée du souterrain et s'enfonça à travers ses méandres jusqu'à son refuge inaccessible aux hommes.

Mais, avant même de pouvoir jouir du bonheur d'être de retour dans les oubliettes, il se mit à tâter frénétiquement de ses mains le tour de son cou et poussa un cri de rage.

Il avait oublié le pendentif.

Les jumeaux

Le visage éprouvé par la fatigue, Narayani se tenait immobile, pestant de temps à autre contre l'étrange pendentif. Son fils, après l'avoir observée toute la journée d'un air préoccupé, lui avait interdit de partir et de s'éloigner de Siddhārta tant que la lumière n'aurait pas été faite sur tous ces événements qui, à présent, les impliquaient aussi.

— Fais ce que tu veux, Svasti. Mais si les forces te manquent, ne viens pas me dire que je ne t'avais pas prévenu.

À l'heure la plus chaude de la journée, tandis que tout le monde jouissait de la tranquillité des parcs et de la beauté de cette après-midi ensoleillée, Svasti entra dans le palais. Il l'explora de fond en comble, montant et descendant les innombrables escaliers, dans l'intention de retrouver la chambre de Siddhārta à partir des indications que lui avait fournies sa mère.

Il se retrouva devant une porte sobre et élégante et vit huit baguettes de bois alignées à quelques centimètres du seuil. Il ne pouvait s'être trompé. Ce devait être la chambre du maître, personne d'autre n'aurait songé à utiliser ce signe de reconnaissance.

Svasti se faufila à l'intérieur en prenant soin de ne pas être vu. Il n'y avait personne. Ce qu'il avait projeté durant les premières heures du matin devenait possible. Alors, il se cacha derrière les rideaux et attendit le retour du prince tout le restant de l'après-midi.

La pièce, simple et ordonnée, était habitée par la présence de cet homme. Et Dieu que tout semblait différent du moment où il avait aperçu le maître, dans les bas-fonds du palais, plongé dans une étrange et mélancolique prière...

Siddhārta entra enfin. Il ramassa les huit baguettes et, comme dans un rituel, les reposa à côté du lit. Puis il en sortit une autre de sa poche et la disposa près de la huitième. Svasti resta immobile. Une joie profonde le submergeait à chaque geste qu'exécutait le maître. Aucune pensée sombre, aucune passion déchirante n'obscurcissait les yeux brillants du prince : celui-ci était tel qu'autrefois, tel qu'il l'avait connu.

Caché derrière les rideaux, il attendrait que Siddhārta s'endorme, puis, en pleine nuit, il le réveillerait pour lui faire une surprise encore plus grande. Svasti n'eut cependant pas le temps de voir le maître se coucher qu'il assista, bouche bée, à une scène terrible. Quelqu'un était entré dans la pièce.

La nuit était descendue sur le palais de Bimbisāra, comme pour cacher les complots des uns et le mutisme halluciné, empli de peur, des autres..., cette nuit qui était le royaume et l'unique réalité de Sosie. L'heure de son divertissement. Le ténébreux jumeau de Siddhārta n'aurait pu s'empêcher de surgir des profondeurs de son repaire pour rendre visite à l'hôte du roi, selon l'habitude qu'il avait prise et dont il se délectait. Il était venu admirer sa propre image se reflétant dans ce doux miroir.

Les yeux fermés, Sosie s'avança jusqu'à la couche du prince et s'étendit silencieusement sur la petite natte de paille. Allongé sur le flanc, dans la position inverse de celle de Siddhārta, il se mit à étudier le profil gauche de son frère en en suivant le contour comme s'il s'agissait du sien.

Voilà qui était clair, à présent : Sosie était obsédé par la beauté et la perfection, des vertus qu'il retrouvait dans les traits hors du commun de Siddhārta. De grands yeux, des sourcils qui se touchaient, un front royal et un nez droit, des pommettes sculptées venant parfaire un visage ovale qui ne voulait pas révéler son secret...

Sosie perçut toute l'immensité de cet amour produit par sa haine. Il aimait son frère Siddhārta d'un amour qu'une vie entière n'aurait pas suffi à consumer. Même après l'avoir détruit, il continuerait de l'aimer.

Une farce atroce avait été jouée. Svasti regardait avec stupéfaction les deux corps respirer à l'unisson et leurs larges poitrines se gonfler en parfaite synchronie. Ce troublant couple de jumeaux, démoniaques comme seuls des jumeaux peuvent l'être aux yeux de ceux qui les voient l'un à côté de l'autre, respirait au même rythme. Tant et si bien que le jeune homme ne parvint plus à distinguer le maître de son double. Il l'avait perdu à jamais.

Un délire le saisit soudain, un désir de destruction s'empara de son esprit. Svasti sortit d'un bond de sa cachette et se lança à l'assaut des deux monstres dans une fureur qui criait en lui comme les voix de la forêt. Il s'agrippa au premier venu et, comme possédé, se mit à l'étrangler.

— Qu'est-ce..., dit Sosie dans un sifflement, abasourdi par la violence qui s'était déchaînée sur lui.

Svasti le mordit sauvagement au visage.

Sans même regarder son assaillant, chassant la douleur de sa blessure ensanglantée, Sosie parvint à se défaire de cette créature enragée qui avait dû surgir de l'esprit de Siddhārta. Puis il bondit sur ses pieds et quitta la pièce en courant.

Svasti, exténué, haletant, s'abandonna sur la couche. Ce fut alors, seulement, que Siddhārta décida d'ouvrir les yeux.

— Svasti, toi aussi tu ressentais sa présence depuis qu'il était entré dans le palais.

Un doute insoutenable

Chandasinha était hors de lui, rongé par une impatience qui, au cours de ces dernières heures, le mettait au bord de la crise de nerfs. Durant deux jours interminables, Bimbisāra, parti à la chasse, avait été absent du palais. Chandasinha n'avait pas pu le rencontrer depuis la fameuse nuit où Siddhārta s'était rendu dans la chambre de Sakuntala. Il avait fallu que le serviteur ravale cet événement dont il aurait dû, selon ses plans, être le grand annonciateur, lui qui avait préparé chaque chose selon les règles de l'art en prenant d'énormes risques.

Le matin suivant, le serviteur se précipita chez Bimbisāra. La reine, malgré le léger voile de tristesse qui assombrissait son visage, n'avait pas renoncé à rencontrer le maître Siddhārta et à s'entretenir avec lui au cours d'une longue discussion que Chandasinha, fort malheureusement, n'avait pas eu l'opportunité d'épier. Il avait cependant semblé au serviteur qu'un serment tacite, peut-être une promesse, avait été passé entre eux. Il était grand temps d'intervenir.

Lorsqu'il fut reçu par le souverain, Chandasinha ne put que s'étonner de son attitude : Bimbisāra avait recommencé à sourire. Mais le serviteur se réjouit à l'idée que sa bonne humeur se dissiperait bien vite lorsqu'il aurait entendu ce qu'il avait à lui dire.

— Les courses à cheval t'ont ragaillardi, roi Bimbisāra. Tu sembles un homme nouveau.

— Le crois-tu vraiment, Chandasinha ? C'est en tout cas ce que je pense. Retourner à mes activités de souverain m'a fait le plus grand bien. Et je n'ai en réalité pas beaucoup de temps à t'accorder. Pour être sincère, je ne sais même pas si nos questions valent la peine d'être discutées. Je me sens mieux et je souhaite liquider nos affaires au plus vite. Si tu penses vraiment avoir de sérieuses nouvelles à m'apporter, fais-le. Mais dépêche-toi.

— Je crains, Sire, que ce ne soit toi qui me retiennes plus longtemps que nécessaire, cette fois-ci. Vois-tu, les nouvelles sont plutôt alarmantes. Ici aussi, au palais, des choses ont changé... J'oserai même dire qu'elles se sont précipitées.

— Parle ! lui ordonna Bimbisāra, qui s'énervait.

Le souverain avait cherché de toutes les façons imaginables à recouvrer la raison, chassant loin de lui ses obsessions et ses accusations non fondées. Mais son fragile équilibre pouvait se rompre d'un moment à l'autre.

— Roi Bimbisāra, annonça le serviteur d'une voix solennelle, j'ai la preuve que la reine te trompe. La nuit, lorsque le palais est silencieux, le maître Siddhārta se rend dans les appartements de Sakuntala et couche avec elle.

— La preuve, dis-tu, maudit charognard, pauvre vermisseau. Je connais tes subterfuges, Chandasinha, et la convoitise que tu places dans toutes tes actions. Tu as soif de richesses et tu es prêt à tout pour obtenir ce que tu désires. Mais tu apprécieras à présent ce qu'il advient de ceux qui complotent contre la sérénité du souverain. Gardes ! Arrêtez-le !

Les gardes s'approchèrent et emmenèrent le serviteur qui hurlait ses derniers mots pour sa défense.

— Tu te trompes, Bimbisāra. Je ne suis pas le seul à avoir pris ton protégé sur le fait. Demande un peu à cette Narayani, qui retient à présent un douloureux secret dans son cœur. Elle a été témoin de ce que je suis venu te rapporter et elle en possède la preuve, bien qu'elle n'ose encore l'avouer à personne. Moi seul l'ai vue prendre de ses mains le pendentif dont je t'ai parlé et le couvrir de larmes. Elle l'a récupéré au cours de cette nuit que Siddhārta a passée dans les appartements de Sakuntala.

— Jetez-le en prison ! Je ne veux plus jamais voir cet affreux visage ! Et vous, poursuivit Bimbisāra en s'adressant aux autres gardes, sortez, laissez-moi seul !

On ne pouvait imaginer retour plus cruel. Seul dans la grande salle d'audience, Bimbisāra rumina ce qu'il venait d'entendre. Durant son absence, une paix nouvelle était venue soulager son cœur et son esprit. Il s'était senti prêt à faire face à Sakuntala avec plus de lucidité. Mais à présent, le serviteur insidieux en prison, tout le poids de son obsession pesait de nouveau sur ses épaules. Et si quelque chose s'était vraiment passé ? Au fond, c'était lui qui avait donné la permission à Sakuntala de se rendre dans les appartements de Siddhārta.

Il avait creusé sa tombe de ses propres mains.

En proie au tourment, il lui sembla voir la pièce tournoyer autour de lui et les parois couvertes de peintures prendre vie. Sakuntala nue : il voyait le corps gracieux de son épouse prendre des poses obscènes, son désir atteindre des proportions démesurées, sa bouche rouge s'entrouvrir en murmurant le nom de son rival.

Il appela les gardes.

— Allez chercher la reine ! Allez chercher Siddhārta ! Allez chercher Narayani ! Amenez-les ici au plus vite. Je les veux tous en face de moi !

La condamnation

L'atmosphère était de plomb. Les trois personnes que le roi avait convoquées se trouvaient là, devant lui. Sakuntala les devançait de quelques pas, Siddhārta se tenait à sa droite, et Narayani, sur la gauche, baissait les yeux pour éviter son regard.

Tandis que le souverain prononçait d'une voix grave son sévère réquisitoire, Siddhārta observait la mère de Svasti. Elle était plus belle qu'il l'avait imaginée. Sous l'arbre des Quatre Vérités, il avait connu son spectre famélique et trompeur, mais il la rencontrait à présent dans son simple apparat de femme.

Depuis qu'ils avaient été introduits dans la salle, Narayani ne lui avait pas adressé le moindre regard, comme si elle le méprisait ; mais Siddhārta se contentait de savoir qu'elle avait su tenir sa promesse : c'était une bonne mère, elle avait retrouvé son fils et lui avait donné mille preuves de son amour. Pourtant, il semblait qu'une nouvelle fièvre se soit emparée d'elle.

— Sakuntala, parle la première, ordonna le roi.

— Mon seigneur, mon époux, j'ignore la façon dont tu l'as appris, mais, maintenant que tu m'exposes aux regards de ces témoins qui se trouvent derrière moi, je te donnerai l'explication que tu cherches. Je te prie seulement de croire en chacune de mes paroles, tant il est difficile d'avouer un péché qui n'a été commis qu'à moitié et par naïveté.

Mais la reine n'eut pas le courage d'aborder le cœur de la question et ne parvint pas à retenir ses pleurs. Le visage couvert de larmes, elle raconta la façon dont s'étaient passées les choses du début à la fin.

— La violence dont tu as fait preuve contre moi depuis ce jour où ta jalousie délirante a commencé m'avait affaiblie plus que je ne le pensais. Je te pardonnais parce que je croyais sérieusement à ta maladie. Je ne t'ai jamais mal jugé pour avoir cessé de me regarder avec amour, pour avoir remis en doute notre confiance mutuelle et ne plus être venu dormir avec moi. Par la suite, ma vie s'est délabrée peu à peu. Aussi incapable de t'approcher que de respecter tes silences, j'ai vu rapidement en toi la volonté de me détruire, toi qui étais au bord de la folie. Je n'avais personne à qui parler, personne qui me comprenne. Sauf Siddhārta.

Lorsqu'elle entendit ce nom de la bouche de Sakuntala, Narayani ressentit une douleur comme elle n'en avait jamais éprouvée. Mais à la douleur succéda l'envie, et à l'envie, la haine et la rage.

— C'est lui, poursuivit Sakuntala d'une voix brisée par les pleurs, qui a écouté mes craintes, jusqu'à ce qu'elles se transforment en cauchemars monstrueux, des cauchemars qui risquaient de me rendre folle à mon tour. Ce jour-là aussi, lorsque tu m'interdis l'accès au jardin et m'invitas à rencontrer Siddhārta en privé, dans sa chambre, j'allai le rejoindre. C'est ainsi qu'est né notre pacte.

— Un pacte entre vous qui me laissait dans l'ignorance ? dit le roi en regardant Siddhārta droit dans les yeux.

Mais, tandis qu'il entendait résonner sa propre voix, un espoir s'était déjà glissé en lui, tel un rayon de soleil perçant à travers les nuages, un espoir voulant le convaincre de l'innocence de cet ascète silencieux et imperturbable.

— Ce n'était qu'une promesse cherchant à me tranquilliser. Je ne pouvais imaginer le reste, conclut solennellement la reine.

— Si je ne me trompe pas, tu es en train d'affirmer que tu as couché avec Siddhārta. Et ne nie pas qu'il était nu, cette nuit-là.

Sakuntala acquiesça d'un signe de tête à deux reprises.

— La parole d'une reine ne se discute pas, reprit Bimbisāra. La corde descend lentement vers toi, Siddhārta. Tu as peut-être quelque chose à ajouter pour ta défense ? Maintenant que j'ai pardonné à la fragilité de mon épouse, qui a su rester digne dans sa triste confession, pourquoi me sens-je encore plus effrayé par ta présence ? Qui es-tu vraiment, toi qui dis être un sage ?

— Je suis ce que tu vois, Bimbisāra. Je suis venu quand tu as eu besoin de moi. Tu voulais me parler, t'en souviens-tu ? Ta maladie, qui plonge ses racines bien plus loin que tu ne veux l'admettre, avait commencé. Et je venais de cet endroit lointain, lorsque j'arrivai à ton secours. Une partie de mon chemin exigeait d'affronter ta douleur, souverain Bimbisāra.

« Si tu me demandes en revanche de confirmer les paroles de Sakuntala, je ne puis le faire car je n'affirmerai que des choses fausses. Celui qui est entré dans les appartements de ton épouse n'était pas moi ; il y a un autre homme. Le Mal est en lui, ce mal qui a assiégé le palais.

« Durant la nuit dont tu parles, je dormais dans ma chambre, lorsque la peur et l'angoisse de Sakuntala sont venues me visiter dans mon sommeil. J'ai alors senti la présence du Mal. Et je peux t'assurer que celui qui a offensé la dignité de la reine en se couchant sur son lit n'a pas offensé son corps ni sa vertu. Elle n'a pas même été effleurée. Sakuntala est pure de corps et d'âme comme aux premiers jours de votre amour.

Narayani sentit le sang montrer dans ses tempes et intervint.

— Siddhārta ment, roi Bimbisāra ! s'exclama-t-elle en soulevant l'odieux pendentif.

À la vue de l'objet, qu'il avait sculpté jour et nuit dans son esprit, le roi pâlit. Il n'avait pas encore interpellé la femme désignée par le serviteur qu'elle lui procurait spontanément la preuve, si compulsivement cherchée mais, en vérité, jamais désirée.

— La preuve en est cet objet, que j'ai trouvé dans la chambre où j'ai vu le corps nu du maître auprès de celui de la reine endormie.

Narayani n'osait pas encore lever les yeux, tremblant devant l'horreur que suscitaient en elle les accusations qu'elle portait et qui sortaient pourtant de sa bouche.

— Leurs corps ne se touchaient pas, il est vrai. Mais, en me voyant, Siddhārta a pris la fuite.

Sakuntala, toujours plus troublée, s'adressa à Bimbisāra.

— Je n'ai jamais vu ce pendentif au cou de Siddhārta.

363

Bimbisāra, désespéré, se prit la tête entre les mains, dévoilant ses bagues et ses lourds bracelets.

— Sakuntala, je te prie de ne pas attiser mes blessures. Pourquoi devrais-je te croire lorsque tu affirmes que tu n'as jamais vu Siddhārta qu'en habit d'ascète? Les hommes portent sans doute tous les mêmes colliers? Ta condamnation a été décidée et elle me laisse terriblement amer. Et toi, Siddhārta, pourquoi m'as-tu menti, à moi qui t'ai donné tout ce qu'un père donnerait à son fils, un frère à son frère? Je t'ai traité avec honnêteté et dignité, et tu as profité de moi et de ma faiblesse.

— Je n'ai pas menti, Bimbisāra.

— Tu as cependant fait ce dont on t'accuse?

— Non.

Un silence de mort s'abattit, tel un linceul, et les dernières paroles du souverain vinrent le déchirer comme une lame.

— Gardes, arrêtez cet homme!

Bonnes nouvelles

Le soleil incendiait l'horizon. Les prés et les collines boisées qui entouraient Rajagaha, la capitale du Magadha, semblaient avoir disparu pour laisser place à une ligne de feu se propageant jusqu'au pied des hauts plateaux.

Narayani regardait avec enchantement le majestueux géant de pierre qui protégeait la ville du reste du monde. Celui qui en atteignait le sommet, disait-on, ne désirait plus rien des hommes, puisque ses besoins avaient tous été déjà exaucés. Mais personne ne pouvait dire si quelqu'un avait jamais rejoint cette cime.

Dans sa chambre, Narayani ne trouvait pas la paix. L'étang où elle s'était rendue, avec les reflets blancs, bleus et roses des pétales de lotus, lui avait semblé une offense. Elle ne s'était jamais sentie aussi seule. Svasti avait disparu depuis trois jours, et personne ne l'avait plus vu.

Soudain, le palais lui sembla prendre vie et murmurer à son oreille une histoire d'autrefois, qui parlait de la chaleur étouffante de la journée et de l'enchantement du soir. Des nuits de marbre bleu, veillées par des torches d'or et des fantômes...

« Cette ville est en train de m'expliquer qu'il faut croire ! se dit Narayani. Elle me suggère d'attendre. Cette ville est vivante. »

L'appel, sans équivoque, lui arriva soudain.

— Mère ! Mère !

« Un autre tour de la ville », pensa Narayani amèrement. Mais elle vit ensuite un point, presque invisible dans l'immense plaine, grossir peu à peu et prendre la forme d'une silhouette courant vers elle.

La course élastique et désordonnée de son fils.

Narayani n'y résista pas : elle se leva et se mit à courir à la rencontre de son fils. Elle le rejoignit enfin et le serra fort contre sa poitrine.

Svasti, dans l'enthousiasme de leurs retrouvailles, prit néanmoins garde de ne pas abîmer une petite fiole recouverte de paille tressée qu'il tenait attachée au poignet.

— Mère! s'exclama-t-il. Chut! Ne dis rien. Laisse-moi te parler en premier, parce que j'ai quelque chose à te dire de la plus haute importance.

— Mais tout va bien? demanda aussitôt Narayani.

— Oui, tout va bien. Écoute-moi, je t'en prie. Tu dois croire ce que je vais te dire.

— Quoi donc?

— Siddhārta n'est pas seul. Il y en a un autre. Bref..., il a un frère jumeau..., un frère cruel!

Les cachots

La descente dans les cachots était une marche pénible. Siddhārta était conduit par deux gardes, les mains attachées derrière le dos comme un condamné. Dans la cellule, des chaînes viendraient remplacer les cordes. Au fil de leur descente le long des marches de pierre de l'étroit escalier, la température baissait vertigineusement, l'humidité des souterrains pénétrait de plus en plus profondément leurs os et un air glacial commençait à leur fouetter le visage.

Un gouffre gigantesque semblait s'ouvrir dans les profondeurs des cachots, tel l'accès vide et ténébreux à tous les abîmes de la terre. Le fond de l'océan, les cavités des montagnes et les cratères des volcans, les espaces traversés par les planètes, par la lune, par les étoiles..., tous les abîmes imaginables, froids et immobiles.

Tandis que les deux gardes l'escortaient en silence, Siddhārta méditait sur le ralentissement du temps auquel il assistait durant sa descente. Un vieillard qu'il avait rencontré enfant l'avait prévenu de la façon dont chacun, tôt ou tard, fait l'expérience de cet étrange phénomène.

— Que t'arrive-t-il, vieil homme? lui avait demandé Siddhārta. Pourquoi n'avances-tu pas, pourquoi ne dis-tu pas un mot, pourquoi ne demandes-tu rien?

— Parce que je suis vieux, avait-il répondu.

— Qu'est-ce que signifie être vieux?

— Cela signifie être un homme qui offre ses poignets et ses chevilles aux chaînes.

— Quelles chaînes?

— Les âpres et froides chaînes du temps. Celles qui arrivent sans tarder lorsque, sous la fatigue, tu capitules; lorsque le repos n'est plus même un repos, lorsqu'il te faut partir.

Le vent de l'abîme se fit moins froid; Siddhārta s'était peut-être habitué à lui. Le bruit des pas dans les galeries tortueuses cessa soudain. Ils étaient arrivés. Le prisonnier allait être placé dans sa cellule. Les sentinelles l'avaient conduit dans une cave au plafond si bas qu'il était impossible de s'y tenir debout.

La lourde porte bardée de métal pivota sur ses gonds dans un grincement sourd, laissant un nuage de poussière s'échapper de ses montants. Siddhārta s'essuya les yeux et vit les chaînes suspendues au mur. Un autre prisonnier se trouvait dans la cellule, dans la partie opposée à celle qui lui était attribuée. Il portait un fer au pied qu'une chaîne reliait à son poignet. Ses yeux étaient clos. Il semblait être dans un état de semi-conscience. Mais les heurts bruyants de la porte se refermant derrière l'ascète et les pas des gardes qui s'éloignaient le sortirent de sa stupeur. Siddhārta, mis à l'écart de l'homme comme sont mis à distance deux morceaux de viande dans un abattoir, l'observa longuement. Il ne l'avait jamais vu.

Le temps passa. Puis le prisonnier, comme saisi d'un spasme, se réveilla en sursaut et se mit à crier.

— Horreur! Horreur! Si vous voulez me tuer, faites-le maintenant, n'attendez pas que les rats me dévorent petit à petit. Je ne supporte plus la caresse de leurs museaux venant renifler mes chevilles. Ils mangeront bientôt mes oreilles, mes doigts et tout mon corps. Malédiction!

Ce fut alors qu'il vit qu'un autre prisonnier était là. Il n'était plus seul. Mais il ne se serait jamais attendu à voir cet homme en ces lieux. Rêvait-il? Était-il en plein délire?

Siddhārta lui sourit et Chandasinha poussa un cri d'effroi.

— Maudit sois-tu! hurla-t-il en se débattant comme un forcené, c'est ta faute si je me retrouve ici, maudit étranger. Sois mille fois maudit! Il ne m'est arrivé que des malheurs depuis que tu as mis les pieds dans ce palais. Et moi qui cherchais à rendre service! Voilà comment je suis remercié.

Siddhārta ne répondit pas. Puis, peu à peu, Chandasinha sembla se calmer.

– Qu'est-ce que je fais ici, moi? Pourquoi ne m'ont-ils pas libéré, puisqu'ils t'ont pris? Bimbisāra a enfin compris que tu as couché avec la reine. Narayani a dû lui exhiber la preuve et le convaincre que je ne mentais pas. Tu y es allé, c'est moi qui t'ai montré le chemin et je t'ai vu entrer. Je n'ai fait qu'aider le souverain à se débarrasser de toi. Mais, alors, pourquoi suis-je encore ici?

– Je ne te connais pas, je ne t'ai jamais vu, Chandasinha. Tu es toi aussi la victime d'une terrible farce, d'un maléfice qui a des origines lointaines. Et les murs de ce palais, dont je connais chaque pierre, chaque poutre et chaque moulure, ne le savent que trop. Voilà ce que tu dois craindre, serviteur, bien plus que la mort. Comme je crains celui qui s'apprête à venir.

– Et qui serait-il? Tu es... J'ai peur! J'ai peur! Aidez-moi, je veux sortir tout de suite! C'est lui le coupable!

Mais l'appel délirant du serviteur se perdit entre les murs.

Un souffle d'un froid paralysant se glissa par les interstices de la cellule et les deux prisonniers entendirent des bruits de pas leur parvenir à travers les méandres des cachots. Quelqu'un s'approchait avec l'assurance d'un maître. Les rats, qui avaient envahi cette partie de la prison, détalèrent pour s'enfoncer dans les trous les plus proches.

La porte de la cellule était bien trop solide pour que quiconque puisse la forcer. Il y avait en revanche, près des chaînes qui retenaient Siddhārta prisonnier, un mur dont les pierres étaient simplement posées les unes sur les autres. L'une d'entre elles glissa tout à coup en arrière, comme si elle avait été tirée, puis une autre, et une autre encore

Sosie entra alors par cette fausse paroi. La blessure qu'il portait au visage, provoquée par la morsure de Svasti, n'était pas encore cicatrisée.

Siddhārta le regarda dans les yeux pour la première fois. Il parcourut du regard les traits du visage de Sosie, identique au sien, la forme de ses épaules et ses pieds nus. Il reconnut chez son frère l'odeur âcre du sel, son souffle qui gonflait et dégonflait ses poumons, semblable à celui des vagues s'échouant sur la grève.

– Māra, nous voici enfin face à face. Notre première rencontre a lieu dans un cachot, à la croisée de la terre et de ses entrailles. Ici, où le temps a voulu s'arrêter et la conscience rester à l'écoute.

Chandasinha tremblait de tout son corps, produisant un horrible craquement osseux. L'épouvante l'avait saisi à la vue de ces deux hommes identiques jusqu'à l'absurde.

Sosie le regarda avec mépris. Le serviteur reconnut le regard vide des nuits où ils s'étaient rencontrés et remarqua dans les yeux de l'autre une lumière différente. Foudroyé par la vérité, il comprit qu'il avait été formidablement trompé. C'était un homme faible et vulnérable, et ces deux créatures, elles, n'étaient pas humaines. Chandasinha se mit à prier à mi-voix, demandant pardon à des êtres qu'il ne connaissait pas et les implorant de l'épargner.

— Je suis venu te libérer, merveilleux frère, dit Sosie en ignorant l'effroi dans lequel était plongé le serviteur. J'aime ce palais, j'aime ces cachots surgissant des abîmes, mais j'aime surtout te ressembler. Viens avec moi, maintenant que nous nous sommes retrouvés. Nos narines respireront d'un même souffle, nos mains s'uniront et nous régnerons sur l'univers tout entier. Comme le jour et la nuit, le feu et l'eau, nous non plus, lorsque nous sommes unis, nous n'avons pas de limites. Je t'ai observé marcher, parler, regarder. Je suis venu te voir dormir, connaître ce sommeil qui envahit mes rêves. Viens avec moi dans l'océan, et mon royaume sera le tien. Nous nous aimons, et notre amour est le plus pur.

Siddhārta fit tinter ses chaînes en secouant la main et regarda avec ironie ce frère malade.

— Les chaînes m'empêchent de te suivre.

— Je te les retirerai, ma force est égale à la tienne. Je peux les extirper du mur.

— Tu n'as pas besoin de faire tant d'efforts, Māra, je suis déjà libre. Regarde.

Alors Siddhārta créa une illusion. Les chaînes de fer se volatilisèrent soudain, libérant les poignets et les chevilles de l'ascète, puis, à l'instant suivant, retrouvèrent leur place.

— Tu vois. Je n'ai besoin d'aller nulle part pour me trouver dans ton royaume. Le royaume des illusions, Māra, comme tu l'as voulu, est partout.

Sosie s'approcha d'un pas.

– Tu ne peux vivre sans moi, Siddhārta. Tu l'as dit toi-même.

– Je n'ai pas besoin de me libérer de toi, je n'ai pas l'intention de te chasser. Tel que tu es, tu n'es déjà plus. Être partout à la fois et n'être nulle part sont une seule et même chose. Un vieillard que j'ai rencontré enfant me l'avait dit. Mais toi, qui dis me ressembler, tu n'as pas été enfant, tu ne peux donc pas comprendre.

– Qu'est-ce que je ne peux pas comprendre ? hurla Sosie, qui, soupçonnant l'offense, commençait à s'énerver.

– Le mal que provoque une coupure au visage, répondit sèchement Siddhārta.

Aveuglé par ces paroles et par une douleur qu'il n'avait pas oubliée, Sosie fit un pas en arrière.

« Siddhārta est un homme et il mourra », proféra une voix venue de l'abîme dans un nouveau souffle glacial. Un instant après, la silhouette de Sosie avait de nouveau été engloutie par la galerie.

La vérité

Bimbisāra avait toujours été un bon souverain. Il avait pris bien trop de décisions, durant son gouvernement, pour ne pas connaître la valeur de chaque acte et les degrés infinitésimaux qui séparent parfois la justice de l'injustice. Ainsi, le roi, en cette matinée, était en proie à une profonde inquiétude : il sentait que son action n'avait pas été juste.

« Mais en quoi me suis-je trompé ? » se demandait-il sans cesse. Il avait eu la preuve irréfutable de la trahison de Sakuntala : Siddhārta et elle nus dans un lit, les témoignages de ce maudit serviteur et de la belle étrangère, et il y avait ses doutes d'autrefois, sa jalousie...

Pourtant, quelque chose n'allait pas.

D'abord l'anomalie d'un acte qui semblait ne pas avoir été consommé. Puis le trouble de Sakuntala, son évident manque de passion à l'égard du maître et, dans ses yeux, l'insoutenable reproche qu'elle lui avait adressé, à lui qui avait été trompé. Il y avait aussi cet étonnement et cette absence totale de culpabilité dans le regard de l'ascète, sa tranquillité...

Bimbisāra se leva de son trône et, d'un pas décidé, se dirigea vers les appartements de son épouse. Il voulait l'interroger à nouveau, même si son orgueil devait encore être blessé.

— Qu'est-ce que cette histoire de pacte, reine ?

— Je te l'ai déjà dit, mon souverain. C'est toi qui m'as poussée vers cet horrible rêve dans lequel je voyais l'ascète nu pour la première fois. Il est bien évident que je ne pouvais venir t'en parler, ta jalousie aveuglait ton esprit. J'ai donc dû en parler à

Siddhārta, et lui, comme toujours, m'a redonné du courage. Il m'a alors offert un morceau d'étoffe qui, m'a-t-il assuré, suffirait pour qu'aucun homme ne puisse entrer dans mon lit.

— Et cela a-t-il fonctionné, femme ? demanda le roi dans un douloureux sarcasme.

— Je ne me suis jamais tournée pour voir qui s'était permis de se coucher à mes côtés. Je suis restée ainsi, jusqu'à l'aube, sans éprouver la moindre tentation.

Furieux, Bimbisāra sortit des appartements de Sakuntala. Il ne pouvait rien conclure de ce que la reine lui avait raconté. Il lui fallait se rendre chez Narayani. Elle pourrait peut-être, une fois sa colère apaisée, lui rapporter quelque chose qui l'aiderait à résoudre cette sinistre affaire.

Il entra dans les appartements des invités et vit que Narayani avait son fils à ses côtés. D'un geste, il fit signe au jeune homme de se mettre à l'écart et demanda à sa mère de lui refaire le récit des événements. Svasti semblait en proie à une étrange agitation, comme si un terrible secret lui brûlait les lèvres. Mais Narayani n'y prêta pas attention et raconta à Bimbisāra tout ce qu'il voulait savoir.

Le roi, au comble de la frustration, traversa nerveusement la pièce de part en part puis s'apprêta à sortir.

— Pourquoi, souverain, hurla Svasti avec insolence à Bimbisāra qui atteignait le seuil, ne demandes-tu pas à ma mère si elle n'a pas remarqué quelque chose de particulier sur l'habit que Siddhārta a revêtu avant de s'échapper de la chambre ? Demande-lui si la partie inférieure de sa tunique était déchirée !

— Qu'est-ce que tu voudrais savoir, toi ? Tais-toi ! le rembarra Narayani dont la voix se mit à trembler.

— Qu'est-ce que cette histoire ? Réponds-lui ! Réponds à ton fils, femme !

— C'est à toi que je réponds, souverain. Le vêtement de Siddhārta était intact. Mais, alors, ça veut dire...

— Bien sûr que ça veut dire... ! cria Svasti d'un air encore plus effronté. Parce qu'il y a deux Siddhārta ! Combien de fois devrai-je te le dire, mère ?

— Ne fais pas attention à mon fils, souverain. Il est convaincu par une idée folle.

— Parle, jeune homme ! ordonna Bimbisāra en se détournant de Narayani. Dis-moi ce que tu sais.

Et Svasti, dans un flot de paroles, put enfin raconter tout ce qu'il avait vu.

— ... alors je lui ai sauté dessus et je l'ai mordu à la mâchoire de toutes mes forces, jusqu'au sang. Puis le véritable Siddhārta est venu me consoler et m'a adressé de ces chères et sages paroles que j'ai appris à reconnaître par le passé.

La confession de Svasti se termina dans un déluge de larmes. Narayani courut vers lui et le prit dans ses bras, les yeux brillants d'émotion. Le roi, devenu pâle, s'approcha du jeune homme et posa la main sur son épaule. Il avait de la peine pour Svasti et pour sa mère.

Et pour lui-même

La fiole de Svasti

— Aux prisons! En avant, suivez-moi! C'est notre honneur que nous partons défendre!

C'est ainsi que Bimbisāra lança la petite expédition improvisée en direction des cachots les plus profonds du palais. Narayani, Svasti et quatre soldats portant poignards et torches descendaient l'abrupt escalier après lui. Le cri du roi invitait la modeste troupe à une bataille imminente. Le courage d'affronter celui que Svasti avait soupçonné devait être partagé et chacun se sentait prêt à combattre l'ennemi.

Si les prévisions du jeune homme étaient justes, le malin Sosie n'avait certainement pas quitté les souterrains. Il devait même en avoir fait sa forteresse, un arsenal constitué de puissantes armes dont, à un moment ou à un autre, il se servirait pour affronter le maître Siddhārta. S'il était malheureusement trop tard pour s'opposer à lui, une brèche inguérissable s'ouvrirait dans la terre de Magadha jusqu'en enfer.

La galerie creusée dans les souterrains se resserrait pour former un tunnel grossièrement taillé dans la roche que les flambeaux ne suffisaient pas à éclairer. Narayani chercha à s'accrocher aux bras puissants de Svasti. Son fils, les yeux brillants, n'avait, quant à lui, d'autre pensée que de protéger la fiole qu'il avait attachée au revers de sa poche.

La fiole de Siddhārta. Il avait fait son plus grand voyage pour la récupérer : trois jours sans manger, en ne buvant qu'à peine, avec des jambes qui ne le soutenaient plus. Mais il avait réussi à se procurer le nombre exact de gouttes du liquide que lui avait indiqué le maître. Une quantité dont il ne lui était pas encore donné de connaître le sens. Et puis qu'est-ce que ce liquide avait de particulier ? Svasti serrait contre lui son secret avec une ferveur qui le faisait se sentir le seul défenseur de la vérité. L'élu de Siddhārta, son premier guerrier.

Le petit escalier s'ouvrait sur une étouffante galerie dont on ne voyait pas le bout. De part et d'autre, les visages émaciés des prisonniers venaient s'appuyer contre les barreaux. Dès qu'ils reconnurent le roi, un concert assourdissant de voix se mit à invoquer son nom.

Laissant les détenus derrière eux, le petit groupe arriva dans la zone des cellules isolées. La présence de l'ennemi y était clairement perceptible, mais où se cachait-il ? Par où surgirait-il ? Un air glacé remontait jusqu'à eux. Les soldats, cherchant l'origine de ce froid, se mirent à regarder de tous côtés.

Le hurlement que poussa Bimbisāra se répercuta en une tempête de sons lorsqu'un rocher, transpercé par un éclair venu d'un autre monde, s'écroula devant eux. Puis un éclat de rire, résonnant d'une soif de vengeance, aussi inoubliable que le souvenir d'un cauchemar, vint mettre fin à leurs questions. C'était le rire de Māra.

— C'est lui ! Regardez, la balafre ! cria aussitôt Svasti.

— Es-tu le grand et puissant roi Bimbisāra ? demanda Sosie. Vingt pas te séparent de ton hôte. Il ne me semble pas qu'il soit traité comme il convient à un personnage de sa stature. Tu as reçu le Bouddha, celui que les souverains d'autrefois auraient hissé sur un trône d'or et de diamants. Mais toi, roi maudit, pour une sottise surgie de ton esprit stupide, tu as préféré l'enfermer dans tes bas-fonds. Quel dommage de faire de telles erreurs à ton jeune âge. Un crime dont les dieux ont été témoins ! Fragiles hommes, faibles dans leur chair et dans leur esprit ! La pitié est bien trop peu pour vous, mendiants qui dédaignez les lois universelles et vous débattez dans les habits ridicules de vos renaissances perpétuelles. Entends les cris de ce misérable serviteur, il ne reste de lui qu'un pauvre fou !

Les délires de Chandasinha parvinrent aux oreilles de Bimbisāra, qui identifia la cellule du serviteur. Un courage neuf s'empara du roi. Svasti le regarda. Bimbisāra avait compris.

Sans prêter attention aux insultes, avec cette majesté qui lui était propre, le souverain fit un signe aux gardes et se dirigea vers la cellule où se trouvait enfermé le véritable Siddhārta, le seul qui pourrait sortir vainqueur d'un défi extrême entre puissances surhumaines.

Sosie se mit sur le côté, l'air moqueur, et son rire vint de nouveau déchirer leurs tympans.

— Où crois-tu aller ? Tu le libères, maintenant qu'il est trop tard ? Fais donc. Moi aussi je rêve de le voir libre, mon frère adoré. Mais le moment n'est pas encore venu d'assister à cette pitoyable scène, le spectacle des humains peut attendre. Les démons hurlent dans mes entrailles, je dois assouvir leur faim. Boiteux, Aveugle, Manchot, je suis avec vous ! Yama, seigneur de la Mort, Yaksha, roi des Dragons et de toutes les Mers, esprit des Murailles et des Fosses, roi des Verdicts et dieu des Cimes de l'Orient, bataillons de lémures, titans et démons, éclatantes têtes sanguinaires, venez à moi ! Des humains, ici, sur Terre, désirent vous rencontrer. Ils veulent devenir des nôtres.

Nous tuerons ! Tuez ! Je tuerai !

Après avoir rejoint la cellule de Siddhārta, sous les hurlements invoquant les démons, Bimbisāra ordonna aux gardes d'enfoncer la porte et se précipita à l'intérieur pour libérer le maître des fers qui l'enserraient.

— Une mystification, Siddhārta, une terrible mystification dont je ne sais me relever. Que devons-nous faire ? Ordonne et je t'obéirai. Jamais je n'aurais imaginé que le Mal puisse un jour trouver le moindre interstice par lequel s'immiscer dans mon royaume. Mais il nous a maintenant envahis et c'est moi qui l'y ai aidé. Je ne sais plus quoi faire, je ne suis plus un roi.

— Libère le serviteur. Le temps est venu d'avoir pitié de lui, dit calmement Siddhārta, tandis qu'il retirait ses fers.

Le silence envahit la cellule. Comme dans un rituel antique, Svasti s'approcha du maître. Face à face, ils s'inclinèrent en joignant les mains, puis relevèrent la tête, les yeux dans les yeux. Le jeune homme tenait entre ses mains la précieuse fiole.

— C'est de l'eau de mer. Comme tu me l'avais demandé.

Svasti, qui avait mémorisé chaque phase de ce rituel que le maître lui avait enseigné, ne s'était jamais senti aussi fier. Jamais il ne s'était senti accepté par Siddhārta comme en cet instant où, retirant le bouchon de la fiole, il versait son contenu dans le creux des mains de l'ascète. Puis, de son index mouillé, il dessina sur son front un minutieux dessin : le troisième œil.

C'était le miracle du Bouddha.

L'armée des démons

Le cri que poussa Sosie s'entendit des plus profonds abîmes de pierre creusés dans les souterrains jusqu'au sommet de la plus haute tour.

— À moi, Boiteux ! À moi, Aveugle ! À moi, Manchot ! À moi, Yama, seigneur de la Mort, Yaksha, roi des Dragons et de toutes les Mers, à moi, esprit des Murailles et des Fosses, roi des Verdicts, dieu des Sommets d'Orient. Venez à moi, ô démons !

Les clepsydres et les tambours mesurant le temps du vaste royaume du Magadha marquèrent six heures du matin. Mais, sous les fondations du palais, il était bien impossible de savoir quel moment de la journée s'annonçait. La guerre explosa en une étincelle, un instant infini destiné à rester obscur pour les siècles, peut-être pour toujours.

— Voici venue la guerre fratricide.

Ainsi parla Siddhārta à sa troupe : aux gardes belliqueux armés de torches, au serviteur terrorisé, à la courageuse Narayani, au juste Bimbisāra. Et à Svasti.

— C'est une guerre sans salut, déclara le Bouddha. C'est une guerre de défaites, une guerre dans laquelle, pour vaincre, il faut tout perdre. Ici et maintenant, la lutte nous oblige à abandonner tous les principes qui ont guidé notre vie, les grands idéaux dont nous héritons : la famille, la loi, le patriotisme, l'ordre, la dévotion, la mère, le père, le maître. Tout cela a déjà été tué. Moi, homme, devant le ciel et la terre, je suis seul.

À ces mots du maître, chacun se sentit le seul responsable des actes irrévocables accomplis jusqu'alors. L'ordre de bataille avait été donné, et l'armée de démons de Sosie s'avançait dans les souterrains. Ils étaient pères et grands-pères, maîtres, frères, cousins, neveux et compagnons de Dieu sait combien de vies à Dieu sait quelles époques. Il n'y avait pas d'alternative à la lutte. Il fallait se battre avec ce que l'on avait : avec ce que l'on était. Mais leurs membres retombaient sur leurs corps, leurs bouches se desséchaient et le tremblement des régions profondes de l'âme venait ébranler tout leur être.

Un arc immense, l'arc de Gandiva, don de Siddhārta, s'échappa de la main de Bimbisāra. Sa peau le brûlait, son esprit vacillait. Le jeune souverain faisait face à une semblable bataille pour la première fois.

L'ennemi s'approchait. L'ennemi tuait. Et Sosie était à la tête de cette multitude de démons faméliques. Les hurlements des démons étaient des chants de joie, d'horribles masques sanguinaires se répandaient à travers les cachots et jusqu'au fond des cellules, dans des rugissements inhumains. Les prisonniers innocents et les criminels, ignorant ce qui leur arrivait, furent traînés hors de leurs cages et égorgés comme des bêtes à l'abattoir, puis transportés dans le royaume des violents. Leur chair vint grossir les troupes de guerriers de Māra.

Sosie savait que ni les démons ni les hommes n'avaient le moindre espoir de venir à bout de cette bataille qui se déroulait entre frère et frère.

— Ils ont tué les prisonniers, leur sang ruisselle jusqu'ici ! hurla un soldat à Bimbisāra.

— Occupez-vous seulement de vous défendre. Cette guerre n'est pas la nôtre. Mais elle nous emportera si nous n'ouvrons pas un passage à notre maître. Nous sommes impuissants contre ces créatures qui sèment la terreur. Ne le voyez-vous pas ? Leurs cous soutiennent trois têtes, ils ont six yeux et douze bras, un ventre de loup et des dents grinçantes de chacal.

« Mais si nous avons perdu d'avance, pourquoi rester ? Pourquoi n'avons-nous pas déjà pris la fuite ? » se demandaient les soldats.

Et Chandasinha, que la peur avait rendu livide, se le demandait aussi, lui qui succombait déjà sous les griffes d'une créature dont la vue était insoutenable pour un regard humain. Ses compagnons, les yeux baignés de larmes et le cœur plein de douleur, le virent se faire dévorer par l'immense gueule. Il n'avait pas poussé le moindre cri. Adieu, Chandasinha. Adieu, serviteur imposteur.

Le front de Narayani était couvert de sueur. S'oubliant elle-même, elle suivait de ses yeux de mère les gestes frénétiques qu'exécutait Svasti aux côtés du Bouddha. Lorsqu'elle entrevoyait enfin l'épaule de son enfant, son genou, son dos, ou bien sa tête et ses cheveux bouclés reconnaissables entre mille, elle murmurait sa gratitude au ciel et à la vie car elle le savait sauf.

Un vent froid et violent aux odeurs d'océan se mit à souffler tout à coup. Il souleva les corps par rafales pour les clouer aux murs de pierre qui séparaient les galeries des cachots. Les parois s'effritèrent, tombèrent en morceaux et finirent en poussière. Les visages ahuris et impuissants virent alors un espace irréel s'ouvrir dans le souterrain éventré : un immense champ de bataille qu'un ciel recouvrait jusqu'aux quatre horizons. Que se passait-il ? Qui avait créé l'architecture de cette terre sans roi ni reine, sans dieux ni nature ?

Les démons et les hommes, durant ces heures interminables, allaient être les témoins d'un événement qui ne s'était jamais produit.

Les jumeaux abandonnèrent leur escorte et vinrent fouler cette nouvelle terre. Le moment du duel était arrivé : Siddhārta gouvernait la partie orientale et Sosie l'occidentale. Siddhārta observait Sosie. Sosie observait Siddhārta.

Mais personne n'aurait pu dire qui était Sosie et qui était Siddhārta.

La bataille du Stūpa

Un vent hurlant balayait l'extraordinaire plaine, le champ de bataille. Tous les hommes et les femmes, Narayani, Svasti avec sa fiole, Bimbisāra tenant encore les chaînes dont il avait libéré Siddhārta, Sosie, les soldats munis de leurs torches, tous se retrouvèrent dans cet espace immense, fouettés par le vent et infiniment éloignés les uns des autres.

Seuls Sosie et Siddhārta, qui avaient pris place au milieu du champ pour s'affronter, sans égards pour les spectateurs, semblaient pouvoir contrôler la fureur des éléments.

— Mon esprit est vif et mon cœur alerte. Je peux commencer, dit Siddhārta.

— Mon esprit est vif et mon cœur alerte. Je peux commencer, dit Sosie.

— Le perdant périra à jamais, dirent-ils ensemble.

La terre se mit soudain à trembler. La première des quatre marches du Stūpa prit forme sous les pieds de Siddhārta. Elle était magnifique. Le Bouddha ne trembla pas d'un cil, comme si la marche de pierre était son destrier. Dans une admirable symétrie, la deuxième marche surgit dans un nuage de poussière sous les pieds de Sosie, à la bouche raide et aux yeux injectés de sang. La troisième se dressa sur la droite puis la quatrième du côté opposé. Ainsi s'était formé le socle extraordinaire du monument du Bouddha sur lequel se déroulerait la première lutte à mort.

— C'est sur ce sol du Stūpa, dit Siddhārta en souriant, que je crée mon parc de banians tant aimé. Avec toute la douleur et la souffrance que cette vision confère à mon cœur. Les flammes de Kapilavastu me brûlent les yeux, les êtres qui me sont familiers s'enfuient avec leurs vêtements en feu et les enfants hurlent en voyant les cendres de leurs mères. À présent, je prends tout cela sur moi, je suis l'eau régénératrice qui éteint ce brasier. L'ardeur de ma douleur te consume pour autant qu'elle m'use.

Le sol de pierre du Stūpa devint tout à coup de braise et se mit à couler à une vitesse inimaginable sous les pieds de Sosie, qui, aussitôt, commença à fumer.

— C'est sur ce sol du Stūpa, dit Sosie, que j'allonge Yama, le seigneur de la Mort, pour que brûle son dos tandis que son ventre soulagera la plante de mes pieds.

Un éclair violet éclata dans l'air, venant marquer, tel un cordon ombilical, la folle union des deux jumeaux.

Sous les pieds de Siddhārta se mit à grandir, avec la force d'une éruption, pareille à une créature vivante, la géométrie complexe des murs du Stûpa. L'extraordinaire construction se démultipliait pour former un second étage.

Les muscles de Siddhārta ne tremblèrent pas lorsqu'une vague de pierre se glissa sous ses pieds. Le vent soulevait une poussière rosâtre qui vint se coller à la peau des deux guerriers.

Comme une statue d'argile prend soudainement forme, ouvre une bouche de chair et se met à parler, Siddhārta dit :

— C'est dans ce vent de poussière que je crée mon parc des Manguiers tant aimé, mon épaisse et silencieuse distance. Venez à moi, moines, et tenez-vous sur vos gardes devant l'ennemi. Ne vous laissez pas distraire par quelque ruban coloré, par de petites perles égarées sur le sentier venant vous rappeler qui est passé par là. Sosie est terrible et c'est pourquoi il faut que vous graviez dans votre mémoire, maintenant, ce que je vous dirai à la fin de ma vie : soyez attentif à ce que vous faites ! Ne te laisse pas saisir par la peur, Amrapali ! Reste ici, gardienne, entre tes manguiers, confonds le regard de mon ennemi, brise le nerf de sa haine. Fais rire tes cinq cents élèves vêtus des plus belles parures au milieu de ces plantes, sur les chemins du parc des Manguiers, car je crois que nous sommes ici, même si nous n'y sommes pas.

La poussière rouge de la construction, qui avait déjà atteint le toit du monde, se dispersa tout à coup. Avec une vitesse incroyable, un dense tapis d'herbe semblable à de la mélasse verte traversa le second étage du Stūpa poussé par une vague d'une violence inouïe, et frappa Sosie tel un poignard en pleine poitrine.

D'une deuxième vague, puis d'une troisième et d'une quatrième, tout le Parc des Manguiers, éclairé par mille regards de moines et les mille sourires d'élèves, se précipita dans une fureur aveugle contre le jumeau de Siddhārta.

— C'est devant cette lame d'herbes tranchantes et de sourires de femmes, dit Sosie, que je pousse Yaksha, roi des Dragons et de toutes les Mers. C'est un immédiat et fulgurant plaisir que de voir son corps s'étendre dans toutes les directions, coupé par les brins d'herbe, les branches et les folles parures des femmes qui volent dans le vent. Ô ma défense naturelle, ô ma protection ! Je ne puis que rire de tout ça, cette bataille ne peut me nuire.

Un éclair aveuglant illumina le ciel, marquant Sosie et Siddhārta comme la mèche d'un fouet.

La première des quatre tours de bois du Stūpa se dressa, tel un géant mélancolique, sous les pieds de Siddhārta. La deuxième sous les pieds de Sosie. Sur la droite, la troisième, et sur la gauche, la quatrième. Les deux rivaux se retrouvèrent en une fraction de temps projetés au plus haut d'un ciel bleu et glacial. Plus rien ne se laissait encore voir sous leurs pieds.

Le vide était presque insoutenable, et la solitude immense.

L'imposant monument semblait vouloir concentrer toute son énergie en ces quatre extrémités de la construction, les sommets des tours vertigineuses.

— C'est sur le toit de cette tour du Stūpa, pareil au souvenir d'une chère montagne qu'une autre vie m'aura laissé gravir, dit Siddhārta en souriant, que j'appelle à moi le roi des Cerfs. Viens, roi, auprès de moi, et créons ensemble le parc de Varanasi, afin que nos antilopes courent à toute allure sur les arêtes des tours et se réjouissent.

Soudain, des milliers d'antilopes surgirent dans un flot continu du sommet des trois tours et se mirent à déferler vers celle à laquelle, à genoux, s'agrippait Sosie.

Un bruit sourd fit trembler l'édifice. D'un regard froid, Sosie dit :

— Approche-toi, esprit des Murailles et des Fossés, dessine sous mes pieds ton œuvre maléfique. Prends ces maudites bêtes surgies de l'esprit du Bouddha et emporte-les avec toi. Fais-toi broyer sous leurs sabots, faits-toi écraser par leurs ventres répugnants, fais-toi transpercer par leurs cornes folles et sacrifie-toi pour moi, afin que ma joie soit totale.

Un cyclone vint soudain envelopper la base de la tour sur laquelle se tenait Sosie et se mit à tourner autour d'elle, transformant la formidable attaque des antilopes en un amas de chair rouge qui se détachait sur le ciel bleu indifférent. Alors, comme si cela avait donné le signal, l'organisme parfait et maintenant vivant qu'était le Stūpa créa sa dernière extension.

Une barre de métal commença à s'élever entre les pieds de Siddhārta. D'un geste naturel, le Bouddha s'y cramponna et, tel un acrobate, entreprit une ascension interminable à travers les nuages.

Sosie le regarda avec mépris et lui hurla :

— Pauvre petit homme effrayé ! Tu n'as plus de jardins et de parcs mystérieux pour m'affronter ? Que ta fuite est pénible ! Que fais-tu là-haut, misérable héros du Bien ?

Siddhārta, se trouvant maintenant à une hauteur incommensurable, regarda Sosie. Le soleil, près de lui, lui caressait les épaules.

Alors, dans une infinie tendresse, il songea à Svasti, qui avait mené à bien sa tâche, sans rien demander, à une époque qui semblait déjà oubliée. Le visage du Bouddha, malgré la terrible bataille menée contre Sosie, était encore mouillé par l'eau de mer que le disciple lui avait rapportée.

Il s'essuya de ses mains et, en se frottant les doigts, forma une goutte unique. Puis, lentement, du bout de l'index, il la laissa tomber dans le vide en disant :

— Océan infini, toi seul as la force de reprendre ce que Māra t'a fait créer. C'est de tes masses bleues que le dieu du Mal a fabriqué ce cruel fils de l'homme, le faux jumeau : Sosie. Redeviens un avec lui !

L'attente fut interminable.

Dans un bouillonnement d'écume, une immense surface d'eau grise et huileuse commença à dévorer le premier étage du Stūpa, puis s'attaqua aux murs du second, aux tours de bois et enfin à tout le reste. Paisiblement, mais avec une force dévastatrice.

Le rictus de Sosie se transforma en une grimace d'effroi. Les paroles exaltées qui jaillissaient de sa gorge se métamorphosèrent en silence.

Quelques instants avant d'être englouti par la sombre masse d'eau, Sosie vit son image s'y refléter, et le visage qui vint alors s'écraser contre lui portait le masque de la terreur. Il avait perdu sa beauté, il avait perdu sa perfection.

Il ne ressemblait plus à celui du Bouddha.

Le sourire du sage

Les visages resplendissaient de joie. Devant les portes du palais, Bimbisāra, ému, embrassait Sakuntala. Ananda tenait Sujata serrée contre lui. Il était heureux pour elle et pour son aimé. Narayani, quant à elle, regardait tendrement son enfant, plus agité qu'un poulain...

Siddhārta posa les yeux sur chacun d'entre eux, sans dire un mot. Il n'eut pas même besoin de leur annoncer que le temps était venu pour lui de partir. Mais ce n'était pas un adieu qu'il pouvait lire sur le visage de ses chers amis. Une partie de lui-même resterait à jamais avec eux.

Le Bouddha s'engagea sur le sentier puis, après avoir marché un peu, se retourna vers le groupe, joyeux et consterné à la fois, qui ne l'avait pas perdu de vue un seul instant. Alors, comme pour les saluer, il dit à haute voix :

— La porte nord, mon roi, est traversée par une fissure. Il est juste que tu le saches, à présent.

Sans bouger, Bimbisāra lui répondit de loin.

— Comment le sais-tu, Siddhārta ?

Tous virent le sourire du Bouddha.

Siddhārta se retourna et reprit sa marche. Il pensa en lui-même : « Cette fissure n'a rien de grave, elle ne fera certes pas s'écrouler mon œuvre. Je le sais. Il y a fort longtemps, j'ai construit ce palais avec une extrême attention. »

Épilogue

Bien des décennies avaient passé.

Les regards, les batailles épiques et les vains désirs avaient rejoint le flux éternel des choses.

Et le Bouddha fut frappé par une grave maladie.

Ananda, son premier disciple, se tenait à ses côtés en pleurant. Il voyait déjà sur le visage du maître les signes de la mort. Pourtant, le Bienheureux, par la seule force de sa volonté, dompta sa maladie et recouvra la santé.

Lorsqu'il ressortit au grand jour, le Bouddha appela à lui Ananda et les autres disciples pour leur parler.

— Je suis bien vieux et le fardeau des ans me pèse, mes amis. J'ai vécu la totalité de mes jours, mon voyage est sur le point de toucher à son terme. Ainsi, vous allez devenir votre propre lumière. Celui qui, lorsque j'aurai quitté ce monde, sera sa propre lumière aura compris le sens de mes mots. Il sera devenu mon vrai disciple.

Le jour suivant, après avoir quitté le village de Buliva, les disciples et le maître se rendirent à Pava et firent une halte dans la maison de Chunda, le forgeron. Ce dernier, pour honorer le maître, offrit un repas composé de mets très variés, dont un plat de viande de cochon agrémenté de champignons. Le maître ne voulut pas que les disciples mangent, lui seul goûterait au repas pour ne pas offenser Chunda, qui l'avait préparé avec tant de soin.

Dès qu'ils furent sortis de Pava, le maître, se sentant faible et fatigué, quitta la route pour aller s'asseoir dans l'herbe, non loin d'un ruisseau. Il avait soif et demanda à Ananda d'aller lui chercher un peu d'eau.

— Des charrettes sont passées dans le ruisseau il y a peu de temps et leurs roues ont soulevé la boue.

— *Je t'en prie, Ananda,* insista le Bouddha, *va me chercher de l'eau, j'ai soif.*

— *L'eau est trouble, maître.*

— *Je t'en prie, Ananda, va me chercher de l'eau, j'ai soif,* répéta le Bienheureux pour la seconde fois.

— *Comme tu voudras, maître.*

Ananda prit l'écuelle et descendit jusqu'au ruisseau. Et il vit que l'eau du ruisseau, que le passage des charrettes avait troublée, était redevenue claire et transparente.

Le Bienheureux se désaltéra.

Après s'être reposés quelques heures, ils se remirent en chemin. Lorsqu'ils arrivèrent dans les environs du village de Kusinara, ils firent une halte sur la rive du fleuve Hiranyavati, près d'un bois paisible.

— *Je t'en prie, Ananda, précède-moi,* dit le maître, *et prépare-moi une couche entre deux arbres jumeaux en faisant en sorte que la tête soit tournée vers le nord.*

Ananda s'enfonça dans le bois et prépara une couche, tournée vers le nord, entre deux arbres jumeaux, deux arbres qui étaient en fleurs bien que l'on fût hors saison.

Le Bouddha arriva enfin et alla s'étendre sur sa couche. Les fleurs des deux arbres jumeaux descendaient vers lui avec douceur, tandis que des chants célestes lui parvenaient du ciel.

Alors, levant tranquillement les yeux sous cette pluie délicate de pétales, le maître dit :

— *Ces fleurs et ces chants rendent honneur au Bouddha. Mais le Bouddha attend un honneur plus grand encore : vous, moines, hommes et femmes, et vous tous qui croyez, vous tous qui voyez la vérité, vous tous qui vivez dans la loi, vous rendez l'honneur suprême au Bouddha.*

Ananda pleurait. Le maître se tourna vers lui et lui dit :

— *Ananda, ne pleure pas. Ne sois pas troublé. Pourquoi devrais-je rester attaché à ce corps charnel ? Ton maître est sur le point d'entrer dans le Nirvana. Souviens-toi de ces paroles : il n'existe rien de ce que l'on aime dont il ne nous faille un jour nous séparer. Le maître s'en va, mais la loi demeure, cette loi que je vous ai enseignée. Tu as été pour moi le meilleur des amis, Ananda. Tu es resté auprès de moi avec beaucoup d'affection et beaucoup de joie, tu m'as été fidèle en pensées, en paroles et en actions. Continue ainsi, sur ce même chemin.*

Ananda, retenant ses larmes à grand-peine, demanda alors au maître :

— *Qui nous servira de guide lorsque tu seras parti ?*

Le maître resta silencieux quelques instants, puis, levant péniblement la tête vers le soleil couchant qui inondait son visage d'une lumière dorée, le regard perdu dans une sublime et éternelle vision, le Bienheureux, d'une voix émue, répondit :

— Je ne suis pas le premier Bouddha venu sur Terre et je ne serai pas le dernier. Un autre Bouddha arrivera, il sera suprêmement illuminé, infiniment sage, et il professera une vie aussi pure et parfaite que celle que je professe, ici et maintenant, et dont j'ai témoigné.

Ananda demanda :

— Comment reconnaîtrons-nous le Bouddha qui viendra ?

Sans détacher les yeux du ciel qui s'assombrissait, le Bienheureux dit :

— Le temps est pareil à un clin d'œil, à un battement d'aile. Le voilà, il approche, il sera connu sous le nom de Maitreya, ce qui signifie « Celui qui a pour nom bienveillance ».

La nuit était descendue. Les habitants des villages proches, ayant appris que le maître gisait entre deux arbres jumeaux dans le bois au bord des rives du fleuve, accoururent jusqu'à lui munis de torches pour lui rendre honneur.

En voyant ses disciples et la foule le contempler avec vénération, le maître se tourna vers Ananda et lui dit :

— Comme toi, Ananda, dans la plénitude de ta foi, même le moins en avance de ces frères sera certain de son salut s'il ne doute pas du Bouddha, de la vérité et du chemin. Ne cessez jamais de lutter. En connaissant le dharma, la loi, vous connaîtrez la cause de toute douleur et le chemin du salut. Toute chose composée est sujette à la corruption, mais la vérité, elle, est éternelle.

Le Bienheureux tomba dans une profonde méditation et, une fois dans les régions de l'extase, entra dans le Nirvana.

On entendit alors la terre trembler, le tonnerre éclater dans les cieux en un fracas infini ; les fleuves devinrent d'impétueux torrents et les arbres de la forêt ondulèrent, les feuilles recouvrirent le sol et une pluie de pétales parfumés tomba du ciel. Les disciples et tous ceux qui se trouvaient présents lors de la mort du Bouddha se prosternèrent en pleurant et en tendant les bras vers son corps saint.

Au lever du soleil, déposé sur un grand bûcher couvert de guirlandes, la dépouille du Bouddha fut brûlée, au milieu de danses, de chants et de musiques, comme la dépouille du roi des rois.

Remerciements

C'est à la lecture de *The Magus* de John Fowles que je dois la redécouverte du conte antique « Le prince et le magicien ». Puisse le maître ne pas m'en vouloir pour ma libre transcription

Table

Cet ouvrage a été réalisé par

FIRMIN DIDOT
GROUPE CPI

Mesnil-sur-l'Estrée

pour le compte des Éditions Robert Laffont
en mai 2001

Imprimé en France
Dépôt légal : mai 2001
N° d'édition : 41473/01 – N° d'impression : 54173